МАРИНИНА
АЛЕКСАНДРА

Адрес официального сайта Александры Марининой в Интернете
http://www.marinina.ru

АЛЕКСАНДРА МАРИНИНА

Цена
ВОПРОСА

Том 1

МОСКВА

2017

УДК 821.161.1-312.4
ББК 84(2Рос=Рус)6-44
    М26

Маринина, Александра.

М26   Цена вопроса : [Роман в 2 т.]. Том 1 / Александра Маринина. — Москва : Издательство «Э», 2017. — 352 с. — (А. Маринина. Больше чем детектив.).

ISBN 978-5-04-004674-4

Программа против Системы. Системы всесильной и насквозь коррумпированной, на все имеющей цену и при этом ничего неспособной ценить по-настоящему. Возможно ли такое?

Генерал МВД Шарков твердо верил, что управляемая им Программа — последний шанс навести порядок в правоохранительных органах. Так было до тех пор, пока не исчез один из ее участников, одержимый радикальными идеями. А затем начались эти странные «парные» убийства... И стало понятно, что если сегодня не остановить убийцу-фанатика, то завтра Программе придет конец. Но какую цену готов заплатить генерал Шарков за дело всей своей жизни? И чего это будет стоить полковнику Большакову и капитану Дзюбе, уже подключившимся к расследованию?

УДК 821.161.1-312.4
ББК 84(2Рос=Рус)6-44

ISBN 978-5-04-004674-4

Шарков

От так. Еще сегодня утром жизнь была другой, привычной, поддающейся планированию и понятной. Еще сегодня в шесть утра Валерий Олегович, заваривая кофе и с аппетитом поедая поданный женой завтрак, точно знал, что и как будет происходить и сегодня, и завтра, и послезавтра...

А сейчас вдруг выяснилось, что ничего-то он не знает и не понимает. И решение нужно принимать немедленно. Альтернатива у Валерия Олеговича жесткая, совершенно очевидная и малоприятная: пожертвовать придется или делом всей своей жизни, или собственно этой самой жизнью. Да нет же, не пожертвовать в прямом смысле этого слова, а всего лишь поставить на кон в игре с судьбой. Может быть, ему повезет, и он выиграет. Но может и проиграть. Страшно. Риск чрезвычайно высок.

«Зачем? — тоскливо и растерянно думал Валерий Олегович, глядя из окна автомобиля на медленно (ах, эти ставшие притчей во языцех московские «пробки»!) проплывавшие мимо улицы, дома, машины, рекламные щиты и яркие вывески. — Почему, ну почему именно сейчас? Почему не через год, ну пусть через полгода, или хотя бы даже через пару месяцев? Через пару месяцев мы наверняка сняли бы остроту вопроса, и три-четыре недели, о которых идет речь, не сыграли бы никакой роли. Я мог бы выпасть из процесса и на более долгий срок, и для дела ни малейшего ущерба, и вообще: никто бы даже не заметил моего отсутствия. Но сейчас... Нет, сейчас никак нельзя. Я должен держать руку на пульсе, я должен быть доступен для принятия решений двадцать четыре часа в сутки, я должен все контролировать и всем управлять, иначе дело, которому я посвятил тридцать лет, может рухнуть. Ну почему, почему все сошлось именно сейчас!»

— Прижмись где-нибудь, — скомандовал он водителю.

— Здесь нигде нельзя, — откликнулся тот. — Если только во двор какой-нибудь заехать. Но если ненадолго, то можно и так...

Да, забывает Валерий Олегович об этих клятых новых правилах парковки, особенно в центре столицы. Теперь нигде просто так не встанешь. Зато трафик стал заметно лучше, с этим не поспоришь.

Ему нужно подумать. Впрочем... Нет, уже не нужно.

Он вытащил из кармана телефон и позвонил Большакову.

— Нужно встретиться. Срочно.

— Я понял, — послышалось в трубке. — Через час годится?

— Да. Жду.

* * *

Константин Георгиевич Большаков сделал в свое время поистине стремительную карьеру, в 34 года получив назначение на должность начальника «убойного» отдела на Петровке. Было это 10 лет назад, и с тех пор Большаков успел послужить на некоторых должностях в центральном аппарате, после чего вернулся в Главное управление внутренних дел Москвы, заняв кресло заместителя начальника по криминальной полиции. Был он человеком честным и порядочным, офицером — грамотным, хорошо подготовленным и очень профессиональным, поэтому Валерий Олегович Шарков проявил в свое время завидное упорство, отстаивая кандидатуру полковника Большакова.

— Костя, ты нам нужен на этой должности, — говорил Шарков. — Но ты должен отдавать себе отчет, что звание генерала ты в этом кабинете не получишь.

— Ну и что? — безмятежно улыбался Константин Георгиевич. — Меня под генеральские погоны не затачивали. Лишь бы на пользу делу.

Это было правдой. «Затачивали» юного Костю начиная с 17 лет совсем под другое.

Квартира покойного профессора Ионова пустовала. Евгений Леонардович скончался два года назад в возрасте восьмидесяти восьми лет, предварительно переоформив свою жилплощадь таким манером, чтобы его преданные ученики и последователи могли ею беспрепятственно пользоваться. Дети, внуки и правнуки старого профессора против такого решения не возражали: были они людьми адекватными ментально и более чем состоятельными финансово и к распоряжениям заслуженного ученого отнеслись уважительно. Разумеется, они и знать не знали, чем на самом деле занимался профессор Ионов, однако видели, что работает он много и с несомненным удовольствием и интересом, хотя в последние годы из дому почти не выходит. Если Костя Большаков мог считаться всего лишь последователем Евгения Леонардовича, то генерал Шарков был самым настоящим учеником Ионова и преемником его идей.

Именно сюда, в квартиру профессора, и приехал теперь Валерий Олегович. Здесь он встречался и с Большаковым, и с другими соратниками по общему делу. Порядок и чистоту в жилище продолжала поддерживать все та же милая соседка по имени Роза, бывшая домработница Ионова: об оплате ее услуг заблаговременно позаботился все тот же предусмотрительный Евгений Леонардович. Даже к собственному уходу из жизни старый профессор подготовился столь же основательно и тщательно, как делал все и всегда.

Квартира показалась Шаркову сумрачной и темной, но он быстро сообразил, что все дело в задернутых тяжелых шторах. Такая уж привычка была у Розы: после уборки непременно задергивать шторы на всех окнах, словно бы прощаться с помещением и ставить точку. Шарков не стал разрушать спокойный полумрак, прошел в гостиную, сел на диван, прикрыл глаза. Костя приедет минут через 20—25, не раньше, еще есть время подумать. Когда он, Валерий Олегович, был здесь в последний раз? Не так давно, пару недель назад, встречался все с тем же Костей Большаковым, своей правой рукой. И уже тогда, две недели назад, Шарков мог бы сообразить, что происходит. Мог. Но не сообразил. А месяц назад — мог? Наверное, тоже уже мог. А два месяца назад? А три? Где, когда, в какой момент пролегла та тонкая, почти невидимая, неощутимая линия, которая разделяет время «еще нет» и время «уже да»? В какой момент Шарков должен был забеспокоиться и насторожиться? Наверное, тогда, когда Борис Орлов, сидя на вот этом самом диване, с грустью сообщил:

— Игорек сорвался. Ушел из программы. Я очень старался его убедить, но он меня не послушал. Он категорически против наших методов и наших принципов. Как сказала бы моя покойная мама, это вечный конфликт Белинского с Гоголем.

В тот момент Шарков не охватил разумом все сказанное адвокатом Орловым, зафиксировал только сам факт: человек, привлеченный к работе в программе, разочаровался в ней и отказался от дальнейшего сотрудничества. Ну что ж, это дело обычное. Кто-то приходит, кто-то уходит, как бывает на любой работе и в любом деле. Та встреча с Орловым была плановой, им предстояло обсудить результаты работы адвокатов, сотрудничающих с программой, и мозг Валерия Олеговича настроился именно на эту проблему, а вовсе не на какого-то там Игоря, который даже и не адвокат, и вообще не юрист.

Но, возможно, он, генерал Шарков, и ошибается. Не происходит ничего экстраординарного. Просто завелся на просторах нашей великой страны очередной псих, маньяк. Плохо, конечно, что и говорить, но для программы никакого значения не имеет. Поймают его рано или поздно. А вот если это не маньяк, тогда... Как узнать? Только одним способом. И пока вопрос не будет решен, пока генерал не убедится, что программе ничто и никто не угрожает, не будет ему покоя.

Валерий Олегович поерзал на диване, пытаясь поудобнее устроить ноющую шею и расслабить мышцы, и внезапно с ужасом осознал, что прислушивается к своему телу. Рванет? Или нет? И если рванет, то когда? Господи, еще сегодня утром, даже еще три часа назад подобные мысли не могли бы появиться в его голове. Зачем, ну зачем он узнал? Зачем ему сказали?

Скрежетнул ключ в замке: пришел Большаков. Ключи от квартиры были только у него и у генерала, третий комплект — у Розы. Константин Георгиевич, красивый стройный мужчина с умными глазами, молча прошел в комнату и уселся в кресло лицом к Шаркову.

— Что-то случилось? — негромко спросил он.

— Случилось.

— У вас? Или у всех нас?

— У меня — точно случилось, а насчет всех нас — пока непонятно. Я сегодня был у врача. И кой черт меня дернул обратиться с болями в животе! Ну, болело и болело, подумаешь... Выпил обезболивающее — и вперед, как обычно. Так нет же! Попёрся к лепилам, старый дурак.

В голосе Валерия Олеговича звучала неприкрытая досада и злость то ли на врачей, то ли на самого себя. Шарков глубоко вздохнул и замолчал.

— Что сказал врач?

— Аневризма аорты. Давно уже, лет пятнадцать, а может, и больше. Говорит, что рвануть может в любой момент. И вплоть до летального исхода, если не повезет. А если повезет, то, может быть, протяну еще лет десять, но медики никаких гарантий не дают.

— Что предлагают?

Большаков, как всегда, собран, сдержан и не теряет присутствия духа. За эти качества генерал его ценит. Впрочем, и за многие другие тоже. Без Кости он как без рук, без опоры, без поддержки.

— Предлагают... Да нет, не предлагают — настаивают на немедленной операции. Операция хорошо известная, отработанная, рука у хирургов набита, никаких неожиданностей, даже за границу ехать не надо, у нас все сделают в лучшем виде.

И снова пауза. Чем ближе к главному, тем труднее произнести это вслух. Константин Георгиевич тоже помолчал, ожидая продолжения, потом негромко проговорил:

— Правильно ли я понимаю, что вас что-то останавливает? Есть какие-то препятствия?

Генерал кивнул.

— Есть. Операция и период восстановления займут три-четыре недели, если не будет осложнений. Можно делать эндоскопию, тогда все заняло бы три-четыре дня. Но у меня сосуды забиты холестериновыми бляшками, так сказал врач. Просветы такие узкие, что лапароскопом не получится, нужно резать. Да этот врач много чего говорил, объяснял, почему так, а не эдак, и почему опасно затягивать, и какие у меня могут быть осложнения с учетом всех прочих болячек, которых накопилось, как ты понимаешь, немало.

— И?

Валерий Олегович вытащил из портфеля айпад, быстро ввел пароль и протянул полковнику Большакову.

— Вот это я прочитал сегодня утром. Ты посмотри, а я пока чайку сделаю.

Здесь, в этой квартире, принято было обходиться «без чинов», здесь не соблюдали иерархию званий, и для генерала не считалось зазорным приготовить и принести чай полковнику, который и по званию младше, и по возрасту. В программе все были соратниками, и значение имели только знания, умения и круг должностных полномочий.

Шарков отправился на кухню, как всегда стерильно убранную. Порядок Роза наводила по собственному усмотрению, вероятно, так, как требовал в свое время покойный Евгений Леонардович, однако логику этого порядка генерал до сих пор так и не усвоил. Ему казалось, что если он в прошлый раз оставил коробку с чаем возле электрического чайника, то примерно там же обнаружит ее и сегодня, но чайник каждый раз оказывался убранным в тумбу со всей кухонной техникой, коробка с заваркой после долгих поисков отыскивалась в навесном шкафчике, а чашки, из которых пили Шарков и те, с кем он встречался, стояли вовсе не там, где все прочие чашки, то есть не над мойкой, а в угловом шкафчике в противоположной стороне кухни. Над мойкой, в полке-сушилке, располагалась посуда строго из одного сервиза: тарелки разной глубины и разного размера, чашки чайные и кофейные и блюдечки к ним. Все, что к сервизу не относилось, Роза методично убирала в шкаф, хотя за время, прошедшее после смерти Ионова, неоднократно имела возможность убедиться в том, что люди, которые теперь посещают квартиру, пользуются не этими изящными фарфоровыми чашечками «на три глоточка», а исключительно емкостями попроще и повместительнее.

Чаю в коробке осталось совсем мало, на донышке. «На одну заварку, — подумал Валерий Олегович, — надо будет купить к следующему разу. Или Костю попросить... А впрочем, будет ли он, этот следующий раз? Вот сейчас наклонюсь, открою тумбу, чтобы достать чайник, и рванет эта чертова аневризма. И все. Конец».

Налил в чайник воду из пятилитрового баллона, включил и присел на стул у стола. Снова зашевелилось сомнение в правильности принятого решения: а может, взять да и позвонить сейчас тому доктору, сказать, что согласен на операцию? Прямо отсюда и поехать в клинику, пусть начинают готовить. Конечно, придется подождать пару дней, с ходу такие операции никто делать не станет, но даже эти дни он, генерал Шарков, будет находиться под присмотром врачей, поэтому если что и случится, так уже не страшно: вытащат. Разрежут, где надо, зашьют, как положено, и можно будет больше никогда об этом не думать, забыть, как страшный сон. Потом полежать, сколько скажут, две недели, или три, или четыре, и вернуться к работе и нормальной жизни. И к программе.

А если то, о чем он прочитал сегодня на одном из тавридинских сайтов, это именно то, о чем он подумал? И если местная полиция сработает оперативно? Что тогда? Тогда все узнают о программе. И программа потеряет весь свой смысл. Рухнет дело, которому Валерий Олегович Шарков посвятил тридцать лет из прожитых пятидесяти пяти. Умрет идея. Люди, прошедшие весь путь или хотя бы часть его вместе с Шарковым и под руководством Ионова, окажутся преданными.

Чайник тоненько, как-то натужно пискнул и выключился. Генерал подождал еще немного, давая крутому кипятку чуть-чуть остыть, заварил чай, разлил по высоким толстостенным чашкам, больше похожим на кружки. Послышались шаги — Большаков шел из комнаты в кухню. Уже прочитал. Что ему сказать? Как сказать? Какими словами? Советоваться? Или просто поставить в известность?

— Что скажешь? — спросил Шарков, когда оба уселись за стол.

— У меня нет уверенности, что это он, — пожал плечами Константин Георгиевич. — Хотя вполне возможно, что это действительно Игорь. Но возможно, что и нет.

— Значит, ты понимаешь, что при такой ситуации я не могу себе позволить выпасть из жизни на целый месяц, — констатировал Шарков.

— Валерий Олегович, я все понимаю, но ведь есть риск, и риск огромный, что вы выпадете из жизни уже насовсем, а не на какой-то месяц.

И за эту прямоту, за умение без страха называть вещи своими именами, генерал тоже уважал и ценил полковника Большакова.

— Не надо, Костя, — он болезненно поморщился. — Я принял решение. Не стану врать, что это было легко. Было трудно. И очень больно. И очень страшно. Но решение я принял. А если ты заговорил о рисках, то давай подумаем, что можно сделать, чтобы их минимизировать. Чем быстрее мы закончим эту историю, тем быстрее я лягу на операцию и тем больше шансов, что все обойдется. Я не могу позволить себе устраниться от процесса, потому что ты на своей позиции командуешь только в Москве, за пределами региона ты никто и никакой власти не имеешь. Моя должность — на федеральном уровне, мои полномочия распространяются на всю страну, и в этом смысле заменить меня некем.

— Согласен, — кивнул полковник. — Но вариантов, насколько я понимаю, только два: или мешать людям на местах, или обойти их и успеть первыми. Это если рассуждать теоретически. А если реально, то вариант всего один, потому что мешать полиции на местах не позволяют принципы программы. Вы хотите, чтобы я порекомендовал вам людей, которые справятся с задачей?

— Я хочу, чтобы ты нашел таких людей и сам дал команду работать. Их работа будет оплачена из средств программы, если это будут люди со стороны.

Шарков и сам понимал, что ставит перед Константином задачу поистине невыполнимую. Среди участников программы есть оперативники и следователи, и их немало по всей России, но каждый из них имеет полномочия только на своей территории, не говоря уж о том, что каждый из них имеет собственное начальство и собственную служебную нагрузку. Значит, нужно искать тех, кто сейчас в отпуске и при этом не имеет семьи. Или привлекать тех, кто в отставке.

Большаков подумал немного и снова кивнул.

— Кандидатуры с вами согласовывать?

— Не нужно. Я в тебе уверен. Ты выберешь правильных людей. Прости, Костя, мне пора. У меня встреча с новым спонсором, потом к Верочке обещал заехать... Деньги, деньги, будь они неладны! Ничего без них не сделаешь! — с сердитой досадой воскликнул Шарков.

Уже стоя в прихожей, генерал негромко произнес:

— Если со мной вдруг что... Ну, ты понимаешь, о чем я... Все мои будут в шоке, никто ведь ничего не знает и ничего плохого не ждет. О жене сын и невестка позаботятся, а вот отец мой совсем один останется. Забудут они его. Подумай, может, есть у тебя на примете хороший человечек, из наших, чтобы отцу было о чем с ним поговорить.

— Конечно, Валерий Олегович. И раз уж вы сами заговорили об этом, то я бы просил вас обдумать и написать все распоряжения касательно программы на тот самый случай. Я понимаю, вам, наверное, это неприятно и тяжело, но если уж вы приняли такое решение и готовы пожертвовать жизнью ради спасения дела, то имеет смысл позаботиться о том, чтобы дело не пострадало.

— Имеет смысл... — повторил генерал отрешенно и закрыл за собой дверь.

* * *

К моменту возвращения в свой служебный кабинет полковник Большаков уже знал, кого из оперативников хотел бы привлечь к работе. Вопрос только в том, как аккуратно вырвать его из повседневной деятельности «убойного» отдела. Для решения вопроса потребовалось изучить кое-какие документы и сделать несколько телефонных звонков, в том числе и генералу Шаркову.

«Черт его знает, может, и прав Шарков, — подумал Константин Георгиевич. — С одной стороны, есть масса вопросов, которые без него никак не решить, если нужно действовать быстро. Был бы он сейчас в больнице на операции, пришлось бы иметь дело с тем, кто его замещает, то есть с человеком посторонним. Нельзя. Но ведь с другой стороны — жизнь. И эта жизнь может оборваться в любую секунду, если не принять срочные меры».

Недавно назначенный на должность начальник «убойного» отдела, молодой и очень амбициозный офицер по фамилии Глазов, был крайне недоволен тем, что ему не позволили привести на место своего заместителя проверенного и доверенного человека и вынудили работать с этим «старым пеньком» Зарубиным. Иметь в подчинении опера с огромным опытом, конечно, полезно для дела, но весьма неудобно и некомфортно. Новый начальник отдела был «продвиженцем» и ставленником мелкого, но очень богатого чиновника из МВД, в раскрытии убийств разбирался не сильно, но зато страстно хотел быть крутым руководителем, при этом желательно — на хорошем счету. Для «хорошего счета» Зарубин был необходим, ибо все остальные оперативники отдела богатым опытом похвастаться не могли. А вот обеспечению крутизны руководства вечно ухмыляющийся, маленького росточка ушлый подполковник мешал донельзя. Но избавиться от него новый начальник не мог: зам по криминальной ясно дал понять, что с головы этого престарелого паяца не должен упасть ни один волосок. Полковник Большаков к Сергею Кузьмичу Зарубину благоволил, уж неизвестно, за какие такие заслуги. Обычно с отчетами по наиболее важным текущим делам Большаков вызывал к себе именно Зарубина, и это больно царапало самолюбие начальника отдела.

Константин Георгиевич все это прекрасно знал и именно поэтому сейчас вызвал к себе Глазова. Пусть мальчик порадуется, а на радостях, глядишь, и вопросов станет меньше задавать.

— У тебя Дзюба сильно загружен сейчас? — спросил полковник, не поднимая глаз от бумаг, когда Глазов появился в его кабинете.

— Как все, — осторожно ответил начальник «убойного».

— Из главка команда пришла откомандировать его в Тавридинский регион. Хвосты какие-то повисли по делу Евтягина, а Евтягиным как раз твой Дзюба занимался. Здесь-то всех причастных выловили, но информацию реализовали не полностью. Теперь вот понадобилось. Так что ты там распорядись, дела Дзюбы распредели по другим сотрудникам.

Всех тонкостей и особенностей «дела Евтягина» Глазов не знал, в этом полковник Большаков был уверен. Работа по делу была закончена буквально за два дня до назначения нового начальника отдела, а само назначение состоялось всего пару месяцев назад. Вникнуть в детали всего, что происходило до назначения, Глазов не успел бы, даже если бы и захотел. Но он и не хотел. Ему такое даже в голову не приходило. Разумеется, Константин Георгиевич говорил чистую правду: действительно, на территории Тавридинского региона велась оперативная работа по делам, косвенно связанным с делом Евтягина, и действительно, собранная в Москве информация очень не помешала бы, и действительно, был звонок из Тавридина в главк, а из главка пришла команда «откомандировать». Все было так. И упрекнуть Большакова во лжи никто не сумел бы. Да, без генерала Шаркова такую комбинацию было бы не провернуть за какие-то полчаса.

— Понял, товарищ полковник, все сделаем, — с готовностью отозвался Глазов.

— Как там этот Дзюба вообще? Толковый?

— Молодой еще, глупый, — резво отрапортовал начальник «убойного». — Ничего, научится.

«На себя посмотри, — насмешливо подумал Большаков. — Молодой, глупый... Ромка тебя по всем показателям обставит. Пока он семьей не обзавелся, ему в нашем деле равных нет».

— Проинструктируй его как следует, чтобы не облажался на выезде. Марку держать надо.

— Само собой, товарищ полковник.

На лице Глазова появилось осознание важности момента. На выезде, в командировке, капитан Роман Дзюба станет лицом не только «убойного» отдела, но и лицом всей легендарной Петровки, 38.

После ухода Глазова Константин Георгиевич сделал еще два телефонных звонка. Первый — Зарубину.

— Сергей Кузьмич, я твоего бойца Дзюбу наладил в командировку в Тавридин. От меня только что Глазов вышел, я его проинформировал.

— Ого! — весело отозвался Зарубин. — Интересно, сколько времени пройдет, пока он соизволит поставить меня в известность? Как думаете, Константин Георгиевич?

— Думаю, много. Так что ты особо не жди милостей от природы, подумай сам, кому дела Дзюбы распределить. А то Глазов так нараспределяет, что потом костей не соберете. У Дзюбы есть сейчас что-то сложное?

— Так у нас простого не бывает, сами понимаете, — хмыкнул Зарубин. — Простое — оно все на земле остается.

Десять лет прошло с того дня, когда молодого Константина Большакова в рамках проведения специального монографического исследования назначили начальником «убойного» отдела на Петровке, даже не десять, одиннадцать... В те времена еще жив и активен был профессор Ионов и еще существовал и процветал Фонд с длинным и сложным названием, под крылом которого осуществлялась и вся программа в целом, и ее секретная часть. Тогда, в 2005 году, программа была нужна, ее курировали на самом-самом верху, обеспечивали финансирование, прикрывали тылы. Потом, спустя пять лет, программа стала руководству страны не нужна, и Фонд прекратил свое существование. Но остались люди, преданные идее и готовые ее воплощать. Генерал Шарков — из тех, первых, кто работал с Ионовым с самого зарождения Фонда. Костю Большакова привлекли позже, когда он еще был слушателем Высшей школы милиции. А сам Константин Георгиевич долго присматривался к своим новым подчиненным на Петровке и в результате выбрал Романа Дзюбу. Очень хотелось задействовать и Сергея Зарубина, который еще в 2005 году работал в отделе и уже тогда понравился Большакову, и Антона Сташиса, толкового, умного и интеллигентного опера. Но их кандидатуры не прошли проверку у Верочки, психолога. У Сташиса двое малолетних детей и нет жены. Просто удивительно, как он ухитряется работать в розыске... А Зарубин, хотя и малолетних детей не имеет, не подходит по психологическим характеристикам. Выраженный экстраверт, очень веселый, общительный и дружелюбный, он просто не сможет сохранять душевное здоровье, если ему придется обманывать друзей и что-то скрывать от них. Развернутый портрет Сергея психолог Верочка делала как раз в 2005 году, когда во время «полевых испытаний» мониторили работу по раскрытию убийства гражданской жены одного из сотрудников ГУВД Москвы. Зато Дзюба подошел идеально: молодые и полные сил, энергичные работающие родители, не нуждающиеся в заботе и опеке, отсутствие жены и детей, высокая познавательная активность, неуемная богатая фантазия, которую нынче принято именовать креативностью, искреннее желание бороться со злом и честно выполнять свою работу. Отсутствие же профессионального опыта критерием отбора людей для программы никогда не было: опыт — дело наживное, он придет со временем, главное — преданность идее и согласие с ней, а также умение держать язык за зубами.

Роман долго не брал трубку, а когда ответил, то голос у него был сонным и хрипловатым.

— Ты после суток, что ли? — спросил Константин Георгиевич. — Извини, если разбудил.

— После двух суток, — откашлявшись, уточнил Дзюба. — Что-то случилось?

— Вечером попозже сможешь заехать? Там же, где обычно, в центре.

— Не вопрос. В котором часу?

Вот в чем достоинство тех, кто не обременен семьей! Они могут являться на встречи в любое время, хоть среди ночи, и никому ничего не объяснять, иными словами — не врать. И ездить могут куда угодно, особенно во время отпусков. Эх, побольше бы таких ребят, как капитан Дзюба! Да только где их взять? Всех честных и порядочных умные девки давно уже в мужья расхватали...

* * *

Встреча с новым спонсором программы, крупным бизнесменом, прошла на удивление быстро и гладко, и Валерий Олегович в который уже раз отметил четкость и безошибочность оценок и выводов психолога

Веры Максимовой. Вера в программе уже 15 лет, и Шарков не смог бы припомнить ни одного ее промаха. Да, она обычно перестраховывается и любое, даже самое маленькое сомнение толкует в пользу отказа, но зато за тех, кого она рекомендует, можно не беспокоиться. Наверное, если бы она проводила предварительную проработку с Игорем, то сейчас проблемы не было бы...

После ликвидации Фонда помещение передали другой организации, и оставшиеся в программе сотрудники, которых отныне следовало именовать соратниками, не имея постоянного места для встреч и работы, контактировали где придется и как придется: либо ездили друг к другу домой, либо приходили на квартиру к Ионову. Собственно, пока старый профессор еще был жив, его квартира оставалась постоянным штабом для осколков программы, а вот после его смерти использовалась только как место для встреч, а также в качестве гостиницы для приезжающих из других регионов.

С Максимовой обычно встречались у нее дома. Вера жила одна, замуж выходить не стремилась, личную жизнь устраивала по собственному разумению, но не часто и не интенсивно. На аккуратные вопросы обычно отвечала с улыбкой:

— Ну не могу я строить серьезные отношения, я же все про мужиков понимаю через пять минут, и мне становится или скучно, или противно, или страшно.

Шарков точно знал, что это все пустые отговорки. Пусть он сам и не великий психолог, и по лицам читать не умеет, но уж тут-то он не ошибается: Вероочка Максимова давно, еще с 2003 года, любит Костю Большакова, и ни один другой мужчина ей не нужен и не интересен. Но она-то как раз хороший психолог и отдает себе отчет в том, что отношения с женатым мужчиной никогда и никого не приведут к счастливому финалу. Если он будет оставаться женатым, то женщине грозит накопление обид и униженности, а в результате — травма. Если же он разведется, то травма гарантирована уже ему. Конечно, такая картина имеет место далеко не всегда, а только у людей тонких, чутких и совестливых, но ведь понятно, что умницу Верочку толстокожие примитивные личности вряд ли привлекают. У Веры хватает и ума, и силы воли не ставить Костю в сложное положение; за все эти годы она ни разу ничем не дала ему понять, что испытывает к нему что-то еще помимо дружеской симпатии и профессионального уважения.

— Как вы быстро закончили встречу, — удивленно проговорила Вера, — я думала, вы часа три будете его уговаривать. А тут и часа не прошло — а вы уже позвонили и сказали, что едете ко мне. Неужели сорвалось? Мне казалось, я все учла, все просчитала...

Шарков с удовольствием смотрел на ее худощавую невысокую фигурку в малиновом спортивном костюме, на тонкое красивое лицо, обрамленное вьющимися небрежно сколотыми волосами. Очки в удачно подобранной оправе делали Веру одновременно строже и женственнее. Когда она повернулась к генералу спиной, чтобы достать из шкафа тапочки, он с изумлением увидел на курточке огромный, выложенный стразами череп.

— Верочка, что это у вас на спине? — не сдержался Валерий Олегович.

— Черепушка, — беззаботно откликнулась она. — А что? Вас это коробит?

— Да нет, просто вы такая строгая, такая элегантная всегда, и вдруг череп... Мальчишество какое-то.

— Ох, гражданин начальник, знали бы вы, сколько это мальчишество стоит! Даже сказать страшно. Самое смешное, что я этот череп не заметила, когда костюм покупала, мне цвет очень понравился, и деньги свободные в тот момент были, вот и купила, даже не задумалась, почему так дорого. А дорого оказалось как раз потому, что бренд известный, и череп — визитная карточка этого бренда. Проруха на старуху, ей-богу... Так что наш кандидат? Согласился сотрудничать или нет?

— Вера, ну о чем вы говорите! — улыбнулся Шарков. — Вы так тщательно проработали этого человека и так меня подготовили, что все прошло быстро и не больно. Вы были совершенно правы: для него оказалось самым принципиальным именно то, что мы не признаем и не допускаем никаких нарушений закона. Как только он услышал, что мы действуем строго в рамках существующего законодательства, про остальное можно было уже не говорить. Очень уж его наши коллеги обидели...

Он устроился за большим столом, стоящим в центре комнаты, и открыл блокнот, приготовившись записывать. Финансовый вопрос стоял остро, многие мероприятия программы затратны, требуют денег, и деньги эти нужно где-то брать. Да вот хоть саму Верочку взять: после закрытия Фонда она попыталась было устроиться на какую-то работу, но очень быстро выяснилось, что времени на участие в программе ей катастрофически не хватает. Пришлось делать выбор. Вера выбрала программу, но осталась без зарплаты, значит, нужны спонсорские вспомоществования, чтобы содержать таких специалистов, как она. Официально Максимова считалась психологом-консультантом по профориентации, принимающим на дому, оформила все необходимые документы, разместила объявления на нескольких сайтах в Интернете и даже создала свою страничку, но клиентов отбирала придирчиво и работала с очень немногими. Принимала ровно столько, сколько могла себе позволить не в ущерб работе по программе, гонорар брала высокий и честно платила все налоги. Оставшихся после этого денег едва хватило бы на оплату жилья и коммунальных услуг. И таких специалистов после закрытия Фонда оказалось немало. Нужно было материально поддерживать и тех, кто вышел на пенсию или в отставку, потому что после ликвидации Фонда их уже никуда не брали по возрасту, а знания и умения этих людей необходимы программе, и нужно было оплачивать услуги и консультации привлекаемых специалистов. Командировки, журналисты, компьютерщики... Много было такого, что требовало денег. И деньги эти приходилось добывать у спонсоров, которых находили среди состоятельных бизнесменов, грубо обиженных системой МВД. Таких «потерпевших, не договорившихся с системой» было немало, и все сведения о них без труда получал генерал Шарков, а уж задачей Веры Максимовой оставалось дать рекомендации: с кем из них имеет смысл попытаться вступить в контакт и как именно следует вести себя с ними, чтобы переговоры прошли успешно.

Вера заняла место за столом напротив Шаркова, разложила свои записи и приготовилась докладывать, но внезапно внимательно посмотрела на генерала.

— С вами все в порядке, Валерий Олегович? Ничего не случилось?

— Все в порядке. А что? — с лицемерным спокойствием отозвался Шарков. — Я плохо выгляжу? Это на погоду, наверное, такие перепады... В моем возрасте осень и весна — самые поганые периоды.

Он молча выслушал доклад Веры и с огорчением констатировал, что сегодня она положительную рекомендацию не дала никому — ни кандидатам в спонсоры программы, ни журналистам, ни полицейским, ни прокурорским. Ну что ж, значит, так... Сегодня не его день. Нет ему удачи... Хотя грех жаловаться, что это он, в самом-то деле! А успешные переговоры с бизнесменом, готовым выделять средства для программы? А сам факт того, что он, Валерий Шарков, все еще жив? Не удача ли? «Мне придется с сегодняшнего дня привыкать думать иначе», — мелькнула мысль.

* * *

Он отпустил водителя за квартал до своего дома, попросил остановить машину возле маленького кафе, где, как знал Шарков, по вечерам не бывает многолюдно. Это кафе очень хвалила жена Валерия Олеговича, встречавшаяся там с приятельницами: она не приглашала их домой, зная нелюбовь супруга к гостям и вообще к посторонним в квартире, причем делала это не только тогда, когда муж был дома, но и тогда, когда он находился на службе или даже уезжал в командировки. Однажды он спросил:

— Ты своих подружек днем-то не приводишь сюда, когда меня нет?

Елена в ответ пожала плечами.

— Ты столько лет меня знаешь, мог бы уже усвоить, что я слишком уважаю себя, чтобы так мелко врать. Если ты сказал, что тебе неприятны посторонние в доме, то я тебя услышала.

Жена говорила, что в этом кафе и народу мало, и еда приличная, и персонал приятный. Сам Шарков ради любопытства однажды тоже зашел туда и очень быстро понял, почему при наличии приличной еды и приятного персонала в заведении не было ни многолюдно, ни шумно. Цены. Они оказались просто заоблачными. Такие траты могли себе позволить люди серьезные и негромкие, которым нужно именно поговорить, пообщаться или посидеть в одиночестве и подумать, а уж никак не тусоваться под оглушительный рок. И музыка здесь звучала тихо, а выбор ее недвусмысленно свидетельствовал о приверженности хозяина фортепианной классике. Валерий Олегович в такой музыке не разбирался, не знал ее и не любил, но в тот, первый, раз не смог не признать, что музыкальный фон как нельзя лучше подходит и для дружеской беседы вполголоса, и для неспешных раздумий.

А сейчас ему нужно было именно подумать. Сейчас ему предстоит вернуться домой, встретиться с Еленой и... Что? Сказать ей о диагнозе? О своем решении отложить операцию? И как он это объяснит? О программе Лена ничего не знает, она вообще не из этой сферы, всю жизнь занимается своим искусствоведением. И о том, что у Валерия Олеговича появились нестерпимые боли в области живота, она тоже не знает. И о том, что он горстями глотал обезболивающие препараты. И о его визите к врачу, и об обследовании, которое тот назначил, и о том, что сегодня наконец результаты обследования позволили озвучить диагноз и неутешительные перспективы. Ничего этого жена не знает. Слишком многое придется объяснять, слишком во многом признаваться... Лена обидится, конечно. Ну как же так? Как можно было не сказать о том, что появились боли, и о том, что обратился к врачу? Обидится и не поймет. Ну хорошо, допустим, он ничего не скрывал бы от нее насчет здоровья. Но ведь объяснить внятно, почему он тянет с операцией, Шарков все равно не смог бы. Никакие аргументы не перевесят страха за жизнь. А посвящать Елену в дело, которому отдано 30 лет, нельзя. Невозможно. Неправильно. Да и бессмысленно, она все равно не поймет, она вся в искусстве, в восточноевропейской живописи восемнадцатого века.

Валерий Олегович заказал чай с мятой и какую-то мясную закуску, даже название толком не разобрал, просто ткнул пальцем в строчку меню, в которой увидел знакомые слова «вяленая оленина», остальные слова, которых было еще много, и вовсе читать не стал. Какая разница... Окажется невкусно — не станет есть. Еще вчера, еще сегодня утром он бы внимательно и придирчиво изучил весь перечень предлагаемых блюд, вынимал бы душу из официанта бесконечными вопросами «из каких продуктов и как приготовлено», а теперь ему все равно. Теперь важно только одно: разобраться, что происходит, и если это Игорь, то успеть найти его раньше, чем его поймает полиция. И хорошо бы при этом выжить.

Как же так получилось? Впрочем, удивляться нечему. Каждое правило рано или поздно себя изживает, так жизнь устроена. Программу, придуманную Евгением Леонардовичем Ионовым и его сподвижниками, начали осуществлять в конце восьмидесятых, еще в прошлом веке. Господи, как давно! Как страшно порой бывает думать: «прошлый век»... Когда Шарков был моложе, слова «прошлый век» означали те времена, когда не было электричества, телефонов и автомобилей, не летали самолеты и не работали телевизоры, одним словом, дремучую старину. А нынче этими словами называют его, Шаркова, жизнь. Деятельность Фонда была открытой и легальной, а вот программа Ионова — секретной, и все ее участники строго следили за тем, чтобы информация не утекала куда не положено. Программа требовала постоянного привлечения новых людей, и одной из задач штатного психолога всегда было тщательное изучение каждого кандидата. Будет ли он разделять идеологию программы? Будет ли соблюдать требования? Сумеет ли не разглашать сведения? Вера Максимова пришла в Фонд в самом начале двухтысячных, сменив на должности своего учителя, пожилого опытного психолога, который Веру и рекомендовал. Когда Фонд ликвидировали и остро встал вопрос о финансировании, Максимовой пришлось работать не только с характеристиками привлекаемых исполнителей, как было раньше, но и с изучением личности возможных спонсоров, а ведь количество часов в сутках и дней в неделе не увеличивалось... Ей не хватало времени и сил, но спонсоры важнее, потому что без денег вся программа рухнет, без них никак невозможно. И постепенно жесткое требование тщательно выбирать кандидатов стало слабеть и шататься. Сначала пошли по пути привлечения идейных сторонников, готовых работать бесплатно, потом как-то само собой сложилось, что все чаще и чаще новых людей стали приглашать без рекомендаций психолога. Адвоката Бориса

Александровича Орлова пригласили в программу лет десять назад, его личность и характер Вера тщательно прорабатывала и изучала, и дала добро. Но это было еще во времена Фонда. А теперь... Адвокаты нередко рекомендуют обратить внимание на своих клиентов, оставшихся крайне недовольными деятельностью полиции, прокуратуры и суда, а всех разве проверишь? Вера одна, и главная ее нагрузка — спонсоры как источник финансирования. Адвокаты, конечно, люди надежные, но ведь не специалисты, не психологи и не психиатры. Можно им доверять, а вот спрашивать за такие промахи нельзя. Борис Орлов предложил кандидатуру Игоря Пескова, винившего систему МВД в том, что жизни его отца и его самого оказались разрушенными. «Очень толковый, озлобленный и не болтливый, не общительный» — именно так охарактеризовал адвокат своего протеже. В тот момент этого показалось достаточным. И что теперь? С кого спрашивать? С Орлова? Так не его вина, что Вера Максимова не может разорваться на части и проверять всех. С государства, закрывшего Фонд и поставившего программу перед необходимостью самостоятельно искать деньги? С кого? Кто виноват?

Или это вообще не Игорь? А кто-то совершенно посторонний. Настоящий маньяк. Истинный. И чем скорее полиция его вычислит и поймает, тем лучше для всех.

Музыка, тихонько лившаяся из динамиков, звучала расслабляюще и как-то расплывчато, не мешая думать и в то же время убаюкивая. «Вот сейчас, в эту самую секунду, я еще жив, — плавно текла мысль в голове у Шаркова, — я сижу в кафе, неподалеку от дома, пью чай с мятой, жую какое-то холодное мясо, ощущаю

30

его вкус, его текстуру, запах, я думаю о сложившейся ситуации и пытаюсь принять какие-то меры к ее исправлению. Я жив. А через секунду меня может уже не быть. Я не имею права строить планы даже на два часа вперед, потому что через секунду может оказаться, что больше нет ничего: ни ситуации, ни освежающего вкуса мяты в чае, ни терпкого привкуса вяленого мяса, ни звуков этой расслабляющей музыки... Ни кафе, ни моего дома, ни моей жены Лены, ни сына с невесткой, ни внучки, ни старенького папы. Никого и ничего. Мне жалко это потерять? Да. А осознать, что тридцать лет работы в программе улетели псу под хвост, потому что Игорь сорвался, а я не сумел предотвратить последствия, хотя и мог, не жалко? Конечно, незаменимых нет, но в нашем случае этот постулат не срабатывает. На моем уровне в министерстве нет ни одного участника программы, кроме меня самого. И речь ведь идет не только об идее самой программы, но и о людях, которые преданно служили ей много лет. Если Игорь откроет рот и начнет рассказывать, жизни и труд этих давних соратников Ионова тоже окажутся выброшенными на помойку. А цель уже близка. Система задыхается, захлебывается от собственного несовершенства, сбоит и тормозит на каждом шагу. Это результат не только очевидной глупости руководства, затерроризировавшего и правоохранительную систему, и вообще всю страну бесконечными переменами и отсутствием стабильности, нет, это результат и работы программы. На сегодняшний день преступность достигла той стадии расслоения, при которой имеются оптимальные условия для атаки на нее. Часть преступного контингента, ободренная наглым бездействием и коррумпированностью полиции, уверовала в собственную безнаказанность и совершенно, что называется, страх потеряла, а это неизбежно, как и предсказывал когда-то профессор Ионов, привело к снижению интеллектуального потенциала в криминалитете. Все большая часть преступлений имеет признаки спонтанности и непродуманности, все меньше среди уголовников тех, кто умеет планировать, предусматривать неожиданности, прятать следы. Для чего напрягаться и стараться, если в полиции сидят или тупицы, или бездельники? Все равно не поймают. И вот эту самонадеянную когорту сейчас самое время придавить. Конечно, останется другая часть, высокотехнологичная, изобретательная, обогащающаяся при помощи финансовых преступлений и мошенничества, но для людей, которые живут в стране, ходят по улицам, воспитывают детей и строят планы на будущее, важнее именно преступность общеуголовная. И по ней как раз сейчас можно нанести сокрушительный удар, если программа сработает. Для этого нужно окончательно убить несовершенную, нескладную, неповоротливую правоохранительную систему, убрать, с корнем вырвать зажравшихся продажных чиновников от юриспруденции, сделать для всех очевидным необходимость кардинальных перемен. Проект новой системы и необходимых изменений в законодательстве и в организации его применения готов, правоохранительные органы тоже готовы. Осталось немного: добиться волевого решения на самом верху. Невозможно, ну совершенно невозможно поставить под угрозу срыва такую долгую, сложную и важную работу...»

Валерий Олегович Шарков был весьма далек от того, чтобы питать какие бы то ни было иллюзии. Он прекрасно понимал, что никакие объяснения и аналитические записки, никакие совещания и рекомендации советников не заставят высшее руководство изменить систему, потому что система умышленно создана именно такой, как удобно власти. «Мы вам позволяем делать все, что вы хотите, и зарабатывать на этом деньги, мы на все закроем глаза, но за это вы должны будете нам отработать, выполняя команду «Фас!», когда такая команда поступит. Мы вам помогаем зарабатывать, вы нам помогаете держать в узде тех, кто мешает зарабатывать нам самим». Вот такая нехитрая схема. Все отлично всё понимают, дураков нет. И для того чтобы вынудить прибегнуть к переменам, нужны не уговоры и не аналитические записки, а реальное и очевидное свидетельство того, что система с поставленными задачами не справляется и это вызывает такой накал недовольства среди населения, мириться с которым уже не просто неправильно, а опасно. Для самой же власти опасно.

«А если я завтра умру? — проносилось в голове Шаркова. — А если через пять минут? Или через минуту? Какая мне разница, что будет с программой и делом всей моей жизни, если меня самого уже не будет? Но, с другой стороны, что будет, если я сделаю операцию и останусь жив, а программа рухнет? Да, я принял решение, но я до сих пор не уверен, что оно правильное. Не уверен... Если я расскажу Лене, она меня не поймет и будет требовать, чтобы я лег в больницу немедленно. Я откажусь? Мы поссоримся. Соглашусь с ней? Тогда, вполне возможно, потом окажется, что я принял неправильное решение, о котором буду сожалеть долгие годы и не прощу себе до конца жизни. Как лучше? Как правильнее?»

Промолчать. Это будет и лучше, и правильнее. Никому ничего не говорить. Знает только Костя Большаков, больше никто знать не будет. А там уж как судьба распорядится. Хорошо, что Лена за весь день ни разу ему не позвонила, так уже давно сложилось: никаких вопросов «как дела?» и «когда будешь дома?». Когда придет — тогда и придет, и о делах расскажет ровно столько, сколько сам сочтет нужным. И жене вопросы задаст, если пожелает. А не пожелает, так и не задаст. Что интересного Лена может рассказать? В искусстве Шарков все равно ничего не понимает, а времена, когда нужно было обсуждать проблемы сына, давно миновали. Теперь если только о внучке поговорить... Но там и говорить особо не о чем, семья у сына хорошая, крепкая, невестка умная и работящая, внучка-малышка растет здоровенькой. Что тут обсуждать-то?

За полгода до событий
Серебров

Вода в тазу и на этот раз осталась мутноватой. Анна решительно вылила ее в унитаз и набрала из-под крана чистую. Нужно перемыть полы. Она будет их мыть до тех пор, пока после споласкивания тряпки вода не окажется прозрачной. Последние жильцы, съехавшие вчера, были людьми аккуратными, но все равно грязищи после них осталось — ужас просто! А предлагать квартиру для сдачи новым нанимателям Анна стремилась в стерильном состоянии. Никто не должен иметь права говорить, что она — плохая хозяйка.

«Аккуратные» последние жильцы уборку, конечно, делали регулярно, но вот с руками у них определенно имелись проблемы, и немалые. Кран на кухне совсем расшатался и подтекал, дверца одного из кухонных шкафчиков закрывалась и открывалась с большим усилием, в двух-трех местах отклеились обои, а ручку на одном из стеклопакетов заклинило намертво. После передачи ключей и окончательного расчета Анна придирчиво осмотрела жилище, составила список необходимых работ, вызвала мастеров, сама проследила за тем, чтобы все было сделано, после чего пришла сюда на весь день, чтобы произвести генеральную уборку. Из техники она признавала только пылесос, все остальное — ручками, ручками. Чтобы ни пылинки, ни соринки, ни пятнышка, ни царапинки. Оплату она просила высокую, все-таки квартира в центре города, и окна выходят на сквер, а не на проезжую часть, но за эти деньги Анна считала себя обязанной поддерживать жилище в таком состоянии, чтобы было не стыдно.

Вода, в которой промывалась половая тряпка, достигла наконец требуемой степени чистоты, и Анна с удовлетворением отерла вспотевшее лицо рукавом футболки: вот теперь можно звонить Оксане. Или сперва принять душ и переодеться? Нет, все-таки сначала она позвонит, пусть квартиру уже выставляют. Конкуренция на рынке съемного жилья высокая, предложений много — клиентов все меньше и меньше, в стране кризис, у людей нет денег на то, чтобы снимать дорогие квартиры, все стараются найти подешевле, поэтому нельзя упускать ни малейшей возможности. А вдруг именно в эти полчаса, пока хозяйка будет мыться и переодеваться, в риелторскую контору обратится новый потенциальный клиент?

Насухо вытерев руки, Анна достала из сумки телефон и нашла номер Оксаны из агентства.

— Я закончила, — сообщила она. — Можете выставлять.

— Хорошо, Анечка, я поняла. С показами — как всегда?

— Да, все как обычно, я практически постоянно дома. Позвоните — и я через две минуты буду на месте.

Перед уходом Анна еще раз обошла квартиру, рассматривая пристально каждый сантиметр: не упустила ли чего? Не остался ли хоть где-нибудь маленький признак небрежности или неряшливости? Что-то поправила, что-то подтерла. Тихонько вздохнула, глядя на удобный, купленный пару лет назад диван. Когда-то на этом месте стояла ужасная пружинная никелированная кровать, на которой лежала, не вставая, Анина старенькая бабушка. Бабушка уже не ходила и почти все время дремала, и Аня по очереди с мамой всегда находились рядом, чтобы поднести судно, дать лекарство, покормить, налить чаю или просто поговорить, если бабушка проснется. В общем-то, мамина очередь бывала реже, но это и понятно: работа с девяти до шести, потом в магазины за продуктами, потом на кухне еду готовить. Аня приходила из школы, быстро и ловко убирала квартиру и усаживалась рядом с бабушкой, делала уроки, потом читала. Читала она много, запоем. О том, чтобы пойти с подружками погулять или в кино, даже речи быть не могло. И, как бывало всегда, когда Анна вспоминала дни и часы, проведенные в этой комнате, и свою злость на бабушку, и на маму, и на обстоятельства, вынуждающие ее отказываться от обычной, такой притягательной и волнующей девичьей внешкольной жизни, она почувствовала, как внутри оживает и поднимает голову один из дремлющих Гадов. Оживает... и начинает нашептывать: «Ты была плохой внучкой. Ты сердилась на бабушку, ты считала ее виноватой в том, что у тебя нет той жизни, которой живут все твои ровесницы. Бывали минуты, когда ты ненавидела ее. Ты плохая, плохая и злая». Анна точно знала, что будет происходить дальше. Сейчас очнется Надсмотрщик и постарается загнать Гада назад, в темный глубокий подвал. Так и есть: сердце заколотилось, ее обдало жаром, ноги ослабели и задрожали — налицо все признаки появления Надсмотрщика. «А разве есть на свете девочки, которые в такой ситуации и в таком возрасте думали бы и чувствовали иначе? — зазвучало у нее в голове. — Ты не должна себя винить и считать плохой, ты очень хорошая, потому что выполняла все, что должна была, выполняла добросовестно и ответственно, ты ни разу не подвела маму, ни разу не оставила бабушку без присмотра, кроме тех часов, когда была в школе, но и в школе ты ни разу не задержалась ни на одну лишнюю минуточку. Тебе не в чем себя упрекнуть. Да, ты иногда злилась, но ты имела для этого все основания. И кто бы не злился? Нет таких. Ты честно отдала бабушке шесть лет из своей подростковой и юношеской жизни, не гуляла с подругами, не встречалась с мальчиками, не бегала в кино и на концерты, не приглашала к себе в гости и сама никуда не ходила. Разве ты обязана была при этом испытывать удовольствие и восторг? Делать ты должна была то, что положено, и ты делала, а вот что ты чувствовала — никого не касается. Ты имеешь право чувствовать так, как ты чувствуешь, и никак иначе».

Анна снова вздохнула, на этот раз громко и тяжело, почти со стоном, вышла из квартиры, заперла дверь и поднялась к себе, на два этажа выше.

* * *

Родители Анны выросли в этом доме. Мама жила на третьем этаже, папа — на пятом. Познакомились сразу после переезда, когда девочке Светочке было восемь, а мальчику Вите — одиннадцать. Ходили в разные школы, Света — в специализированную английскую, Витька — в обычную, на соседней улице, и компании у них были тоже разные. Он закончил школу, провалился на вступительных в институт и пошел в армию, когда вернулся — закрутил роман сначала с продавщицей из ближайшего универмага, потом с какой-то девицей, с которой познакомился на дискотеке. Светлана к тому времени поступила в институт и с удовольствием погрузилась в веселую студенческую жизнь. Так и жили они, Виктор с пятого этажа и Света с третьего, зная друг друга в лицо и по имени, но будто и не замечая. А потом, в один прекрасный день, вдруг заметили.

Все получилось молниеносно. И поженились скоро, и Анютка родилась меньше чем через год после свадьбы. Энергичный и спортивный Виктор любил альпинизм, серьезно увлекался им, постоянно тренировался, во время отпусков ездил с группами на восхождения. Из такой поездки он и не вернулся.

Светлана в двадцать пять лет осталась вдовой с двухлетней дочкой. «Видно, такая судьба у баб в нашем роду — девок без мужиков растить, — приговаривала ее мать, Анина бабушка. — Я тебя без мужа вырастила, вот и тебе придется». Была она женщиной ворчливой и не особенно приветливой, но лишь на поверхности, на словах, а в поступках — щедрой и любящей. Анютку растить помогала, весь быт на себя взяла, чтобы Светочке полегче было, чтобы время ей освободить для личной жизни. Бабушка никогда не была замужем, считала из-за этого свою жизнь ущербной и неправильной, горячо радовалась, когда дочь вышла замуж, а после гибели Виктора постоянно говорила о том, что «хоть какой-никакой, а мужик нужен». Посему старалась, чтобы у овдовевшей дочери была возможность «как-то устроиться». А что она могла? Не подыскивать же Светлане женихов... Вот только хозяйство и внучку на себя взять, чтобы у дочки время свободное было куда-то сходить, с кем-то познакомиться.

Горевала Света не очень долго, и сколько Аня себя помнила — всегда у матери кто-то был. С некоторыми она просто встречалась где-то, некоторые жили с ними, кто по нескольку месяцев, а кто и на пару лет задерживался.

Все закончилось, когда бабушка внезапно слегла. Сначала вроде бы просто заболела, ее даже в больницу положили, и Аня была уверена, что из больницы выпишут уже совсем здоровую бабулю, такую же, как прежде. Однако из больницы мать Светланы привезли на «Скорой» и в дом внесли на носилках. Переложили на кровать, и больше она уже не вставала. Аня тогда училась в седьмом классе.

С того дня жизнь Светланы и Ани изменилась радикально. Все стало подчиняться одному незыблемому правилу: кто-то должен сидеть с бабушкой. Светлана попыталась найти работу только на вторую половину дня, чтобы находиться дома, пока дочь не вернется из школы. Работа такая нашлась, но очень скоро выяснилось, что ненадолго. Да и денег за эти полставки выходило недостаточно, чтобы прокормить семью из трех человек. Пенсию бабушкину можно было не учитывать: копейки. Светлана вернулась к работе на полную ставку, договорившись с двумя соседками по дому, чтобы заходили хотя бы раз в час проведать больную, пока Аня в школе. Просить посторонних людей подать и вынести судно было неловко, да они и не согласились бы, но хотя бы проверить, все ли в порядке, напоить чаем, вызвать врача, если надо... Больше обращаться за помощью оказалось не к кому: родители Виктора скончались один за другим примерно за полгода до того, как слегла бабушка. После гибели единственного сына они сразу резко сдали, не справившись с горем, и болезни посыпались на них одна за другой. Квартира их, по всем документам оформленная на внучку, теперь стояла пустая, но жить в ней было некому. Светлана предприняла было попытку найти сиделку «с проживанием»; ей, выросшей в советское время, казалось, что предоставление двухкомнатной квартиры в центре города бесплатно является само по себе таким благом, перед которым устоять невозможно. Однако иллюзии рассеялись быстро: почему-то Светлана не подумала о том, что сиделке нужно чем-то питаться, как-то одеваться и ездить в городском транспорте, а при таком режиме занятости, какой требовался нанимательнице, никакого приработка эта сиделка организовать себе не сможет и никаких других доходов не получит. Так что человека, готового без всякой оплаты сидеть с бабушкой только лишь за право бесплатно жить в хорошей квартире, не нашлось, а платить даже минимальную зарплату Светлана не могла совсем. Квартиру родителей Виктора, теперь уже Анечкину, решено было сдавать, потому что зарплаты Светланы и двух крошечных пенсий — бабушкиной и Аниной «по потере кормильца» — никак не хватало на жизнь троих человек: часть лекарств бабушке полагалась бесплатно или со скидкой, но другую часть приходилось покупать за полную стоимость, да и «льготных» препаратов в аптеках — наищешься, редко бывают, а вместо них предлагают дорогущие «аналоги», за которые тоже нужно платить из собственного кармана.

Решение о сдаче квартиры пришлось отвоевывать в жесточайших битвах: интеллектуально сохранная, но обездвиженная мать Светланы была категорически против: «А куда ж ты кавалеров водить будешь? Не сюда же! В нашей хате все болезнью пропахло, Анютка то и дело с судном туда-сюда мотыляется, «Скорая» приезжает чуть не через день. А без мужика — это не жизнь. Мужик нужен. Значит, и место для жизни с мужиком нужно». Первое время Светлана против этого тезиса не особо возражала, соглашалась с матерью: красивой молодой женщине хотелось романтических отношений и замужества. С поклонниками у нее проблем не было, а вот с деньгами — были. Прожив несколько месяцев в режиме жесточайшей экономии и в надежде на то, что врачи ошиблись и бабуля все-таки встанет на ноги, Светлане пришлось отказаться от активной личной жизни и квартиру сдавать. Ее последним аргументом, перед которым мать спасовала, были слова: «Мама, если мы будем жить на одну мою зарплату и две пенсии, то и личной жизни у меня совершенно точно не будет. Кому я буду нужна — неухоженная, плохо и немодно одетая, замученная безденежьем? Только алкашам каким-нибудь опустившимся. Раньше нам хватало денег на все, потому что я работала как вол, не вылезала из командировок, оставляя Анютку на тебя, и за такую работу хорошо платили. А теперь я могу себе позволить только работу в бюджетной организации с жестко нормированным рабочим днем и без командировок, и на такой работе зарплата высокой не бывает».

Бабушка сдалась, хотя еще долго сердилась и ворчала.

Обычно люди к собственному жилью относятся бережно, а вот к съемному — кое-как: не мое, да и временное. Сдаваемая внаем квартира на пятом этаже через три-четыре года приобрела вид совершенно ужасный, но позволить себе сделать ремонт Светлана никак не могла, берегла каждую копейку, остававшуюся после самых необходимых трат: продукты, лекарства, квартплата и коммунальные услуги, одежда для дочки Ани, бесконечные взносы в школу. Появился рядом с ней мужчина, ради которого ей хотелось хорошо выглядеть, а на это нужны деньги, и немалые... Правда, жил этот мужчина далеко-далеко, а к ним в город наведывался только в командировки, хотя довольно частые, а порой и длительные.

Когда бабушка умерла, Светлана заявила дочери:

— Все, Анютка, теперь давай сама, а я к Никите уезжаю. Оставляю тебе две квартиры, распоряжайся ими, как хочешь, мне уже сорок три года, и я свой шанс упускать не могу. Другого такого, как Никита, мне не найти, он ведь столько лет ждал, когда я смогу наконец к нему приехать.

Аня совершенно не понимала, что мать нашла в этом Никите — неказистом и, на ее девичий взгляд, глуповатом. И почему он не может переехать сюда и нормально работать в их городе? Почему надо обязательно уезжать за тридевять земель? Медом там намазано, что ли? С другой же стороны — и хорошо, и пусть мама едет, куда хочет, а у Ани начнется настоящая свобода! Теперь-то она наверстает все, что упущено за годы сидения возле бабушкиной постели.

Вот так двадцатилетняя Анна Зеленцова, студентка третьего курса филфака, осталась в родном городе совершенно одна, зато с двумя квартирами в одном подъезде. Дождавшись, когда съедут последние наниматели, Аня внимательно изучила жилище и оценила масштаб разрушений. Да уж... Чтобы привести это в вид, «пригодный для логарифмирования» (это выражение она вынесла из школьных уроков математики и очень любила им пользоваться), нужно вкладывать и вкладывать... С такой же тщательностью она оценила и ту квартиру, в которой жила. Бабушка была чистюлей и аккуратисткой, и дочь свою так же воспитала, и внучку, любая соринка, царапинка или неисправность устранялись немедленно. Аня обошла строительные рынки, покопалась в Интернете, просидела несколько дней со сметами и расчетами и пришла к выводу, что если она собирается продолжать учебу в институте, то есть не работать и не получать зарплату, то ей придется переехать на пятый этаж и жить в загаженном и раскуроченном «сарае», а квартиру на третьем этаже сдавать. Поскольку квартира не в идеальном состоянии, то на первое время цену за найм она определит не очень высокую, подкопит деньжат, подремонтирует, купит кое-что из мебели, потом плату поднимет и начнет копить на то, чтобы привести в божеский вид отцовское жилище, в которое сейчас и людей-то пускать стыдно, и стоимость придется назначать копеечную: у Ани просто совести не хватит требовать высокую оплату за этот свинарник.

План свой, расписанный по суммам и срокам, Аня выполнила за три года. А вот с планами «наверстать упущенное» как-то не задалось. Девушка даже не смогла понять, когда, в какой момент, после каких событий в ней поселились эти Гады, постоянно мешавшие ей наладить нормальные отношения с людьми. Аня так мечтала о том, что у нее будут подруги, с которыми она после занятий будет ходить во всякие приятные места, и они будут разговаривать обо всем на свете! В голове засела фраза, вычитанная у кого-то из классиков девятнадцатого века: «Я теперь непременно хочу говорить с вами, вы должны мне все рассказать, все-все». Как можно было судить из литературы, в те времена люди вообще любили поговорить, а именно эту литературу Аня и читала, сидя с бабушкой. В доме были многочисленные собрания сочинений русской классики, доставшиеся от родителей отца, а на покупку современной литературы мама денег не давала. Ане казалось, что вот теперь-то у нее появятся друзья, с которыми она будет и говорить о личном, и обсуждать книги и вместе посмотренные фильмы. Но почему-то оказалось, что за три первых года обучения все компании на курсе уже сложились и укрепились, а Зеленцову все привыкли считать нелюдимой и необщительной. На нее просто-напросто перестали обращать внимание. И пришлось приложить немало усилий, чтобы студенты-одногруппники поняли: если они задумают собраться и потусить, то теперь Аня не откажется, она веселая и умная девчонка, а домашняя ситуация, не позволявшая ей участвовать в общих затеях, изменилась.

Первым неожиданным и довольно неприятным открытием оказалось осознание того, что в этих затеях ей откровенно скучно. Разговоры все поверхностные, обезличенные какие-то, и вместо глубокого, как ей мечталось, обмена чувствами и ощущениями была только оглушительная музыка, выпивка, духота и непереносимый шум. Нет, не этого ей хотелось, совсем не этого... И почему она была такой дурой! Злилась на бабушку и завидовала тем, кто может позволить себе после занятий потусоваться... И что в этом хорошего? Ровным счетом ничего. Ей хотелось «задушевных» подруг, но все девчонки в группе и на курсе таковых уже давно имели и приближать к себе Анну Зеленцову не намеревались.

Она поняла, что на сокурсников рассчитывать нечего и если она хочет иметь близких подруг, нужно искать работу, которой можно заниматься, не прерывая учебу. Преподаватели всегда хвалили ее письменные работы, отмечая отточенность слога и выразительность стиля. Писала Анна действительно легко, быстро и без малейшего напряжения. А ведь на отделениях филологии или журналистики всегда находятся, причем в огромном количестве, те, кто совсем не умеет писать, но зато может заплатить. Аня разместила объявления в Интернете на местных городских сайтах, ведь для нее важным было познакомиться лично и завязать отношения. К ее большому удивлению, на объявления откликнулись первыми вовсе не студенты многочисленных вузов города, а рекламщики и промоутеры: идеи в их головах кипели и бурлили, а вот внятно их сформулировать и придумать красивый и броский слоган получалось далеко не у всех.

Она принялась ездить на бесконечные встречи, выслушивала идеи, получала задания, выдавала результат и с удовлетворением отмечала каждую новую сумму, появлявшуюся или на ее карточке, или в кошельке. Суммы были не бог весть какими, но зато ее надежды на новые знакомства оправдались полностью. Анечка действительно была милой, обаятельной и умной девушкой, очень хорошенькой и располагающей к себе. На ее предложение «пойти выпить кофейку в ближайшую забегаловку» никто не отвечал отказом, и почти всегда после этого следовал обмен телефонами и искреннее желание новой знакомой (или знакомого) пообщаться еще раз в неформальной обстановке. А дальше начались новые неожиданности, еще более неприятные, чем те открытия, которые Аня сделала для себя после первых студенческих вечеринок.

Она была патологически честна. Не то чтобы Аня Зеленцова не умела лгать, нет, конечно. Отлично она умела и, как и все люди, регулярно лгала по тому или иному поводу. Но говорить о себе неправду тому, кого стремишься считать другом, близким человеком, Аня считала бессмысленным. Если нельзя сказать правду о себе и о своих мыслях и чувствах, то зачем тогда нужны эти отношения? Иметь подруг или хотя бы только одну подругу ей хотелось именно для того, чтобы открывать всю себя, ничего не искажая и не приукрашивая, и ощущать при этом, что это для кого-то важно, интересно и небезразлично. Слишком долго просидела она возле бабушки, ничем и ни с кем не делясь, только поглощая книги одну за другой... Когда Аня, читая Достоевского, попыталась поговорить с бабушкой о стремлении к страданию и униженности, то понимания не встретила: бабушка, всю жизнь проработавшая швеей, книг не читала вообще, разве только в школьном детстве. Маме — так и вовсе не до разговоров было, она не видела в дочери личность, полагая, что в ребенке не может быть ничего интересного, а вот успеть купить продукты, приготовить еду и еще выкроить время на свидание — совсем другое дело. Девочка здорова, прилично учится и успевает после школы не только уроки сделать, но и всю квартиру вылизать, а больше Светлану ничего не интересовало.

Все, что накопилось в ее душе за долгие шесть лет вынужденного одиночества, Ане хотелось излить. И свою злость на бабушку, и чувство вины за эту злость, и стыд за то, что мама поставила всю свою жизнь в полную зависимость от мужчин, которые оказались для нее важнее дочери, и ощущение собственной ущербности при мысли о том, что если мужчины для мамы важнее, то, стало быть, она, Аня, плохая, недостойная того, чтобы занимать в жизни и в душе матери сколько-нибудь существенное место. Ну конечно, она плохая, потому что ее не только мама не любит, но и ее мужчины не считают девочку человеком. Когда Ане было лет семь или восемь, с ними жил очередной мамин «гражданский муж», разведенный, оставивший в прежней семье двоих детей. И когда Анечка спросила его: «Можно я буду называть вас папой?», резко ответил: «Нельзя. У меня есть свои дети, для них я папа, для тебя — нет». Наверное, именно тогда в Ане впервые поселилась мысль о том, что она недостаточно хороша...

Все это и многое другое она не только честно и подробно рассказывала тем, кто, как ей казалось, готов был с ней общаться, но и описывала в длинных прочувствованных посланиях по электронной почте или в соцсети, стремясь выговориться до самого донышка, открыться полностью и сделать себя понятной для собеседника. И вдруг в какой-то момент ей начинало казаться, что процесс идет... как бы это сказать... не обоюдно, что ли. Никаких глубинных переживаний и откровений в ответ она не получала. Аня начинала злиться и требовать взаимной откровенности, потом следовали упреки в скрытности, затем наступала очередь подозрений: она (или он) все обо мне знает, я все рассказала, я перед ней (ним) как голая на площади, а она (он) ничем со мной не делится и наверняка хочет использовать информацию обо мне против меня же. Аня устраивала скандал с «разбором полетов», чаще всего в письменной форме, прерывала отношения, блокировала абонента в почте и соцсетях, долго страдала, рыдала и мучилась и... Начинала новый виток, уже с другим кандидатом в «близкие».

Если кандидат оказывался мужского пола, поводов для переживаний и страданий обнаруживалось еще больше. Долго не предлагает интим — значит, она некрасивая, мерзкая, ему противно к ней прикоснуться. Слишком быстро предлагает — значит, хочет ее использовать просто как очередной «кусок мяса». Каждое лыко было в строку...

Закончилась учеба в институте, Аня устроилась на работу, была хорошо принята в новом коллективе, стала завязывать знакомства и пытаться выстроить все-таки именно такие отношения, о которых мечтала. Все попытки провалились. Ей даже в голову не приходило, что далеко не каждый человек испытывает потребность вываливать Анне Зеленцовой всю грязь со дна души. Во-первых, у многих ее сотрудников уже и так есть близкие люди, с которыми они делятся чем-то глубинным, и в новых слушателях они не нуждаются. Во-вторых, очень мало кто на самом деле умеет признаваться себе во всем том тяжелом, неприятном, а порой и постыдном, что лежит внутри, а коль не умеют признаваться себе, то не могут и озвучить вовне. Приговор Ани всегда был короток и скор: не хочешь быть со мной откровенным — значит, ты враг, ты копишь против меня негативную информацию и потом ударишь в спину. Она считала себя совершенно обыкновенной, и вывод из этого делала самый простой: если я такая же, как все, то все должны быть такими же, как я. Наталкиваясь на любую несхожесть, Аня немедленно ударялась в одну из двух крайностей: либо она плохая и недостойная, либо этот человек — враг.

Спустя года полтора после прихода на работу Анна Зеленцова поняла, что трудиться в коллективе не может. Отношения со всеми или испорчены окончательно, или вызывают у нее самой болезненное раздражение, словно наждаком проводят по открытой ране. Дождавшись момента, когда все задачи по ремонту отцовской квартиры были успешно решены и никаких дополнительных вложений больше не требовалось, Аня уволилась и решила какое-то время посидеть дома, чтобы попытаться разобраться, что же с ней не так.

Она сутками не вылезала из-за компьютера, читая научную и популярную литературу по психологии, изучала все написанное на форумах психологических сайтов. И наконец сформулировала сама для себя вывод: у нее внутри сидят четыре группы сущностей. Первые — это Гады, то есть те психологические травмы, болезненные и ужасно живучие, которые копились там с самого раннего детства. Вторые — Надсмотрщики, которые зорко следят за тем, чтобы Гады не высовывали голову и не мешали нормально жить. Если Гады говорили: «Ты плохая», то Надсмотрщики тут же выдвигались с объяснениями, что Аня вовсе не плохая, она обыкновенная, и все люди на ее месте сделали бы или подумали бы точно так же.

Третьи из внутренних сущностей получили у Анны название «Искатели», то есть те, кто изо всех сил стремится включить ее в межличностные отношения, такие, о каких она мечтает, чтобы в этих отношениях получить наконец удовлетворение, покой и достаточную самооценку. Искатели помогают Ане быть вежливой, приятной во всех отношениях, искренней, потому что нужно же располагать к себе людей, чтобы они захотели выстроить и поддерживать отношения с ней. Искатели постоянно твердят: «Где-то есть, есть человек, который даст тебе то, к чему ты стремишься, и это тебя исцелит. Нужно только не переставать искать, нужно надеяться и не оставлять попыток».

Четвертые же сущности, поименованные Защитниками, просыпались спустя некоторое время после того, как Искатели находили очередного человека. Просыпались, отпихивали Искателей и грудью защищали границы Аниной души, чтобы этот новый человек не сумел нанести неожиданный, подлый и коварный удар. «Он все врет, — злобно нашептывали Защитники, — у него насчет тебя составлен целый план, он собирается все выудить у тебя, все вызнать, а потом публично опозорить. Не верь ему, не давай себя обмануть, верить никому нельзя».

Разумеется, с головой у Анны Зеленцовой было все в полном порядке, никаких голосов она не слышала и никаких таких «сущностей» внутри себя не ощущала. Термином «сущности» она назвала разные группы аргументов, теснившиеся в ее сознании и в тех или иных ситуациях выступавшие на первый план. У Ани было хорошее образное мышление, а сформулировав для себя теорию четырех сущностей, она начала гораздо лучше понимать собственные поступки и чувства. Иногда ей даже удавалось прослушать разговоры сущностей словно бы со стороны. Например, как только Защитники озвучивали аргумент про «опозорить публично», Надсмотрщики тут же возражали: «Она что, звезда шоу-бизнеса или политики? Кому нужно ее публично позорить?» После этого в щель просовывалась голова одного из Гадов, который начинал шипеть: «Ну само собой, она никто, она никому не интересна и никому не нужна, она ни для кого не важна...»

Множество прочитанных в подростковом возрасте книг дали Ане умение чувствовать текст и в качестве носителя информации, и в качестве зеркала, отражающего сиюминутное состояние ума и души писавшего. А вот вынужденное ограничение неформальных контактов оставило огромный пробел: она так и не научилась определять настроение собеседника по лицу, голосу, интонациям и поведению. Чтение материалов по психологии на многое открыло ей глаза. И Анна пришла к выводу, что лучше всего для нее работать дистанционно, то есть сидеть дома, составлять документы, тексты, деловые письма, делать рефераты, курсовики, статьи. Она готова была даже заниматься литературной обработкой мемуаров и была уверена, что получится у нее хорошо. И знакомиться с людьми тоже лучше всего в соцсетях, на каких-нибудь интересных форумах, потому что написанным словом ее трудно обмануть, а вот произнесенным — легко. И только после того, как она убедится, что ее собеседник — не враг и не злоумышляет против нее, можно будет познакомиться в реале.

С того момента прошло много времени, и теперь Анна Зеленцова была известным блогером, сидела дома и жила на деньги, получаемые за сдачу внаем квартиры на третьем этаже, за периодические подработки и за участие в программе. Спасибо соседу с восьмого этажа, Аркадию Михайловичу, полковнику полиции в отставке: он знал Аню и ее семью много лет, и когда им понадобился человек, умеющий писать материалы так, чтобы за душу хватало, вспомнил о ней. Правда, сосед-то он давно уже бывший, пару лет назад вместе со всей семьей переехал в дом получше, а квартиру в их доме оставил, как он сам говорил, «для родни, которой по всей стране и ближнему зарубежью — видимо-невидимо, и все очень любят в гости приезжать». Правда это или нет — Анечка не вникала, но в той квартире и в самом деле то и дело кто-то жил, кто день-два, кто неделю-другую, и все это были люди для бывшего полковника не посторонние, потому что и самого Аркадия Михайловича видели в доме, когда гости приезжали.

Однажды Аня набралась храбрости и, столкнувшись у подъезда с выходившим из дома Аркадием Михайловичем, спросила:

— Это действительно ваши родственники приезжают?

Сосед насмешливо, но внимательно глянул на нее.

— А ты что же, полагаешь, что это всё мои любовницы и любовники, что ли? Ну и вопросы у тебя, Анютка!

— Просто я подумала, что... ну, что они тоже... как я...

Они стояли на улице вдвоем, рядом никого не было, и никто не мог слышать их разговор, но Аня все равно ужасно боялась произносить вслух то, что казалось ей невероятно секретным. Аркадий Михайлович в ответ улыбнулся, потрепал ее по макушке, сел в свою машину и уехал. Никаких подробностей про ту самую программу он Ане не рассказывал, просто предложил неплохо оплачиваемую, но нерегулярную работу, которая поможет тем, кто хочет прекратить царящий сегодня в стране произвол правоохранительной системы. Сколько их, «тех, кто хочет прекратить», где они, чем занимаются — ничего этого Аня не знала и знать не особенно стремилась. Просто понимала, что не одна же она такая... Не может же вся программа выполняться силами двух человек — Аркадия Михайловича и ее самой, значит, где-то есть еще люди, и их, вероятнее всего, очень и очень немало. Вот и спросила.

А он не ответил. Или все-таки ответил? Можно молчание и улыбку Аркадия Михайловича расценить как полноценный ответ? Ах, если бы у Ани было побольше опыта в общении с людьми... Если бы она умела «считывать» и расшифровывать эти знаки...

* * *

Новый наниматель появился довольно быстро, и Аня уже в который раз мысленно поблагодарила судьбу за то, что познакомилась в свое время с этой чудесной Оксаной из риелторского агентства. Оксана, крупная яркая женщина лет сорока пяти, энергичная и громогласная, мать троих детей, отчего-то сразу прониклась к хрупкой хорошенькой, такой ответственной и аккуратной Ане Зеленцовой какой-то нежностью и стремлением опекать ее и непременно выдать замуж. Замуж Ане не хотелось, причем никаких собственных аргументов против семейной жизни у нее не было, а было только саднящее чувство презрения к матери, которая ради замужества готова была на все. Проще говоря, в голове у девушки засело непримиримое противоречие: быть замужем — хорошо, но хотеть выйти замуж — плохо.

— Анютка, сегодня показ в час дня, приведу тебе хорошего мальчика, ты уж постарайся ему понравиться, — заявила Оксана по телефону.

— А зачем я-то должна ему нравиться? — не поняла Аня. — Он же квартиру снимать собирается, а не на мне жениться.

— Дуреха! Ты слушай, что тебе старшие говорят! Он беспомощный совсем, маменькин сынок, ничего не умеет, даже яичницу пожарить не сможет. А ты там рядом, под боком... Ну? Поняла теперь?

— Да не буду я! — зло вспыхнула Аня. — Еще чего не хватало!

— Так за деньги же, Анюта, за дополнительные деньги. Я ему так и сказала: дескать, хозяйка квартиры в том же подъезде проживает, и если хотите — попробуйте с ней договориться, может, она вам с бытовыми проблемами как-то поможет. А то явился такой, типа аленький цветочек, помогите, говорит, квартиру снять, только чтобы инфраструктура в микрорайоне была развитая, чтобы кафешек всяких и фастфуда было много, а то я готовить не умею... Жалобный такой... Сразу видно, что от материнской юбки впервые в жизни отполз. Москвич, между прочим, — многозначительно добавила Оксана.

— И чего его к нам занесло?

— Ну, об этом я не спрашивала, это не наше дело. Квартиру хочет снять на полгода как минимум. Короче, в час встречаемся, и чтоб ты была при полном параде.

«Перебьетесь», — мысленно буркнула Аня.

Ей представлялся типичный «офисный планктон», в костюмчике с галстуком, с аккуратной стрижкой и непременно в очках. И еще у него обязательно должен быть противный тонкий голос и слащавая улыбочка. Почему-то слова Оксаны о «маменькином сынке» вызывали у Ани именно такую ассоциацию. Подобные типы ей никогда не нравились. И она, разумеется, и пальцем не пошевелит, чтобы постараться произвести впечатление на этого субъекта. Поэтому когда звякнул домофон и громкий голос Оксаны возвестил о том, что «пришли на показ», Анна взяла ключи от квартиры на третьем этаже и спустилась вниз, не бросив в зеркало даже мимолетного взгляда. Ей было абсолютно все равно, как она выглядит.

Оксана, вероятно, была прирожденной актрисой, во всяком случае, во время «показов» она вела себя совершенно не так, как с Аней наедине: была сдержанной, немногословной, даже и голос ее вроде как утихал, во всяком случае, ни один клиент не смог бы отметить, что представитель агентства на них пытается давить. Вот и сейчас при виде Анны она не выказала никакой «дополнительной» приветливости, коротко поздоровалась и представила ее стоящему рядом парню, при первом же взгляде на которого девушка растерялась. Совсем, ну просто ни одной самой маленькой капельки не соответствовал он тому образу «маменькиного сынка», который Аня себе уже нарисовала в голове. Высокий, длинноногий, с забранными в «хвост» волосами, в джинсах и распахнутой куртке, под которой виднелся недорогой и явно не новый темно-синий свитер. Очки оказались единственным, что Аня угадала заранее. Парень по имени Никита хмуро кивнул хозяйке, не произнеся ни слова, так что и с улыбкой Аня явно промахнулась, и голос в первый момент услышать не удалось.

«Надо же, имя какое противное, — тут же подумала она, радуясь, что хоть в чем-то нашла повод не любить нового нанимателя. — Ненавижу это имя с тех пор, как мама меня на своего Никиту променяла».

Отперев дверь, она начала показывать квартиру. Когда дело дошло до маленькой кладовки, в которой хранились пылесос, гладильная доска с утюгом-парогенератором и некоторые наиболее громоздкие предметы кухонной техники вроде электровока и хлебопечки, Никита впервые заговорил:

— Я с этим не разберусь. Вы лучше мне потом расскажете, где тут поблизости можно пожрать или купить что-нибудь готовое.

«И не противный у него голос, — даже как-то удивленно подумала Анна. — Обыкновенный. Ничего выдающегося, но уж точно не противный».

— Потом? — уточнила Оксана, слегка улыбнувшись. — Надо так понимать, что квартира вас устраивает и вы готовы подписать договор?

— Вполне устраивает.

— Отлично. Тогда сейчас проедем к нам в офис, закончим все вопросы с документами и финансами, и можете заселяться. Когда вернетесь сюда — Анна вас встретит, передаст ключи и ответит на все ваши вопросы.

Оксана с Никитой уехали, а Аня вернулась к себе и села за компьютер: нужно было закончить наконец реферат по Державину, заказанный какой-то студенткой, которая была достаточно трусливой, чтобы бояться скачивать уже готовые рефераты из Интернета (их скачивали все, кому не лень, и всегда высок был риск спалиться, если преподаватель въедлив и обладает хорошей памятью), достаточно честолюбивой, чтобы стремиться получать только отличные оценки, достаточно богатой, чтобы платить Ане, и достаточно тупой, чтобы не суметь написать работу самостоятельно.

Новый жилец вернулся часа через два. Аня отдала ему ключи и быстро оглядела багаж: небольшой чемодан на колесиках и сумка с ноутбуком. Выражение лица его было по-прежнему хмурым, но Ане вдруг показалось, что взгляд у него неуверенный и какой-то даже робкий, что ли. Может, и в самом деле впервые уехал из дома, от мамаши оторвался...

— Вы с уборкой сами справитесь? — строго спросила она, вспомнив нескрываемый ужас, мелькнувший в глазах Никиты при виде пылесоса и парогенератора. — Хотелось бы, чтобы вы за полгода не привели квартиру в состояние свинарника.

Никита помолчал, обводя глазами стены, мебель и пол.

— А можно на «ты»? — внезапно спросил он. — Не умею я все это... Церемонии всякие... И уборку тоже не умею, если какая-то особенная. Ну, бумажки там выбросить, окурки — это само собой.

Аня улыбнулась.

— Тебе сколько лет?

— Двадцать четыре. А тебе?

— Мне значительно больше, — усмехнулась она. — Почти тридцать. А в грязи жить нельзя. Если не умеешь сам делать уборку, найми кого-нибудь, клининговых фирм полно.

— Оксана сказала, можно с тобой поговорить... — осторожно произнес Никита. — Она сказала, что ты работаешь дома, почти никуда не ходишь... И... Ну, насчет уборки и насчет жрачки... Если что...

«Гигант речи, — мысленно рассмеялась Анна. — И гигант самостоятельного решения бытовых проблем. Привык, наверное, что мамочка для него все делает».

Она вздохнула и назвала сумму. Работы она не боится, а дополнительные деньги не помешают. Никита кивнул в ответ:

— Годится, потяну.

— Продукты сам будешь покупать?

— Да какие там продукты, — он вдруг улыбнулся и как-то очень по-мальчишески взмахнул рукой. — Я макароны люблю. Больше всего на свете. А если макароны не получается, то бургер какой-нибудь. Но лучше макароны. Или жареную картошку.

— Значит, так, — сухо проговорила Аня. — Когда будешь готов — выйдем с тобой вместе, я покажу тебе микрорайон, расскажу, где у нас что находится. Картошку купишь сам и принесешь. И будешь следить, чтобы она не закончилась. Я тяжести таскать для тебя не собираюсь. Макароны тоже сам выберешь, какие любишь, и тоже будешь следить, чтобы всегда были в шкафу.

Никита взглянул на нее с каким-то даже интересом.

— А ты суровая, — протянул он.

— Я не суровая, просто захребетничества не выношу, — резко отпарировала она. — Если ты собираешься платить мне за то, чтобы я готовила еду и делала уборку, то покупка продуктов в эту цену не входит, и покупка чистящих средств для уборки, кстати, тоже. Не хочешь ходить по магазинам — стоимость будет выше. Я не бюро добрых услуг, у меня есть своя работа, а обслуживание жильца — просто подработка, источник дополнительного дохода.

— Ну чего ты взъелась-то? Я ж ничего такого... Ты — хозяйка, как ты скажешь — так и будет. Я буду платить, сколько назначишь.

«Покладистый, — отметила про себя Анна. — Или просто слабый и трусливый? Ладно, не имеет значения, он всего лишь жилец, имеет право быть каким угодно, это не мое дело».

Договорились через час выйти на ознакомительную прогулку. Зарядил снег с дождем, оба накинули капюшоны и прибавили шагу, чтобы побыстрее закончить обход. Аня показывала Никите магазины, точки общепита, офисы банков и компаний сотовой связи, медицинские учреждения, причем последние вызывали у парня искреннее недоумение.

— Да это-то зачем? — пытался сопротивляться он.

Было понятно, что он очень хочет скорее вернуться домой.

— Не хочу, чтобы ты звонил мне среди ночи, когда у тебя живот схватит или зуб разболится, — отрезала Аня. — Теперь сам будешь знать, куда бежать, если что.

Ей очень хотелось спросить, зачем этот парень приехал в их город на полгода, любопытно было до невозможности, но она сдерживалась. Ведь если он ответит, то получит право задавать ей вопросы и рассчитывать на ответы. А ей как реагировать? Врать — унизительно, откровенничать с малознакомым типом — опасно, грубить и отказываться отвечать — глупо. Так что лучше всего выстроить между собой и Никитой глухую стену и ни в коем случае не прорубать в ней даже крохотные оконца.

ПЕРВЫЙ МОНОЛОГ

Мне было лет пять или шесть, когда я впервые обратил внимание на музыку, которую слушает мой отец после того, как отгремит ставший уже привычным домашний скандал. Мама всегда пронзительно кричала и плакала, оглушительно дребезжала разбиваемая ею посуда, от громких звуков телевизора закладывало уши — отец прибавлял звук на максимальную мощность, чтобы ни я, малыш, ни соседи не слышали тех плохих грязных слов, которые мама швыряла ему в лицо.

«Мама болеет, — смущенно объяснял мне папа каждый раз. — Ты не должен бояться. Это как шторм, его надо просто пережить». Я верил. Болезнь — это было мне понятно. Боль в горле, высокая температура, рези в животе, разбитая коленка — все это знакомо и действительно рано или поздно проходило, просто это нужно было пережить, переждать, перетерпеть. Правда, и папа, и я сам болели, как мне казалось, не так противно, громко и устрашающе, как мама, но, наверное, болезни бывают разными... Я боялся этих маминых приступов и не любил их. Позже я понял, что и саму маму я боялся и не любил.

После того как мама затихала, отец уходил в их с мамой комнату, ложился на пол и включал музыку. Не похожую на ту, что раздавалась из телевизора или радиоприемника. Я даже не сразу сообразил, что это музыка, долгое время думал, что просто звуки окружающего мира. Когда я в первый раз спросил отца, он улыбнулся и ответил:

— У взрослых это называется музыкой для релаксации. Но для тебя это слово незнакомое, поэтому скажу попроще: это такая специальная музыка, которую люди слушают, чтобы успокоиться, если они сильно расстроены или рассержены.

— Вроде таблеток? — уточнил я, вспомнив, что мама пьет какие-то таблетки, когда нервничает.

— Совершенно верно. Умница, сынок, все схватываешь с первого раза, — похвалил меня отец, и мне было очень приятно заслужить его одобрение.

— А почему ты лежишь на полу, а не на диване? — спросил я. — На диване же удобнее.

— Если лежать на полу, то тело принимает более правильное положение, и мне легче расслабиться. Чем скорее я расслаблюсь, тем скорее успокоюсь и перестану расстраиваться.

Отец всегда разговаривал со мной очень серьезно, как со взрослым, не отмахивался от моих вопросов и старался все объяснить максимально доступно.

— Ты расстраиваешься из-за мамы? — догадался я. — Из-за того, что она болеет?

— Да, — ответил он, снова прикрывая глаза.

Но я не отставал. Я был нормальным любознательным ребенком, задающим множество вопросов.

— А мама может поправиться?

— Не знаю, сынок.

— А какая еще музыка бывает?

— Еще бывает музыка для медитации. Эта музыка позволяет человеку, который ее внимательно слушает, забыть о мелочах и погрузиться в размышления.

— А почему мама тоже не слушает эту музыку? Если это как таблетки, то пусть она тоже слушает и выздоравливает, — не унимался я.

— Маме музыка не поможет.

— Но почему? Тебе же помогает!

— Я здоров. Просто расстроен. А мама болеет. Это большая разница.

— А музыка для тех, кто болеет, есть?

— Нет, сынок.

— Почему?

— Потому что никто ее не придумал.

— Почему ее никто не придумал?

— Наверное, никто не смог. Это очень трудно.

— Почему это трудно? Для здоровых же придумали, так почему нельзя придумать для больных?

Отец открыл глаза и посмотрел на меня со своей доброй улыбкой.

— Помнишь, как недавно у нас перестал работать пульт от телевизора?

— Помню, — обрадованно кивнул я. — Ты постучал им по краю стола, и он заработал. Ты тогда сказал что-то про батарейки и контакты.

— Правильно. Пульт не сломался, он был здоров, и чтобы его починить, достаточно было просто потрясти его, тогда батарейки займут более правильное положение и плотно прижмутся к контактам. А если бы батарейки сели окончательно или вышла бы из строя электроника, то постукивание по столу не помогло бы. В этом случае пришлось бы принимать совсем другие меры.

— Какие? — настырно спрашивал я, не давая отцу спокойно слушать его лечебную музыку.

— Или менять батарейки, или нести пульт в мастерскую.

Объяснение про пульт, электронику и батарейки было мне понятно, я к тому времени уже вполне ловко справлялся со всей домашней техникой и с родительским компьютером, на котором были разные «игрушки».

Штормы накатывали на нашу семью все чаще и чаще и длились все дольше, и каждый раз после того, как они утихали, отец ложился на пол и слушал свою специальную музыку. Иногда я тоже приходил к нему, ложился рядом и слушал. Музыка была разная, у отца на полке стояло множество кассет и дисков. Я тогда сделал вывод, что раз музыки для здоровых людей много, значит, придумать ее не так уж сложно.

Сначала я ничего не понял. Просто лежал рядом с папой и старательно слушал. Музыка мне не нравилась, она была какая-то расплывчатая, невнятная, не веселая и не грустная, вообще никакая. Но мне нравилось быть с отцом, ощущать нашу с ним общность и принадлежность к стану «здоровых». Ну и пусть музыка мне не нравится, зато мы с папой вдвоем и шторм уже позади, мы его перетерпели и пережили.

Когда мне исполнилось десять, маму забрали в больницу. Отец сразу сказал, что это надолго, а возможно, и навсегда. Я решил, что он обманывает меня, как это всегда делают родители в кино, если нужно скрыть от ребенка смерть.

— Мама умерла? — спросил я.

— Ну что ты, сынок!

По лицу отца я видел, что он испугался, но не оттого, что я угадал страшную правду, а просто от чудовищности самого предположения.

— Мама действительно в больнице, и мы с тобой можем ее навещать. Правда, я не уверен, что тебе это пойдет на пользу, потому что больница — это всегда очень тяжело, особенно такая, в которой лежит теперь наша мама. Но если ты очень захочешь, мы будем навещать ее вместе.

Мне стало страшно. Что же это за больница такая, в которую тяжело приходить? К тому времени в больницах мне довелось полежать два раза, с пневмонией и с краснухой, и ничего страшного в них не было. Да, противно, да, скучно, бегать и играть не дают, мультиков по телику не посмотришь в свое удовольствие, и уколы болезненные, и еда отвратительная, и няньки злые, но все эти обстоятельства даже в моем тогдашнем возрасте не описывались словом «тяжело».

Ехать к маме в больницу я боялся и не хотел. Папа был рад, что я не настаиваю, и говорил, что сейчас маму усиленно лечат и доктора не советуют никому ее навещать, особенно детям.

— Но ты же ездишь, — заметил я. — Почему ты ездишь к маме, если доктора говорят, что нельзя?

— К маме меня не пускают, я приезжаю, чтобы передать продукты и лекарства и поговорить с доктором.

Никому и никогда я не признавался, что испытал облегчение, когда маму забрали в больницу. Жить в постоянном напряжении и ожидании очередного шторма, потом трястись от страха, когда на голову обрушивается лавина оглушительных резких звуков... Невыносимо. Любил ли я свою мать? Не знаю. Может быть, в самом раннем детстве, даже во младенчестве, и любил. А вот сейчас, когда мне двадцать пять, кажется, что нет, не любил. Я ее боялся, как люди боятся источников повышенной опасности. И ненавидел в те минуты, когда отец бывал расстроен из-за скандала. Мне кажется, что, если бы тогда на мой вопрос «Мама умерла?» отец ответил утвердительно, я бы даже не сильно огорчился.

После того как мамы рядом не стало, папа совсем перестал слушать свою лечебную музыку. Я очень его любил и радовался, что он стал спокойнее, больше не грустит, часто шутит, проводит много времени со мной. Мы вместе ходили в кино, вместе смотрели по телевизору боевики и разные развлекательные программы, вместе осваивали Интернет, когда он стал доступен. Жизнь налаживалась!

Лет в тринадцать до меня дошло наконец, что мама находится в психушке. Как я мог быть таким тупым и не сообразить этого раньше! Ведь все было так очевидно... И мамины истерики, и сочувственные взгляды соседей, и перешептывание у меня за спиной, и настороженность школьных учителей, которые стали поглядывать на меня с опаской, и внезапная холодность и отчужденность вчерашних товарищей, которых, вероятно, предупредили родители: мол, не дружи с ним, у него мама чем-то болеет, а вдруг и он тоже... Вряд ли кто-то в моей школе точно знал, чем болеет мама, но любая болезнь все равно кажется и опасной, и заразной, даже не инфекционная. Хорошо, что я не настаивал на посещениях! У меня хватило ума сразу же сказать отцу:

— Пап, если мама в психбольнице, я не буду просить тебя, чтобы ты взял меня с собой, когда ты поедешь ее навещать. Я все понимаю. Ты просто кивни, если я угадал.

И отец молча кивнул. Но я увидел, что его глаза налились слезами.

Дзюба

Задача, поставленная Константином Георгиевичем Большаковым, звучала довольно необычно. То есть на самом-то деле ничего необычного в ней не было, если смотреть с точки зрения профессии: нужно вычислить предполагаемую траекторию движения уже известного человека и перехватить его. Но в рамках другой, теневой деятельности оперативника Романа Дзюбы такие задания прежде не давались. Суть программы никогда не состояла в том, чтобы раскрывать преступления, для этого существует официальная деятельность полиции и следственного комитета, те же, кто работает на программу, должны лишь использовать несовершенство законодательства и системы управления, но использовать не для собственной корысти, а для того, чтобы завалить систему закономерными последствиями этого несовершенства. Завалить так, чтобы система не смогла вздохнуть. Чтобы все шестеренки застряли и больше не могли проворачивать колесо.

Итак, нужно найти некоего Игоря Пескова. Сперва быстро проверить его московские адреса и вылетать в Тавридин. Потом из Тавридина можно будет ехать в любое нужное место, но начинать придется именно с того города, куда выписано командировочное удостоверение. Нельзя подводить тех, кто прикрывает тебя «сверху». Нельзя допускать сомнений и уж тем паче — проверок и контроля.

Из сведений, полученных от полковника Большакова, вытекало, что Игорь Песков, 1976 года рождения, разведен, детей не имеет, проживает один. Родителей нет в живых: мать убита в 1988 году, и за это преступление отец Игоря был осужден на десять лет лишения свободы, освобожден условно-досрочно за примерное поведение в 1996 году, скончался в 2008 году. Из родственников в Москве имеется тетка — старшая сестра покойного отца, которая и была опекуном мальчика, пока Песков-старший отбывал наказание, а также дети и внуки этой самой тетки. Родственников по линии матери на данный момент не выявлено.

В квартире по адресу, где зарегистрирован Песков, Роману, само собой, дверь не открыли, а вот в соседних квартирах ему повезло: люди оказались доброжелательными и разговорчивыми. Только знали они, к сожалению, мало и Игоря Пескова не видели уже несколько месяцев, видно, уехал куда-то. Нет, об отъезде никого не предупреждал, ключи никому не оставлял и цветы поливать не просил, да у него цветов и нету.

— Бобыль бобылем, — сочувственно вздохнула немолодая соседка, проживающая в этом доме с момента его постройки. — Как Вадика, царствие ему небесное, посадили, так Игорька тетка к себе забрала, жалела его очень, воспитывала, растила. А как Игорек школу закончил — сюда вернулся, чтобы самостоятельно жить. Работать пошел, потом в армию. Тем временем и Вадик вернулся, тихий такой стал, набожный, все в церковь ходил, грехи, видно, замаливал. Игорек долго не женился, так и жили они вдвоем с отцом, а уж когда Вадик, царствие ему небесное, помер, так Игорек и жену в дом привел. Только недолго они прожили вместе, не сложилось у них. И деток не случилось.

— Значит, с женой Игорь после развода не общается? — спросил Роман.

— Ни-ни. Она сюда больше ни ногой, — заверила его соседка.

— А он к ней не ходит, не знаете?

— Да откуда же мне знать? И вообще, — в соседке вдруг проснулась подозрительность, — вы почему интересуетесь?

— Так мне его найти нужно, срочно, — рассмеялся Дзюба. — Я же вам объяснял: Игорь Вадимович Песков много лет бьется за реабилитацию своего отца, вы наверняка и сами это знаете.

— Знаю, знаю, — закивала женщина. — Игорек никогда не верил, что Вадик мог убить, считал, что отца по ошибке посадили, а я вот считаю, что очень даже мог Вадик убить. Запросто. Запивал он сильно и становился буйным, и ревновал очень, а Катька-то, покойница, красавица была, мужики ей проходу не давали, а она знай хвостом вертит да глазками стреляет. Но Игорек отца очень любил и все хотел доказать, что осудили неправильно. Упертый. Вадик уж помер давно, а сынок все бьется за свою правду. Ой, сколько писем он во все инстанции написал, сколько жалоб! А ответы-то приходят заказным отправлением с уведомлением о вручении, почтальон приносит. Игорек на работе, так они ко мне в дверь звонят, оставляют извещение и просят передать, чтобы зашел на почту с паспортом. У нас в подъезде хулиганы какие-то почтовые ящики подожгли, так все никак новые не повесят, уже года три почту по квартирам разносят. Хорошо еще, что лифт есть. Газеты внизу на табуретке складывают, жильцы потом разбирают, кому что положено, а уж с письмами и извещениями приходится по квартирам ходить, чтобы недоумки всякие не растащили. А то ведь знаете как пацаны-то развлекаются: украдут да и выбросят в помойку. А вы, значит, по этому вопросу пришли? Насчет Вадика?

— Да. Игорь Вадимович обратился к одному очень хорошему адвокату, а этот адвокат нанял меня в качестве частного сыщика, чтобы собирать нужную информацию. Как вы думаете, где мне Игоря Вадимовича найти?

— Вот уж чего не знаю — того не знаю. Да вы у его тетки спросите, она-то наверняка в курсе, куда он уехал и зачем и когда вернется. Все-таки единственная родня.

Можно было, конечно, еще пообщаться со словоохотливой и приветливой дамой, которая наверняка рассказала бы много любопытных деталей об Игоре Пескове, но времени не хватало просто катастрофически. Рейс в Тавридин завтра рано утром, и за сегодняшний день нужно успеть пообщаться с теткой и бывшей супругой Пескова, потом вернуться в контору и быстро «подобрать хвосты» по тем делам, которые на время командировки будут переданы другим оперативникам. Командировка-то неизвестно на сколько затянется!

Начать Дзюба решил с тетки Игоря Пескова, Валентины Семеновны Фокиной. Возраст у нее пенсионный, так что есть хорошие шансы застать ее дома. А работающую экс-супругу лучше навестить попозже, после семи часов вечера.

В свои семьдесят лет Валентина Семеновна выглядела лет на восемьдесят пять, да и двигалась медленно и с трудом, но глаза ее, светло-голубые и какие-то прозрачные, смотрели ясно и с любопытством.

— Игорек? — спросила она, медленно шаркая ногами и ведя Романа в комнату, где стояли визг и вой и маленькими метеоритами носились двое ребятишек дошкольного возраста. — А что случилось? Зачем он вам?

Роман снова заученно повторил все ту же байку об адвокате, к которому Игорь Вадимович обратился за содействием и который нанял себе в помощь частного детектива. Байка была непробиваемая и непроверяемая, с адвокатом Орловым еще вчера договорился полковник Большаков.

— Ах ты, господи! — устало вздохнула Валентина Семеновна. — Никак он не уймется... Чего уж теперь-то копья ломать? Ведь столько лет прошло, да и Вадюша умер... А Игорек уехал, только не сказал, зачем и надолго ли. Поеду, говорит, в Тамбов, там у меня друг живет, давно звал к себе, у него дом в лесу, он егерем работает.

— Не звонил он оттуда? — поинтересовался Роман. — Вестей не подавал?

— Не звонил, нет. А вести теперь какие же? Никто писем не шлет, перестали...

— Это внуки ваши? — Дзюба кивнул на проносившихся мимо пацанят. Одному из них было года три-четыре, другому примерно пять.

— Правнуки.

— Все вместе живете? Или вам их на день приводят?

— Вместе, вместе. Где ж нам жить? Другого жилья-то нету, и денег нету, чтобы купить. Вот и живем всем скопом: я, дочка, внучка с мужем и детками, и внук еще. Тесно, что и говорить. Да что жаловаться? Все так живут.

— Валентина Семеновна, а с дочкой вашей Игорь дружил? Все-таки она ему двоюродная сестра. Может, он ей говорил какие-нибудь подробности о своем отъезде, телефон оставил, адрес или еще что?

— С Лидкой-то? — Фокина покачала головой. — Нет, не дружил. Когда с Вадюшей беда случилась и я Игорька к себе взяла, Лидке было уже девятнадцать, у нее уже малая была на руках, Лидка у меня ранняя получилась, в семнадцать лет родила не пойми от

70

кого. Она и без того косо смотрела на Игорька, мол, самим места мало, а тут еще этого подселили. Но вы не думайте, я его в обиду не давала!

Н-да... При такой истории отношений крайне маловероятно, чтобы Игорь Песков сказал своей кузине больше, чем всем остальным. В Тамбов, значит. В лес. К другу-егерю. Ну-ну.

— Может, с годами ее отношение к брату изменилось? — на всякий случай спросил Дзюба. — Знаете, как бывает: в молодости одно, а с возрастом приходит другое.

Валентина Семеновна внезапно и совершенно необъяснимо рассердилась:

— Ничего не изменилось! И не знаю я ничего! Не спрашивайте меня! Сказано вам: в Тамбов уехал Игорек, вот и всё! А мне не верите — у Лидки спросите, когда она придет.

— А когда она придет?

— А бес ее знает, когда она придет, — с вызовом заявила Фокина. — Когда захочет, тогда и придет. Она птица вольная, двоих детей вырастила и живет теперь, как хочет. А я вот дома сижу, деток стерегу.

Роман взглянул на часы: хватит рассиживаться, время идет, ничего нового ему здесь не скажут. Телефон Лидии Фокиной у него есть, можно просто ей позвонить. И чего старушка так рассердилась? Впрочем, ему давно уже объяснили, что возрастные изменения мозга делают людей капризными и обидчивыми. Наверное, у Валентины Семеновны эти изменения протекают как-то особенно бурно.

Он попрощался и ушел. Сел в машину, немного подумал, вытащил мобильник и набрал номер Лидии. Судя по доносившимся веселым женским голосам, находилась дочка Валентины Семеновны явно не на работе. Байку о частном сыщике она даже не дослушала, прервала Романа на полуслове:

— Так что вам нужно, я не поняла? Я не знаю, где Игорь. Я его сто лет не видела.

— Но вы знаете, куда он уехал?

— Мама говорила, что в Тамбов, к другу. Он там не то лесник, не то егерь.

— Он вам не говорил...

— Он вообще ничего мне не говорил, — нетерпеливо отозвалась Лидия, снова не дослушав собеседника. — Я с ним не общалась. Дачу продал, сукин сын. Наша семья ему по барабану, никогда никакой помощи от него не дождешься. Конечно, это только название такое шикарное — дача, на самом деле участок садовый, шесть соток, и на нем скворечник полусгоревший. Так этот подонок и сам не строился, и нам не позволял, а у нас дети маленькие, им воздух нужен. Короче, мне некогда, я вам все сказала: где Игорь — не знаю и знать не хочу. И слышать про него больше не желаю.

Жестко, что и говорить. Полусгоревший скворечник на шести сотках — это наверняка то самое место, где в 1988 году обнаружили труп матери Игоря Пескова. Судя по тем материалам, которые Большаков передал Роману, Екатерину Пескову сначала сочли погибшей при пожаре, но судебно-медицинская экспертиза обнаружила явные признаки насильственной смерти, а пожаро-техническая экспертиза установила, что имел место поджог. За убийство жены осудили сильно пьющего Вадима Пескова, поскольку все свидетели в один голос рассказали на следствии и на суде, что жили супруги плохо и постоянно скандалили, особенно в течение последнего года, даже и до рукоприкладства дело доходило. Соседи неоднократно видели, как Екатерина, прижимая к себе сына, спасалась от мужа бегством и потом несколько часов пряталась в других квартирах, выжидая, пока напившийся благоверный наконец угомонится и заснет. Вполне можно понять, почему Игорь не хотел строить новый дом и пользоваться этим участком. Ему было всего двенадцать, когда произошла трагедия. Огромная травма для подростка, подобные раны вряд ли когда-нибудь заживают полностью. А родственникам не позволял там жить потому, что Лидия его ненавидит. Он ведь должен хорошо помнить, с какой неприязнью двоюродная сестра отнеслась к нему, когда на мальчишку обрушилось огромное несчастье: мать погибла, отец осужден на длительный срок. Было бы странно, если бы при таком положении вещей он любил Лидию и заботился о ее детях и внуках. Что ж, все закономерно.

Дзюба достал из сумки папку с материалами, пробежал глазами еще раз. Ну конечно! Садовое товарищество, в котором семья Песковых получила свои шесть соток в 1982 году, находится в том районе Московской области, где в последние полтора года ведется интенсивное строительство и прокладываются новые широкополосные трассы. Цена земли подскочила до небес. И когда Пескову понадобились деньги, он продал свой участок. Теперь руки у него развязаны: можно уволиться с работы и ездить по всей стране.

И где его искать? Понятно, что про Тамбов он наврал своей старой тетушке. Если Большаков не ошибается, то Игорь Вадимович двинул в Серебров. Но это было полгода назад. С тех пор он «отметился» в трех других городах, которые находятся довольно далеко друг от друга. Последний из этих городов — Тавридин, куда Дзюбе и велено ехать в первую очередь. Ладно, сейчас Роман попробует поговорить с бывшей женой Пескова, потом поедет на Петровку и со служебного компьютера покопается в транспортных базах.

А если Большаков ошибается и Игорь Песков не имеет ни малейшего отношения ко всем этим убийствам? Сидит себе в охотничьем домике в тамбовских лесах, попивает водочку, болтает со старым другом и в ус не дует... Душевные раны зализывает. И что тогда делать? Проверять все лесничества, опрашивать всех егерей, но кто будет этим заниматься? Официально приказать невозможно, значит, нужно искать знакомых полицейских, просить «по дружбе» и ничего не объяснять. Провернуть такую штуку ох как непросто!

* * *

С бывшей женой Пескова пришлось тоже общаться по телефону: на звонки в дверь Дзюбе не открыли, а соседи сказали, что Жанна в больнице, и дали номер ее мобильника.

Жанна на звонок ответила, но разговаривала таким голосом, что сразу стало понятно, насколько плохо она себя чувствует. Дзюбе даже неловко стало. Но дело есть дело.

— Я понятия не имею, куда Игорь мог уехать. Мы развелись пять лет назад и с тех пор ни разу не встречались и не разговаривали. Я вычеркнула его из своей жизни, а он точно так же вычеркнул меня.

— Можно спросить, почему? Простите, если вопрос кажется вам неделикатным, но мне важно это понимать, — осторожно проговорил Роман. — Он вас чем-то обидел?

— Он меня ничем не обидел. Но я не смогла жить с человеком, одержимым одной-единственной идеей: реабилитировать отца. Он никогда не верил в то, что его отец — убийца. Не хотел верить. И делал все для того, чтобы доказать, что отец никого не убивал. Конечно, это очень благородно, я не спорю, но когда с утра до вечера рядом с тобой находится не мужчина-муж, не половина твоей семьи, а машина для написания жалоб и прошений и обсуждения ответов, то, в конце концов, это становится невыносимым. Я просто не выдержала и ушла. Не смогла жить рядом с фанатиком.

— А про друга из Тамбова вы что-нибудь слышали?

— Нет. Фанатики не рассказывают о своих друзьях, они могут говорить только о своей идее, о своей цели. Простите, мне сейчас будут ставить капельницу.

Ну вот, опять ничего толкового не вышло.

Роман приехал на Петровку, достал из сейфа папки с делами, быстро написал все необходимые бумаги, получил очередную «накачку» от начальника отдела Глазова, сбегал в буфет за чипсами, купил три пакета: один для себя, два — на всякий случай, если с выходом в базу данных что-нибудь не заладится. Обращаться за помощью, не принеся с собой подношения, у них как-то не принято.

Во втором часу ночи Роман Дзюба запер наконец кабинет и поехал домой. По паспорту Игоря Вадимовича был приобретен только один билет — на поезд до Брянска. Примерно в тот период, когда

Песков исчез из поля зрения. Что это означает? Что он к убийствам не причастен? Или что он доехал до Брянска и дальше по всей стране колесит на автомобиле или на электричках и автобусах? Или все-таки добрался до тамбовских лесов? Есть еще один вариант, самый плохой: у Пескова имеется паспорт на другую фамилию. Где он его раздобыл — вопрос отдельный. Такую возможность тоже нельзя исключать.

Поспать Роману удалось всего пару часов, в пять утра он уже был в аэропорту. В самолете попытался подремать, но мешало назойливое беспокойство. Капитан Дзюба был очень недоволен собой. Появилось ощущение, что вчера он сделал все не так, все было неправильно, сикось-накось. С другой стороны, время поджимало. А в условиях дефицита времени Роман обычно принимал не очень правильные решения. Знал он за собой такой дефект.

«Я все испортил, — уныло думал он, чувствуя, как неудобно его массивному накачанному телу в самолетном кресле. — Еще ничего толком не начал делать, а уже запорол задание».

Шарков

Впервые за последние сутки Валерий Олегович почувствовал, что его чуть-чуть отпустило. Первый шок от приговора врачей прошел, Костя Большаков отправил толкового паренька разбираться с убийствами, которые предположительно совершил Игорь Песков, а внутренне генерал укрепился в правильности собственного решения не посвящать жену в свои медицинские проблемы. Он справится. Все будет хорошо. Сидящая внутри бомба тикает, но не взорвется, пока не разрулится ситуация. Он успеет.

Валерий Олегович даже удивился, насколько, оказывается, быстро можно привыкнуть к новому самоощущению «оболочки взрывного механизма». Если первые двадцать четыре часа он, каждую секунду прислушиваясь к себе, усилием воли заставлял себя контролировать каждое движение и каждую эмоцию, чтобы избежать излишнего напряжения и повышения давления, то уже сегодня к вечеру он проделывал это совершенно автоматически. «Надо же, — думал он. — Когда-то Верочка Максимова сказала, что у меня необыкновенно высокая способность к адаптации. Я тогда, помнится, чуть не расстроился, подумал, что это синоним способности прогибаться под чужое мнение и влияние. А теперь понял, что штука-то полезная. Вот ведь когда пригодилась... Поистине, никогда не знаешь, где найдешь — где потеряешь».

Он пришел домой уставший, но вполне благодушный, насколько это вообще было возможно в его положении. Но, едва переступив порог квартиры, сразу понял: что-то не так. Вешалка в прихожей выглядела как-то пустовато. Обычно в межсезонье там висели и плащи, и пальто, и куртки — полегче и потеплее, погода-то переменчивая. Теперь же Шарков видел свою одежду, а из вещей жены — только короткое кашемировое пальто. Ни двух курток, ни плаща, которые были здесь еще сегодня утром, когда он уходил на службу... Его обувь внизу, под вешалкой, тоже на месте, а из того, что носила Елена, — только высокие лаковые ботинки. Из кухни тянуло запахами еды. Но набор звуков, наполнявших пространство квартиры, был непривычным. Ни голосов из телевизора, ни звяканья посуды, ни журчания воды, ни пыхтения парового утюга. Что-то другое...

— Лена, ты дома? — громко крикнул Валерий Олегович.

— Дома, — голос жены доносился из спальни.

Странно, почему она в спальне? Заболела и прилегла? Он разделся, поставил ботинки на обувную полку, сунул ноги в тапочки. Направился в спальню, чтобы повесить китель и форменные брюки на вешало и переодеться в домашнее, и удивленно остановился, увидев на застеленной покрывалом кровати раскрытый чемодан. Рядом, на полу, стоял еще один чемодан и две большие спортивные сумки. Елена доставала из шкафа и складывала в чемодан какие-то кофточки и маечки. Она сильно располнела в последние годы и двигалась тяжело, как будто даже с усилием.

— Командировка? — спросил он спокойно. — Куда-то в теплые края?

Елена подошла, взяла его за руку, но в глаза почему-то не смотрела.

— Пойдем, я тебя покормлю.

И потянула из спальни в кухню.

— Ты мне не ответила, — заметил Шарков. — Куда тебя посылают? Надолго?

— Нам нужно поговорить, — сказала жена вместо ответа на вопрос.

Шарков послушно прошел в кухню, уселся за стол, сложил руки перед собой. «Наверное, срывается с подружками куда-нибудь в Египет или в Марокко, там можно отдохнуть за вполне доступные деньги. Небось появились какие-то горящие дешевые путевки. Хотя для двухнедельного отдыха шмоток многовато собирает: два чемодана и две сумки...»

Елена поставила перед ним тарелку с горячим супом и корзинку с нарезанным хлебом. Он начал есть, чувствуя, что с каждой проглоченной ложкой аппетит пропадает. Съев полтарелки и так и не дождавшись от жены рассказов о внезапной поездке, он с раздражением отложил ложку.

— Так что случилось? О чем ты хотела поговорить?

В это мгновение он ощутил в голове какую-то неприятную мысль, но не успел ее осознать. Просто зафиксировал, что при этих произнесенных им словах мозг подал сигнал: «плохо».

Елена смотрела прямо ему в лицо темными карими глазами. Фигура у нее испортилась, черты лица расплылись, волосы поредели и уже не лежали так красиво, как прежде, но глаза оставались все такими же яркими и блестящими, как в юности.

— Валера, отпусти меня, пожалуйста, — негромко попросила она.

— Куда? В Египет? В Турцию? Или куда вы там собрались? Поезжай, конечно. Кажется, я никогда не был против твоих вояжей.

— Валера, отпусти меня, — повторила она еще тише. — Отпусти совсем.

У него похолодело под ложечкой, но он все еще не верил.

— Не понял... Что значит «совсем»?

Она еще помолчала и вдруг выпалила:

— Давай не будем жить вместе. Это бессмысленно. Мы не нужны друг другу. Отпусти меня.

— Это шутка, я полагаю?

— Нет, это не шутка.

— Я...

Он почувствовал, что голос сел, и вместо звуков из его рта вырывается сипенье. Пришлось откашляться.

— Я что-то сделал не так? Чем-то обидел тебя? Или дело в том, что у тебя роман и ты хочешь начать новую жизнь с новым мужем?

Елена убрала тарелку с недоеденным супом, молча поставила перед Шарковым другую тарелку: тушеное мясо и овощной гарнир.

— Валера... Мне трудно это объяснить, но я попробую. Когда-то мы с тобой были молоды и строили свою семью. Потом родился Олежка, мы его растили, воспитывали, беспокоились о нем, вникали в его школьные проблемы. Потом он вырос, женился, стал жить отдельно от нас. И вдруг оказалось, что нам с тобой не о чем разговаривать. Олежкины проблемы мы больше не обсуждаем, потому что проблемы роста закончились, а о том, что происходит у него на работе, мы не знаем. У нас есть внучка, но мы мало видим ее, потому что у нашей невестки неработающая мама и ее такая же неработающая сестра, которые взяли на себя все, что касается помощи с ребенком. Когда Маришку приводят к нам, мы два-три часа занимаемся ею, потом еще полчаса можем это пообсуждать. И на этом — все. Нам не о чем стало разговаривать, разве ты не заметил? Нам нечем заняться вместе. Мы никуда не ходим, потому что наши рабочие графики не совпадают, и ты слишком устаешь, чтобы после службы еще куда-то идти. Мы не приглашаем никого в гости, потому что ты не любишь посторонних в квартире. У меня много друзей и коллег, но они тебе не интересны, и я вынуждена общаться с ними вне дома. Ты не рассказываешь о своей работе, и я отношусь к этому с пониманием. Моя работа и мои увлечения тебя не интересуют, и ты ничего в них не понимаешь. Тогда ответь мне: зачем нам быть рядом друг с другом? Ради чего? Ради быта? Можно нанять домработницу.

Шаркову показалось, что он проваливается в глубокую яму, пытается руками хвататься за попадающиеся на стенах выступы, но пальцы один за другим отрываются от кисти, и с каждым пролетаемым вниз метром кровь хлещет из ран все сильнее, сильнее... Одна его часть пыталась осознать сказанное женой, другая же прислушивалась к тому, что происходит внутри. Господи, как же страшно! Еще несколько минут назад Валерий Олегович был уверен, что привык, притерпелся, адаптировался. Ан нет... Разве можно привыкнуть к ежесекундному ожиданию смерти?

Наверное, он сильно побледнел или лицо исказилось, потому что Елена встревоженно спросила:

— Тебе нехорошо? Дать таблетку от давления?

— Не нужно.

— Прости, я понимаю, что затеяла это объяснение так неожиданно, без подготовки, но я не знала, как поступить. Вот и решила сказать все как есть и уйти. Видишь, вещи уже собрала. И никакого романа у меня нет, если тебя это волнует.

— Куда же ты собралась уходить, позволь поинтересоваться? — сухо проговорил Валерий Олегович.

— Сняла комнату в коммуналке.

«Хорошо, что я не сказал ей про болезнь и операцию, — подумал он. — Мне даже в голову не приходило, что ей плохо со мной. Если б сказал, она бы хлопотала вокруг меня. И конечно, не ушла бы. Жила бы со мной и мучилась. Она права, конечно, мы действительно почти ни о чем не разговариваем, но меня это вполне устраивало: для меня дом и семья — это крепость, где меня никто не тронет и где я могу расслабиться. Моя задача — принести добычу, и я ее приношу. Взамен мне нужны тишина, покой, безопасность и уважение. Все это в моей семье было, поэтому меня все устраивало. И по наивности я думал, что женщине в семье нужно то же самое. А вот оказалось, что ей нужно что-то совсем другое...»

Он понимал, что должен, наверное, попытаться отговорить жену, убедить, пообещать, что отныне все будет по-другому, заверить, что понял свои ошибки и исправит их... Но Шарков осознавал, что не хочет. У него нет сил. Нет внутреннего ресурса ни на то, чтобы уговаривать, ни на то, чтобы исправлять промахи. Сейчас самое главное — спасти программу.

И все же одну попытку, совсем слабенькую, он предпринял:

— Лена, мы с тобой прожили двадцать девять лет. Неужели это ничего не значит?

К еде он так и не притронулся, мясо остыло, но все еще источало аромат специй, и от этого запаха Шаркова подташнивало.

Жена кивнула и слегка улыбнулась.

— Спасибо тебе, ты подсказал мне те самые слова, которые я искала и все не могла найти, чтобы объяснить... Даже не столько сами слова, сколько аргументы. Первые двадцать пять лет своей жизни я провела в родительской семье. Следующие двадцать пять лет — с тобой и Олежкой. И вот уже четыре года я одна, понимаешь? Совсем одна. У меня есть обязанности, и я стараюсь их выполнять: готовить еду, поддерживать чистоту и порядок в нашем жилище, но меня преследует ощущение, что все мои действия словно уходят в пустоту. Я вкладываю в них душу, а потом вижу, что сами действия тебе нужны, а вложенная душа — нет.

— Леночка...

— Подожди, Валера. Я не упрекаю тебя, Боже упаси! Решение, которое я приняла, далось мне нелегко, я обдумывала его весь последний год, спорила сама с собой, пыталась найти уязвимые места. Ты ни в чем не виноват. Если вообще искать виноватых, то виноваты мы оба в равной мере. Но я бы не хотела идти по пути каких-то обвинений. Я прочитала много литературы о распадающихся долгих браках и о причинах разводов, в том числе и специальной, и знаешь, оказалось, что наша с тобой ситуация вовсе не уникальна. Огромное число семей распадается после того, как вырастают дети. Люди, прожившие вместе по тридцать-сорок лет, вдруг понимают, что вместе им... Не то чтобы скучно, а как-то пусто, понимаешь? Если в семье выросла дочь и вышла замуж, такие разводы случаются реже, потому что бабушки по линии матери всегда ближе к внукам. Женщина помогает дочери с ребенком, обихаживает мужа, и у нее уже не остается времени ощутить, что с этим самым мужем ее ничего не связывает. С утра до вечера с малышней возится, вечером мужу про внуков рассказала, еду приготовила, постирала-погладила — вот и день прошел, хорошо еще, если успела какой-нибудь сериал одним глазком глянуть. Если в семье вырос сын и других детей нет, то шансы, что семья распадется, достаточно велики. Вот как у нас с тобой. Наши с тобой сваты мягко, но решительно отодвинули нас от Маришки, и их можно понять: мы оба работаем, у нас масса занятий и проблем, а для них внучка — единственный свет в окошке. Я сбилась...

Елена потерла ладонью лоб, недовольно нахмурилась. Шарков молча ждал, когда она заговорит снова, одновременно выискивая в памяти примеры знакомых им супружеских пар, вырастивших детей и вполне счастливо живущих вместе не один десяток лет. И, к своему ужасу, не находил...

— Я вот что хотела сказать... Никто не виноват, что мы не можем обсуждать друг с другом свои профессиональные проблемы. У нас с тобой разное образование, разные вкусы, разная работа. Даже если бы мы вдруг решили начать обсуждать прочитанные книги или увиденные фильмы, это было бы нереальным, потому что я читаю много и за кинематографом слежу, а у тебя на это уже много-много лет просто нет времени. Я это понимаю. Разговаривать об общих знакомых мы тоже не можем, потому что тебе их жизнь не интересна. И это я тоже понимаю. Ты уходишь на службу утром в половине восьмого и возвращаешься не раньше десяти вечера, а то и позже, ты почти всегда работаешь по субботам, часто уезжаешь в воскресенье, а если не уезжаешь, то сидишь в кресле перед телевизором и переключаешь программы. У тебя нет сил даже на то, чтобы сосредоточиться и посмотреть какую-то программу от начала до конца. Ты в свой нечасто выпадающий выходной хочешь помолчать и отдохнуть. Я уважаю твои желания и потребности и готова считаться с ними. Но для чего в этой твоей жизни нужна я? Ни для чего, кроме как накормить и обстирать. Тебе не нужно мое внимание, тебе не нужны мои советы, тебе не нужно, чтобы я тебя слушала и сопереживала, поддерживала. У меня бесконечные лекции, научные статьи, конференции, семинары, поездки, подруги, приятельницы, коллеги, выставки, —

одним словом, все то, что тебе не нужно и не интересно, но для меня это важно, это суть и смысл моего существования. И я вынуждена этот смысл и эту суть приспосабливать к решению главной задачи: быть тебе удобной. Это означает, что к твоему приходу должна быть готова горячая еда, рубашки наглажены, белье выстирано, квартира убрана. Ты ведь даже не обратил внимания на то, что я перестала ходить в театр и на концерты, правда? Потому что вечером я должна быть дома и обслужить тебя, в котором бы часу ты ни вернулся. Я перестала разговаривать по телефону с подругами, когда ты дома: ты хочешь тишины и покоя. Я никого не приглашаю в гости: ты не любишь. И вот я подумала: а ради чего, собственно, я это терплю? Ради тебя? Я тебе не нужна. Ради сына? Он взрослый. Ради себя? То есть ради твоей зарплаты и каких-то министерских бонусов? Но я умею жить экономно и малобюджетно, практика была хорошая. Валерочка, милый, пойми: у меня нет никаких претензий, я ни в чем тебя не упрекаю. Просто я вдруг поняла, что больше так не хочу. Не хо-чу, — раздельно и четко повторила она. — У меня впереди еще лет двадцать пять, а если судьба позволит — то и больше, и мне хочется прожить эти оставшиеся годы свободно и ярко.

Валерий Олегович с трудом разжал онемевшие губы, выдавил из себя усмешку.

— Иными словами, как говорится, ничего личного. Ко мне претензий нет, но есть претензии к тому, как развивается жизнь. Хорошо, я тебя понял. Спасибо, что высказалась откровенно. И прости, если невольно отравлял тебе жизнь. Разумеется, ты можешь рассчитывать на любую помощь с моей стороны, и финансовую, и организационную.

— Мне ничего не нужно.

— Ну, это пока, — философски изрек Шарков. — Мало ли как жизнь сложится. Ты хочешь оформить развод?

Елена удивленно взглянула на него.

— Нет... Разве это обязательно? Ты настаиваешь?

— Просто спросил. Олегу сама скажешь?

— Я уже сказала. Пару дней назад.

— Вот даже как... И что он ответил на это?

— Мне показалось, что ему было все равно, — она снова слегка улыбнулась. — Он, конечно, удивился, ведь ничто не предвещало. Но не расстроился. Знаешь, Валера, людям часто свойственно преувеличивать собственное значение для своих детей.

Из лежащего на столе мобильника Елены полилась какая-то полифоническая мелодия. Она посмотрела на дисплей и ответила на звонок.

— Уже подъехал? Хорошо, минут через десять спущусь... Нет, не нужно, Валера мне поможет.

— И кто тебя повезет на новое место жительства? — вяло поинтересовался Валерий Олегович.

— Артем.

— Кто это? — Он невольно сдвинул брови.

— Это сын Женечки.

— А Женечка кто такой?

— Не такой, а такая. Женечка Ященко, моя подруга еще с институтских времен.

Елена смотрела на него прямо, открыто и весело, и на лице ее ясно читалось: «Ты не помнишь и знать не хочешь имена моих подруг, даже самых давних, так о какой близости и вообще о каких отношениях мы можем говорить?» Он вдруг понял, что вопросом про Женечку снял огромную тяжесть с души женщины, которую еще полчаса назад имел право называть своей женой. «Сам себе яму выкопал», — пронеслось в голове Шаркова.

— Ты так и не поел, — заметила она. — Хочешь, подогрею в микроволновке? Все уже холодное.

— Не нужно. Ничего не хочу. Ну, коль ты все давно решила, то разговоры, я так полагаю, бессмысленны, поэтому давай я помогу тебе с вещами.

И тут же внутренний голос закричал: «Ты с ума сошел! Тебе ни в коем случае нельзя таскать тяжести! Ты можешь поднять чемодан — и оно рванет в ту же секунду! Если только шмотки, то килограммов пятнадцать, а если там книги и рукописи, обувь и всякие бабские флаконы, то все тридцать наберется. Нельзя». Что же делать? Лена так уверенно заявила, что он поможет... Сказать, что сердце колет? Или на давление сослаться? Это будет выглядеть, как будто он пытается давить на жалость и вынудить переменить решение. Мерзкое манипуляторство. Нехорошо. Не по-мужски. Ну, авось пронесет.

Он в два приема донес вещи до грузового лифта, потом помог невысокому, но мускулистому пареньку по имени Артем погрузить их в пикап. Лена крепко, но коротко обняла мужа, шепнула ему на ухо: «Спасибо тебе за все», уселась в машину и хлопнула дверцей.

Моросил не то колючий осенний дождь, не то мелкий раннезимний снег. Валерий Олегович постоял на тротуаре, бессмысленно таращась на проезжающие мимо автомобили, потом резко повернулся и пошел домой.

На кухонном столе стояла тарелка с остывшим ужином. Шарков понимал, что нужно либо поставить еду в холодильник, либо выбросить, но не мог заставить себя прикоснуться к ней. «Когда я слышал от кого-то о разводе, мне всегда представлялась такая длинная мучительная история, которую в любой момент можно развернуть в обратную сторону, — подумал он, старательно отводя взгляд от мяса с овощами. — А на самом деле все оказалось так просто, так быстро и так необратимо... Лена сказала, что родители часто переоценивают свою значимость для детей. Наверное, то же самое можно сказать и про супругов. Мы часто переоцениваем свою значимость. И страшно удивляемся, когда выясняется, что значимость эта не так уж велика и от нас вполне можно отказаться...»

Ему пока еще не было больно. Было немного странно и неуютно. Но как человек, переживший не один шок в своей жизни, генерал Шарков знал, что больно станет уже завтра.

Второй монолог

Мама умерла, когда мне было пятнадцать. Я не мог понять, почему папа так сильно горюет. Ведь после того, как маму увезли в больницу, ему явно стало лучше, веселее, спокойнее... А обо мне и говорить нечего, мне казалось, что я жить начал только с того дня, когда не стало рядом источника постоянной опасности. На похоронах я изо всех сил старался, чтобы никто не заметил моего равнодушия. Я понимал, что должен быть «убит горем», иначе папины друзья и все наши родственники меня просто не поймут. Я не чувствовал себя виноватым из-за того, что ничего, кроме облегчения, не испытываю, но точно знал, что мое не-горевание вызовет у всех осуждение и неудовольствие.

Отец заменил мне весь мир, даже потерю школьных друзей я перенес легко, почти не обратив внимания.

Я жадно впитывал каждое произнесенное им слово, подолгу обдумывал, пытаясь уловить, правильно ли я понял сказанное, и старался сделать из услышанного именно те выводы, которые, как мне казалось, ждал от меня папа.

Учился я средне, но не потому, что был тупым, а потому, что не интересно. До «двоек» не скатывался, но и в отличники не выбивался. Однажды, посмотрев по телевизору какой-то сериал с кучей трупов и морями крови, отец задумчиво произнес:

— Ну, то, что это показывают — понятно, показывают потому, что люди хотят это смотреть. А вот почему они хотят?

Я ничего не ответил, потому что ответа не знал. Но слова его, как обычно, воспринял как руководство к действию и немедленно полез в Интернет искать информацию. Примерно через час я отчитался, изложив папе все, что сумел найти и прочитать о причинах, по которым сцены насилия и жестокости так привлекательны для многих людей. Оказывается, по этому вопросу давно уже ведутся целые дискуссии, а я и не знал... В моем докладе то и дело мелькало слово «катарсис», поскольку в прочитанных материалах оно встречалось очень часто.

— Эх, сынок, если бы все было так однозначно! — вздохнул отец. — Посмотрел кровавый боевик, испытал катарсис — и все, напряжение ушло, и человек долгое время после этого даже муху не прибьет. Но оно ведь не так... Видишь, оппоненты этой теории считают, что чем больше видишь насилия и крови, тем больше привыкаешь к ним, считаешь чем-то совершенно обыкновенным, нормальным. А если это нормально, значит, допустимо.

И тут я почему-то вспомнил о той музыке, которую отец слушал, когда приходил в себя после маминых скандалов.

— Пап, а если бы кому-нибудь все-таки удалось написать специальную музыку для тех, кто злой и агрессивный? Представляешь, как было бы классно: отовсюду льется эта музыка, и никто никого не обижает, никто никого не убивает, даже в морду не бьет... Даже голос никто не повышает... Не кричит, не скандалит... Ты говорил, что музыку для больных придумать очень трудно, а для здоровых — проще. Злые и агрессивные насильники — они же не больные, они здоровые, значит, теоретически такую музыку придумать вполне реально.

— Мы все в той или иной степени больные, — грустно усмехнулся отец. — Но, возможно, ты и прав, сынок.

Над этими словами я думал очень долго. Что было главным в сказанном отцом? Первая часть фразы или вторая? Я никогда не просил папу объяснить точный смысл сказанного: боялся выглядеть в его глазах малолетним недоумком, с которым нельзя разговаривать как с ровней.

После длительных размышлений я пришел к выводу, что главными словами являются именно последние. Возможно, что я прав. Нет ничего невероятного в том, что кто-то напишет ту музыку, которая сделает мир прекрасным и гармоничным, лишенным злобы и ярости, насилия и смерти. Ведь если можно при помощи музыки снять нервное напряжение и вернуть человеку спокойное расположение духа, то наверняка можно достичь и более значимого результата. Нужно только очень постараться.

Сначала я пошел по самому простому пути, по которому пошел бы любой дурак: начал искать в Интернете сайты тех, кто пишет музыку и считает себя крутым композитором, и посылать им письма с объяснениями, почему нужно непременно сочинить... Ну, и так далее. Идиотом я был. Думал: стоит только правильно сформулировать задачу — и тут же все кинутся ее выполнять. Как же, разбежались. На мои призывы откликнулся только один человек из Новой Зеландии, русскоязычный эмигрант из Киргизии, который потрудился ответить на мое послание. В его ответе содержались рекомендации обратиться за специализированной медицинской помощью и не отрывать время у людей, которые заняты делом, а не пустым прожектерством.

Письмо меня ошарашило. Меня приняли за сумасшедшего! Меня! Нормальнейшего из всех нормальных! От моего замысла отмахнулись, как от навозной мухи! Может быть, это случайность, и остальные ответы от композиторов будут совсем другими... Нужно только подождать. Как меня учил папа: перетерпеть, переждать, пережить.

И я терпел. Искал новые имена, посылал им сообщения, ежедневно проверял форумы и сайты в надежде увидеть ответ, но в течение полугода не удостоился больше ни одной, даже самой короткой, реплики. Мне не отвечали. Меня игнорировали. Меня не хотели услышать. Меня даже не хотели заметить.

И вдруг... Мне пришел Знак. Во время изучения одного из музыкальных форумов сбоку на экране выскочила реклама. Вернее, рекламных постов было два. На одном — что-то про «очки за один час» и изображение огромного, очень красивого глаза, явно женского, с длинными ресницами. На втором — интернет-самоучитель игры на фортепиано.

Оба рекламных поста слились в моем мозгу воедино. Это было Послание, и я его прочел: «Я, Прекрасное Око, смотрю на тебя с высоты мироздания и вижу, что твой замысел под силу осуществить только тебе самому. Не проси помощи у слабых и безразличных, сделай сам, я в тебя верю, ты справишься».

В ту же секунду я все понял. Я — Избранный. Я должен научиться нотной грамоте и написать великую музыку, которая преобразит наш несовершенный, ущербный и грязный мир. Прекрасное Око ждет от меня великого результата, ибо видит всё и всех и понимает, что никто, кроме меня, с этой задачей не справится.

Это был волшебный миг. Водораздел всей моей жизни. Точка невозврата, в которой я внезапно осознал свое истинное предназначение, после чего все, что интересовало меня прежде, волновало, радовало или печалило, просто перестало существовать.

Более того: впервые за последние годы я понял, что отныне вынужден скрывать от отца часть себя. Занятия музыкой, само собой, скрыть не удастся, да и не нужно. Ну что ж, придет время — скажу, если возникнет необходимость. А вот про мои взаимоотношения с Прекрасным Оком знать не должен никто. Ибо я Избранный. А любое Избрание — это великая тайна, которой нельзя делиться ни с кем. Тайну следует бережно хранить и тщательно оберегать от посторонних.

Даже от таких близких людей, как мой отец, которого я обожаю. Про Избрание и Прекрасное Око он знать не должен.

Дзюба

В Тавридине Дзюба должен был явиться к полковнику Коневу. Константин Георгиевич Большаков сказал, что Конев, занимающий высокую должность в областном управлении внутренних дел, обо всем предупрежден и «прикроет».

— Материалы по Евтягину привез? — суровым голосом спросил полковник, едва Роман переступил порог его кабинета.

— Так точно, — бодро отрапортовал Дзюба и полез в сумку за папкой.

Конев взял папку и взглянул на капитана с одобрением. Лицо его смягчилось, и он едва заметно кивнул. Однако следующие слова прозвучали опять недовольно и даже брюзгливо:

— Давай предписание.

Дзюба молча протянул ему документы на командировку. Полковник сделал вид, что изучает их, потом незаметным движением взял со стола листок бумаги и приложил к документам, которые вернул Роману. Одного быстрого взгляда было достаточно, чтобы прочитать:

«Нужно переложить шифер. Встреча с мастером через два часа, Бассейная, 15».

Значит, Роман поступил правильно, когда в ответ на строгий официальный тон заговорил коротко и по-уставному. Перекладка шифера могла означать только одно: полковник Конев уверен, что крыша в управлении сильно протекает, иными словами — идет постоянная утечка информации, в том числе и из его служебного кабинета. Поэтому разговаривать лучше в месте более безопасном.

— В пятнадцать часов явишься на совещание по Евтягину, доложишь материалы и ответишь на вопросы, — сухо проговорил Конев. — Где наша гостиница — тебе мой помощник объяснит. Всё, свободен.

— Так точно, — снова четко произнес Дзюба.

Значит, через два часа на Бассейной улице... Спасибо Антону Сташису, научившему Ромку внимательно прислушиваться к тону собеседника. Полезная наука, особенно если тон не вполне соответствует ситуации. Хорош был бы капитан Дзюба, если бы не обратил внимания на суровость Конева и принялся бы с порога лепить всякую хрень про то, что «вам звонили, генерал Шарков, полковник Большаков» и все прочее. Возможно, Конев и перестраховывается, но не исключено, что он прав и в управлении течет из всех щелей и со всех телефонов. И даже с компьютеров. В криминальном бизнесе заинтересованных множество, а уж про службу собственной безопасности и ФСБ и говорить нечего.

Ведомственная гостиница находилась неподалеку, на соседней улице. Роман получил ключ от одноместного номера и бумажку с паролем для подключения к Интернету, принял душ, включил ноутбук и внимательно изучил карту города. Судя по всему, от гостиницы до Бассейной улицы пешком можно дойти минут за сорок. Ноябрьская погода прогулкам не способствовала, но капитана это не смущало: он любил физические нагрузки, а холода не боялся совсем, ему всегда было жарко.

Город показался ему мрачным и каким-то неуютным и неприбранным, что ли. На улицах грязновато, лица у прохожих унылые, во всем проглядывает неустроенность и беспросветность. Наметанный глаз привычно выхватывал из толпы людей с явными признаками алкогольной или наркотической зависимости. Многовато... Не зря, наверное, этот город входит в число тех регионов, которые считаются «особо депрессивными».

В доме 15 на Бассейной улице располагалась чебуречная. Вывеска показалась Дзюбе невзрачной, явно не рассчитанной на широкое привлечение клиентов. Это внушало оптимизм. Если бизнес не прогорает и не требует дополнительной рекламы, значит, либо в нем все в полном порядке, кормят вкусно и готовят из хороших продуктов, и заведение имеет устойчивую репутацию, либо это обычная «отмывалка», где никто не парится насчет качества товара, но и посетителей нет. Для встречи с полковником Коневым предпочтительнее был бы, конечно, второй вариант, но для вечно голодного капитана полиции, которого в самолете накормили «завтраком» в виде крекеров и отвратительного на вкус чая, привлекательным выглядел вариант первый. От мысли о сочном горячем чебуреке моментально засосало под ложечкой. До назначенного времени встречи оставалось еще минут двадцать, и Роман решительно толкнул дверь.

Обстановка в чебуречной была самой простой, никаких излишних усилий в декор не вкладывали. Обычные квадратные столики с пластиковым покрытием, легкие стулья, никаких официантов, посетитель делает заказ у стойки и сам забирает готовое блюдо. С одной стороны, людей и в самом деле немного, хотя время горячее, середина рабочего дня, у всех обед. Но с другой стороны, ароматы по небольшому помещению разносились просто божественные. Чуткое обоняние Дзюбы уловило запахи не только горячего теста и баранины, но и украинского борща, и жареной рыбы. Девушка за стойкой показалась Роману сонной и будто отупевшей, но, пока он изучал написанное мелом на доске меню, откуда-то сбоку вынырнул тощий невысокий мужчина в ослепительно-белом фартуке, закрывавшем его ноги почти до самого пола.

— Молодой человек, попрошу за мной, — быстро и очень тихо произнес он. — Вам все принесут.

Стало быть, полковник Конев здесь постоянно устраивает встречи. И Дзюбу в чебуречной уже ждали.

За двадцать минут, проведенных в тесной комнатушке с одним столом и четырьмя стульями, Роман съел тарелку борща с тремя кусками хлеба и умял два невероятно вкусных чебурека. Он едва успел тщательно вытереть рот и пальцы, изведя штук десять бумажных салфеток, когда вошел Конев. На этот раз выражение лица у него было совсем другим: озабоченным, но одновременно радушным и приветливым.

— Поел? — спросил он, усаживаясь напротив капитана. — Понравилось?

— Обалденно вкусно! — искренне ответил Роман.

— Да, здесь хорошо готовят. Значит, так, друг сердечный. К пятнадцати часам придешь на совещание, посидишь в приемной, как дело до Евтягина дойдет — тебя позовут. Ответишь на все вопросы, но сильно умного из себя не строй. Сумеешь?

— Постараюсь.

— Легенда у тебя такая: ты чей-то сынок, какой-то маленькой шишечки из министерства, делом Евтягина действительно занимался, но ничего по-настоящему ценного добавить не можешь, мы и так все знаем. Тебе просто нужен был повод сорваться в командировку под благовидным предлогом, и ты, как только узнал об убийстве, хотя бы косвенно связанном с Евтягиным, попросил папаню своего понажимать нужные кнопочки, чтобы тебя отправили туда, где якобы немедленно нужны твои невероятные глубокие познания по Евтягину. А на самом деле у тебя баба.

— Здесь, в Тавридине? — уточнил Дзюба.

— В том вся фишка и состоит, что нет. Не здесь. И это дает тебе возможность уехать, куда тебе нужно. Для всех ты — зеленый папенькин сынок, которого по просьбе сверху прикрывают от твоих начальников с Петровки, чтобы ты мог в полной мере насладиться радостями плотских утех. Знаешь, в чем прелесть коррупции, которая всюду процветает?

— В возможности решить любой вопрос, который в принципе считается нерешаемым? — улыбнулся Роман.

— Именно. Если раньше были еще вещи, про которые мы могли с уверенностью сказать: «Так не бывает!» — и стоять на этом до конца, то теперь бывает все. Можно купить любое решение и на любом уровне. Так что история ни у кого даже удивления не вызвала. Твоя роль — не особо толковый раздолбай. Я уже позвонил всем, кому надо, и всех оповестил о твоем приезде в полном соответствии с легендой. Никто тебя всерьез воспринимать не станет, по крайней мере, я на это очень надеюсь. Всё понял?

— Нет, не все, — честно ответил Роман. — А почему я сын маленькой шишечки, а не большой шишки? В чем разница?

— Друг сердечный, разница в том, что...

Конев умолк и подождал, пока вошедший с подносом мужичок в длинном фартуке не поставит перед ним тарелку с одним чебуреком, а перед Дзюбой — кофе.

— Разница в том, — продолжил полковник, когда дверь закрылась, — что всегда найдутся желающие выслужиться перед руководителем. А уж если этот руководитель в Москве, в министерстве, то тем более. Конечно, я мог бы всем сказать, что ты племянник или даже внебрачный сын генерала Шаркова. Шарков — фигура, перед ним прогнуться — святое дело. Или не прогнуться, а получить в руки рычаг давления на него. И за каждым твоим движением, за каждым чихом и плевком будут наблюдать в десять глаз. Куда пошел, с кем говорил, что ел, сколько раз в сортир сходил. Ты станешь людям интересен. А тебе это надо?

— Не надо, — согласился Роман. — Но если у вас проблемы с шифером, то ведь к евтягинским протечет. Мол, приехал опер с Петровки как раз по убийству, связанному со «СтройМажором».

— Молодец, друг сердечный, зришь в корень, — полковник одобрительно кивнул. — С евтягинскими тебе придется разбираться самому. Протечет к ним однозначно, в этом даже не сомневаюсь. Но вот чему они поверят: тому, что ты обычный раздолбай, или тому, что ты по их душу приехал? Не знаю. Поэтому тебе нужно будет их убедить. Иначе они не только, как я уже сказал, будут наблюдать, где, когда и в кого ты плюнул, но еще и собирать эти плевки в стерильные пакетики. Наводку дам, к кому обратиться, а дальше давай сам.

— Понял, — кивнул Дзюба. — Про двойное убийство расскажете? Мне же вроде как положено хоть что-то знать, а я ни в зуб ногой.

Конев задумался, побарабанил пальцами по столу, зачем-то разблокировал телефон, что-то посмотрел в нем и снова засунул в чехол.

— Да мутная история вообще-то, — негромко проговорил он. — Евтягинские в нашем регионе курируют строительство. Папаша Николай Васильевич, которого в вашей столице так тепло приняли и приговорили, еще в конце девяностых сменил малиновый пиджак на деловой костюмчик, начал с реконструкции цокольных этажей под магазины и офисы, потом стал расширяться, дома строить. В итоге все строительство в городе под себя подмял, в администрации всех купил, кого можно. В прошлом году отошел от дел и передал компанию сыну. Ну, ты это и сам знаешь, ты же по убийству старшего Евтягина работал. Сынок его, Евтягин Михаил Николаевич, решил строить не просто дома, а элитное жилье, а для этого что нужно? Правильно, друг сердечный: близость парков и водоемов. То есть он протянул жадные лапки к давно застроенным и обжитым территориям, на которых и скверы, и парки, и школы, и поликлиники, и детские садики. И жилая застройка довольно плотная, так что открытие нового строительства, да еще с вырубкой части зеленой зоны, принесет проживающим там людям колоссальные неудобства. Одна такая стройка вызывает бурное недовольство жителей окрестных микрорайонов, они пишут петиции, собираются на митинги, устраивают акции протеста. И вот одного из зачинщиков этих акций, некоего Петропавловского, находят убитым. Само собой, евтягинские ребята — первые подозреваемые. Мы подключаем агентуру, начинаем крутить-вертеть, в общем, все как полагается. И вдруг в нашей местной газете появляется статья, в которой журналист какой-то неизвестный пишет, что борьба с организованной преступностью — это, конечно, замечательно, но хорошо бы нашей доблестной полиции иметь на плечах голову, а не только погоны. Ровно год назад, день в день, в том же самом месте уже находили труп. И причина смерти примерно такая же: черепно-мозговая травма. А поскольку прошлогодний убиенный совершенно точно к строительству и борьбе с ним отношения не имел, ибо самого строительства еще и в помине не было, то надо бы подумать и в этом направлении. Если полиция думать не хочет, то сам журналист думать очень даже любит, посему он тщательно собрал информацию и откопал еще четыре точно таких же случая: в разных городах в течение последних нескольких месяцев имели место убийства, совершенные с интервалом ровно в год в тех же самых местах. То есть по просторам нашей страны разгуливает неизвестный маньяк, о котором никто не знает и которого никто не ищет. Вот чем вы должны заниматься, господа полицейские, а не евтягинских мордовать.

— Звучит, как чистая заказуха, — заметил Дзюба. — Евтягинские проплатили, чтобы от них отстали. Журналиста опросили?

— А как же, — хмыкнул полковник. — И опросили, и допросили, и информацию собрали. Вроде никаких ниточек, ведущих к евтягинским, не нащупали. Не связан он с ними. Или сильно умный и осторожный и хорошо прячет свои контакты с Евтягиным и его компанией. Или просто неосторожный, сделал вброс такого материала, который может реально породить панику в населении, если быстро разойдется по Интернету. Но если он сам этого не понимал, значит, не сильно умный. Ну, меры я, конечно, принял, велел начальнику пресс-службы связаться с главным редактором и объяснить ему, что подобные материалы никак нельзя публиковать в Интернете без согласования с полицией, потому что это может вызвать нежелательный резонанс и напугать граждан. В общем, в пресс-службе у нас девка толковая сидит, она этого главного редактора быстро построила, и статью он сразу удалил. Но часа примерно три-четыре текст в сети провисел. И в бумажном виде он, конечно, остался, хотя тираж бумаги у нас маленький, городскую газету только пенсионеры читают, все остальные Интернетом пользуются. С журналистом этим, который материал навалял, поработали, заткнули его на какое-то время, пообещали, что когда поймаем маньяка — публично заявим, что этот писака первым увидел, первым написал, ну, короче, почет и уважение ему на всю оставшуюся жизнь.

— А откуда у него данные?

— Не говорит. Вернее, клянется, что получил их от какого-то типа, который поймал его в темное время суток в темном закоулке, представился неравнодушным сотрудником полиции, который возмущается тем, что коллеги не разделяют его убеждений. Дескать, вот вам флешка, на ней все данные, используйте их и доведите до сведения общественности, может, тогда в полиции начнут чесаться.

— Морду, конечно, не видел и описать не сможет, — вздохнул Дзюба.

— Само собой. Да даже если и видел бы — на его описание полагаться нельзя, парнишка молоденький, хлипкий, трусоватый. Такой с перепугу мышь со слоном перепутает. Но славы и денег хочет, это уж как водится. Вот на этом мы его зацепили. И тот, кто флешку ему передал, тоже именно на этом сыграть хотел.

— Думаете, это все-таки Песков? Или на самом деле евтягинские?

— Не знаю, друг сердечный, не знаю. Сейчас времени нет, а вечерком, ближе к ночи, встретимся и поговорим подробно. Короче, придешь на совещание — доложишь о московских связях Евтягина, особенно о выходах на киллеров, ну и про строительные дела, само собой. Чтобы в тему получилось. Еще раз напоминаю: особо не старайся, все должны поверить, что ты не крутой спец, который приехал нас жизни учить, а зеленый сопляк, которого папаша прикрывает.

— Я понял, — кивнул Роман. — Конечно, актер из меня аховый, но я буду стараться.

После ухода Конева Роман посидел еще немного, потом вышел в общий зал, попросил у сонной девицы за стойкой еще чашку кофе и горячий бутерброд с бужениной, сыром и помидором. Кофе здесь был не очень вкусным, но капитан подозревал, что и чай окажется не лучше. Вот странная закономерность: редко где и еда, и напитки бывают одинаково хороши. Если готовят вкусно, то чай и кофе чаще всего оказываются никуда не годными. И наоборот: чай-кофе отличные, а еду в рот не взять. Или это только ему, Ромчику, так не везет всегда с общепитом?

«Блин! А с чем мне вообще везет? — с внезапной горечью подумал он. — С Дуняшей, которая влюбилась в другого и меня бросила? С внешностью, из-за которой меня девять из десяти человек называют рыжим клоуном и не принимают всерьез? С начальником, который не знает, как организовать работу по раскрытию убийств?»

И тут же в Дзюбе проснулась его всегдашняя дотошность и стремление охватить взглядом одновременно все стороны процесса и учесть все возможные варианты.

«Я что, с ума сошел? — сказал он себе сердито. — Мне много в чем повезло! Да, Глазов — чучело болотное и вообще полный придурок, никто и не спорит, но Костя-то Большаков как раз такой начальник, о каком мечтает любой опер! Само собой, Костя не вечен на этой должности, кадры перемещаются быстро, и кто знает, кого потом посадят в это кресло... Но, с другой стороны, кадры и впрямь перемещаются быстро, так что не вечен и Глазов, и как знать, кем его впоследствии заменят. Да, Дуня влюбилась в какого-то кренделя и ушла от меня, но она же не умерла, она жива, и пока она жива — я могу надеяться на то, что она вернется. А внешность... Ну что ж, перетерплю еще несколько лет, начну седеть, и постепенно мою рыжую шевелюру перестанут замечать. Чего мне ныть и жаловаться? Родители в порядке, работа по призванию есть, здоровьем и силами природа не обделила. Так что сидите ровно, капитан Дзюба, и не гневите Бога».

Шарков

— Вы что, плохо слышите? — кричал генерал Шарков на двоих подчиненных, принесших на подпись очередной вариант плана. — Я вам еще на прошлой неделе говорил, что все пункты должны быть согласованы с другими департаментами, потому что план комплексный, он касается всех, а не только наших кабинетов! Где отметки о согласовании? Где участие других подразделений? Сколько можно повторять одно и то же? Не умеете работать — кладите рапорты на стол, я их с удовольствием подпишу!

Претензии генерала были справедливыми, но подобный тон он позволял себе не часто. Гнев рвался наружу, переполняя Валерия Олеговича, и он ничего не мог поделать с собой.

«Я этого не допущу! — твердил сам себе Шарков. — Они навалились на меня со всех сторон, хотят сломать. Сначала эта болезнь, от которой я могу сдохнуть в любой момент, потом Песков со своими бредовыми идеями, потом Лена. Они словно сговорились меня уничтожить, нанесли свои удары одновременно, чтобы я потерял контроль над ситуацией. Да что там над ситуацией — над собственной жизнью. Они хотят, чтобы я сдался. Ни за что! Меня голыми руками не возьмешь! Никогда такого не было, чтобы я позволял кому-нибудь вести себя на поводу, управлять мной. Не было и не будет!»

Гнев захлестывал все его существо, поднимаясь огромными штормовыми волнами, и в этих волнах тонули такие простые соображения, которые в первую очередь пришли бы в голову человеку, находящемуся в состоянии спокойном и уравновешенном. Болезнь появилась не вчера и не позавчера, она началась уже очень давно. Игорь Песков, задумывая свою комбинацию, меньше всего думал о генерале Шаркове, если вообще помнил о нем хоть секунду. Лена, принимая решение уйти, не знала ни о болезни, ни о проблемах с Игорем.

Но покоя и уравновешенности в душе Валерия Олеговича не было, а были только гнев и отчаянное стремление сохранить уверенность. Не поддаваться. Не дать себя сломать. Не подчиниться. Лечь сейчас в госпиталь на операцию означает подчиниться чужой воле, чужому решению, решению врачей, мнению Кости Большакова. Нет, нет и нет! Будет только так, как решит сам Шарков, и никак иначе. Только он сам может и будет управлять собственной жизнью и никому другому этого не позволит.

Он сам решит, когда делать операцию.

Он сам разрулит проблему с Песковым.

Он с уважением отнесется к желанию жены жить отдельно и окажет ей любую помощь, какая потребуется. Более того, он будет радоваться и благодарить судьбу за то, что она ушла именно сейчас: теперь он хотя бы дома может не сохранять лицо и не врать, что у него все в порядке, ничего не болит и вообще ничего не беспокоит. Не позволит Шарков каким-то семейным обстоятельствам выбить себя из колеи.

У него хватит сил. Он все сделает как надо.

И этих двоих остолопов он заставит сделать наконец достойный вариант плана, который будет одобрен и утвержден министром. Если нужно — будет кричать еще громче. Если понадобится — употребит ненормативную лексику, за этим дело не станет. Наложит взыскание. Сменит команду исполнителей. Но желаемого результата добьется.

Когда подчиненные вышли, Шарков, чувствуя себя «на взводе», подумал, что надо бы позвонить Лене. И не потому, что скучал. А просто потому, что он — мужчина, он должен держать руку на пульсе, знать, что происходит, контролировать ситуацию. И, конечно же, предлагать помощь.

Он сперва даже удивился, когда понял, что не скучает по жене. Сначала, в первые часы неожиданного одиночества, ловил себя на том, что нарушен привычный уклад. Нет звуков, нет запахов, всегда сопутствовавших присутствию Елены в квартире. Не будет ежевечерних слов «У Олежки все в порядке, Маришка здорова, тебе большой привет», которые Лена произносила, поговорив по телефону с сыном.

Шарков ждал, что вот-вот навалится тоска. Ну не может же так быть, чтобы после стольких лет супружества разрыв не сопровождался переживаниями, тоской, чем там еще ему положено сопровождаться... Но он ничего не чувствовал, кроме тихого удивления: и это все? Вот так просто, в одну минуту — и все? Впрочем, наверное, именно так все и заканчивается, в том числе и человеческая жизнь. Одна минута — и все.

Он не мог понять, почему так происходит. То ли потому, что все мысли его сосредоточены на другом, то ли потому, что так и должно происходить, а все россказни об отчаянии и надрывной тоске — не более чем выдумки беллетристов, которым нужно нагнать страстей для красивости. Про простое и обыденное не интересно ни сочинять, ни читать, ни кино смотреть. Простое и обыденное — товар неликвидный. Все хотят про страсти. Вот им и подносят на блюдечке с голубой каемочкой то, что они хотят. Выдумки это все, не имеющие ничего общего с настоящей жизнью.

Сегодня, проведя ночь и утро в одиночестве после ухода жены, Валерий Олегович осознал, что «скучать по привычному» — совсем не то же самое, что «нуждаться в необходимом». Он привык к Лене и теперь испытывает дискомфорт от ее отсутствия, вот и все. Как там у Шекспира? «Будь самой горькой из моих потерь, но только не последней каплей горя...» Нет, эти слова уж точно не про Шаркова и его жену. Их брак настолько выдохся, выцвел и обессилел, что его распад никак не тянет на полноценное горе. Так, временное осложнение, не более того.

Эти тусклые мысли родились утром, когда еще не закончился период первого шока, но теперь, когда настал черед гнева, Валерий Олегович думал иначе: «Самоуверенная глупышка, она решила, что сможет легко прожить без всего того, чем я обеспечивал ее! Может, я и был плохим мужем, спорить не стану, но главой семьи я был хорошим. Приносил домой достойную зарплату, решал множество вопросов, обеспечивал всем необходимым. Как она будет справляться без всего этого? Ленка вся в искусстве, она, наверное, думает, что бутерброды растут на деревьях, а хорошие, не поддельные, лекарства продаются в любой аптеке за сущие копейки. Я не стану просить ее вернуться, в этом нет никакого смысла, но помогать ей я обязан».

Он взял телефон, позвонил Лене, собираясь всего лишь узнать, как у нее дела. Но все пошло не так.

В ответ на спокойно произнесенное «у меня все в порядке» Шарков не справился с обуявшим его гневом и сорвался:

— Ну что ты несешь! Как у тебя может быть все в порядке, если ты живешь жизнью, к которой не привыкла? Ты же не умеешь жить одна, ты не можешь решить ни одну проблему, со мной ты была как за каменной стеной и вообще не представляешь, как жизнь устроена! Перестань актерствовать, признайся уже наконец, что у тебя далеко не все в порядке, и скажи, что нужно. Я помогу.

— Ты прав, Валера, — усмехнулась жена. — Я действительно живу новой для себя жизнью. И она мне очень нравится. Да, в ней не все так удобно и комфортно, как было раньше, но я живу так, как хочется мне, а не так, как хочешь ты. Разницу чувствуешь?

— Ты так говоришь, как будто я тебя гнобил, душил и не давать продохнуть, — возмутился Шарков.

— Ты не давал мне быть собой.

— Но я же тебя обеспечивал! И тебя, и сына!

— Рядом с тобой я должна была жить тихо и молча. Я так больше не хочу.

— Раньше тебя это устраивало, — язвительно заметил Шарков. — Я остался таким же, каким был и десять лет назад, и двадцать, и тебе было отлично. А теперь, видите ли, тебе захотелось чего-то новенького!

— Да, захотелось. А что тебя так удивляет? Валера, если ты не изменился за все эти годы, то это твоя проблема. А я изменилась. Я стала другой. И меня наша с тобой жизнь устраивать перестала. Ты ни в чем передо мной не провинился, поэтому я ничего у тебя и не прошу, кроме одного: дай мне свободу. Отпусти меня. И не надо мне помогать, помогай Олежке, если хочешь.

— Ты не справишься сама.

— Прекрати! — вдруг закричала в трубку Елена. — Прекрати меня унижать! Прекрати навязывать мне свои благодеяния! Мне ничего не нужно!

В ухо Шаркову ударила глухая тишина, какая наступает, когда на мобильнике отключается связь. Елена прекратила разговор. Он в ярости швырнул телефон на стол. Почему она так вспыхнула на ровном месте? Почему раскричалась? Чего добивается?

«Чего бы она ни добивалась, манипулировать собой я не позволю, — сердито думал Шарков, выходя из кабинета в приемную. — Никто и ничто не будет на меня влиять. Я сам справлюсь».

Он быстрыми шагами прошел по длинному коридору к лифтам, не замечая идущих навстречу и пытающихся поздороваться сотрудников.

* * *

— Здравия желаю, товарищ генерал!

Шарков прошел мимо, даже не замедлив шаг. Лицо бледное, напряженное, глаза устремлены вперед. Поздоровавшийся с ним человек в форме с погонами подполковника удивленно посмотрел вслед Шаркову, покачал головой и, пройдя в конец коридора, заглянул в один из кабинетов.

— Как жизнь молодая? — весело поинтересовался он у сотрудников департамента, который возглавлял генерал Шарков. — А чего это ваш генерал весь переделанный, на себя не похож? Какие-то новые команды сверху пришли, что ли?

— Да оборзел совсем, — ворчливо отозвался один из сотрудников, тот, что помоложе. — Орет как нанятый. Команд никаких вроде не поступало, во всяком случае, нам не говорили.

Его коллега, сидящий за соседним столом, неодобрительно глянул на своего словоохотливого товарища: критиковать руководство допустимо только в узком кругу доверенных-проверенных сослуживцев, а этот подполковник, хоть и давно им знакомый, но все-таки из другого подразделения. Впрочем, товарища можно и понять, и простить: из кабинета генерала вернулся сам не свой, злобно матерился, разбрасывал бумаги и едва не шарахнул кулаком по клавиатуре компьютера, хорошо, что вовремя опомнился и удержался. Потом немного успокоился и рассказал, что Шарков вызвал с новым вариантом комплексного плана и устроил дикий разнос, по большей части — несправедливый. Мальчишка молодой совсем, с синдромом отличника, захваленный-перехваленный, привык всегда «пятерки» получать, критику принимать не обучен, к брани вышестоящих не притерпелся еще. Понятно, что после такой головомойки в начальственном кабинете у паренька тормоза отказывают, и он позволяет себе лишнее даже в присутствии посторонних. Хотя какой он посторонний, этот подполковник? Свой, офицер, министерский.

— Может, случилось что? — Лицо подполковника приобрело выражение озабоченности и готовности сочувствовать. — Дома, в семье? Все же люди живые.

— Ага, — злобно буркнул неудачливый составитель комплексного плана, — в семье. Баба не дала. А на нас срывается.

Подполковник улыбнулся одновременно понимающе и укоризненно.

— Будь добрее, сынок, — сказал он. — Дослужишься до генеральских погон — тоже начнешь срываться. Что делать, жизнь такая.

Покинув кабинет, подполковник поднялся двумя этажами выше, зашел к себе, запер дверь изнутри и позвонил по телефону.

— У Шаркова что-то происходит, — быстро и негромко проговорил он. — Да, в последнее время... Нервничает, плохо владеет собой... Да, я понял, сделаю.

Дзюба

Совещание прошло довольно гладко, точнее, та его часть, на которой присутствовал Роман Дзюба. По насмешливым взглядам и ухмылкам присутствующих он понял, что более или менее справился с ролью, и с облегчением покинул кабинет, где под руководством зама по криминальной полиции продолжались отчеты по наиболее серьезным делам.

Встреча с представителем евтягинских была назначена в ресторане «Садко». Времена, когда на подобные переговоры присылали наглых и полуграмотных «быков», давно миновали, теперь крупный криминал преобразился в бизнесменов, группировки и банды — в фирмы, фонды и корпорации, а на непонятного назначения встречи с представителями правоохранительных органов приходили штатные юристы этих чудесных организаций.

«Могу себе представить, какие здесь цены», — с содроганием подумал Дзюба, снимая в гардеробе куртку и оглядывая дорогую отделку интерьера. Хорошо, что он плотно поел днем в чебуречной и теперь вполне может ограничиться чашкой кофе и бутылкой воды.

Он специально явился чуть раньше назначенного времени, не только для того, чтобы на всякий случай осмотреться, но и для того, чтобы видеть, как его собеседник будет идти к столу и усаживаться. Этой нехитрой, но очень полезной премудрости его научил Антон Сташис: «Смотри внимательно, как идет, как садится, как раскладывает свои вещи на столе. Тогда ты сразу поймешь, кем он себя ощущает в этой ситуации, какую роль намеревается сыграть, и совпадает ли эта роль с его настоящим самоощущением. Например, идет вальяжно, как хозяин, а вещи разложил — и сразу видно, что он внутри себя узенький-узенький. Или наоборот: сел, развалился, что твой царь зверей, а через зал шел как чмо последнее. Это поможет тебе самому выбрать правильный тон в разговоре и вывести его так, как тебе нужно». Ромка долго тренировался, специально ходил в рестораны, садился в уголке, заказывал кофе и самый дешевый салатик и наблюдал за людьми. Постепенно стало получаться. Конечно, не так здорово, как у Тохи, тот вообще ас, но Ромка искренне радовался, что ему есть у кого учиться. Частенько в этих ресторанных тренировках принимала участие и Дуняша, сидела рядом с Ромкой и обсуждала с ним тех, за кем они наблюдали... При этом воспоминании Дзюба ощутил горячую режущую боль внутри, но она прошла так же мгновенно, как и возникла. Боль стала привычной, она появлялась каждый раз, когда он думал о Дуняше. Ну что ж, без малого год прошел, Роман уже притерпелся.

Евтягинского посланца он заметил сразу. Мужчина лет сорока в отлично сшитом костюме стремительным шагом прошел через зал прямо к столику, где сидел капитан. Поздоровался вежливо, представился: «Евгений Андреевич, служба безопасности», но руки для пожатия не протянул. Небрежно бросил на стол ключи от машины, сел напротив и принялся выкладывать перед собой телефон, планшет и очешник. «Ишь как, — подумал Роман. — Служба безопасности. Не «начальник», не «руководитель», а просто «служба». Значит, не при должности, но доверенный. Врать в открытую и именовать себя начальником не стал, а признаваться, что не шишка, не хочется. Руки не подал. Значит, начнет сейчас строить из себя невесть что. Или он боится? Да вряд ли, чего меня бояться? Если из управления к евтягинским протекает информация, то он уже в курсе, что я не опасен. Хотя этой информации он может и не доверять, поэтому имеет задачу проверить ее».

Он окинул внимательным взглядом лежащее на столе имущество представителя службы безопасности строительной компании «СтройМажор», принадлежащей сыну и наследнику недавно убитого в Москве Евтягина, в прошлом — известного криминального деятеля. Итак, что сказал бы Тоха Сташис, глядя на сей натюрморт? У каждого человека есть потребность в личном пространстве, а у каждого стола есть линия середины. Она ничем не отмечена, но любой нормальный человек ее видит и чувствует. И по тому, как он раскладывает свои вещи на «своей» половине, можно кое-что понять о нем. Занимает ли он ее всю, словно бы «помечая», как дикое животное, «свою территорию» и подсознательно говоря: «Что мое — то мое, ни пяди не уступлю», или вылезает хотя бы частично за невидимую границу и пытается занять территорию собеседника? Тогда это сигнал: он агрессор, захватчик и будет пытаться навязать собственные правила, не считаясь ни с мнением, ни с удобствами противной стороны. Если же телефон и прочие причиндалы складываются на маленькой площади, кучно, не занимая всего личного пространства, это, скорее всего, говорит о том, что человек чувствует себя неуверенно, неуютно. Чего-то стесняется или боится, в чем-то сомневается. Если добавить к этому картинку того, как человек подходил к месту встречи, то уже можно попытаться сделать первые выводы.

Кучку из своих вещей Евгений Андреевич не сложил. Но и свою половину стола не «пометил», занял примерно четверть пространства. В сочетании со стремительностью походки это можно было бы толковать как деловитость без амбициозности. Можно было бы... А руку не протянул. Правила делового этикета нарушил. Был бы откровенным бандитом — так и ради бога, какие уж там рукопожатия. Но ведь «СтройМажор» — крупная компания, официальная, вроде как чистая. И полиция только недавно поймала того, кто убил основателя и первого руководителя компании. Так почему службе безопасности не пожать руку этой самой полиции? Стало быть, имеет место некоторая настороженность и даже враждебность.

— Чем могу быть полезен господам из полиции? — церемонно спросил человек из «СтройМажора».

— Помощью, — коротко ответил Дзюба.

Он хорошо помнил уроки Сташиса: хочешь понравиться — подыгрывай. Если собеседник лаконичен — не болтай, используй минимум слов, если же наоборот, он говорлив и многословен, не осекай его краткими формулировками, соответствуй, не давай человеку почувствовать, что он что-то делает не так. А первой и главной задачей капитана Дзюбы было именно понравиться этому человеку.

Евгений Андреевич помолчал, изучая Ромкино лицо и всю его массивную широкоплечую фигуру.

— Насколько я понимаю, это именно вы раскрыли убийство Николая Васильевича?

— Ну, не я один, — пожал плечами Дзюба. — По этому убийству большая бригада работала.

— Но главная заслуга принадлежит вам. Во всяком случае, мне так говорили.

Роман скромно промолчал.

— И теперь, — продолжал Евгений Андреевич, — вы приехали сюда из Москвы и просите о помощи. Должен ли я это понимать так, что полиция не рассталась со своими бредовыми идеями? Вы по-прежнему считаете, что компания «СтройМажор» имеет какое-то отношение к убийству этого активиста, который протестовал против нашего строительства? Если да и если в этом вы хотите получить нашу помощь, то вы обратились не по адресу.

Дзюба примирительно улыбнулся, даже чуточку шире и капельку искреннее, чем должен был бы в такой ситуации улыбнуться крепкий профессионал, настоящий сыскной волк, если бы вообще счел нужным улыбаться.

— Эта версия уже не отрабатывается, она закрыта. Но труп-то висит. И я должен вычислить и найти убийцу.

Блямкнул телефон Дзюбы, на дисплее высветилось большими буквами «МЫШОНОК» и короткое сообщение: «Ну ты скоро? Я скучаю!» И дурацкий смайлик с сердечками. Телефон лежал правильно. То есть так, чтобы сидящий напротив Евгений Андреевич мог без труда и быстро прочитать сообщение.

— Прошу извинить, — Дзюба взял в руки мобильник, — буквально полминуты, я отвечу. Это срочно.

По лицу человека из «СтройМажора» мелькнула понимающая ухмылка. Стало быть, люди Евтягина-младшего уже знают, что приехавший из Москвы оперативник хочет побыстрее свернуть официальную часть работы и использовать отведенное на командировку время для своих романтических нужд. И только что полученная эсэмэска — хорошее подтверждение легенды, если кто-то не верит. Спасибо полковнику Коневу, не подвел, не забыл, не перепутал.

Роман отправил сообщение, положил телефон и снова улыбнулся, на этот раз чуть смущенно и виновато.

— Евгений Андреевич, в моем случае очень важен тот факт, что у руководства компании стоят люди, имеющие авторитет и знакомства в определенных кругах. Никаких подозрений в адрес сотрудников «СтройМажора» больше нет, хотя они и были, что вполне понятно. Но вы могли бы нам помочь. Ведь старые знакомства и связи никуда не делись. Вы меня понимаете?

— Вполне, — сухо кивнул Евгений Андреевич. — У вас в нашем городе нет своих источников. И вы хотите использовать наши?

— Совершенно верно.

— Но ведь у наших местных полицейских такие источники есть, у них полно агентуры, так в чем проблема? Пусть работают. Насколько я знаю ваши порядки, вы и не должны раскрывать преступления, совершенные на нашей территории. Какой с вас спрос?

Зачем вам бежать впереди паровоза? Вы приехали, поделились сведениями о тех, кто заказал и исполнил убийство Николая Васильевича, и на этом ваша миссия заканчивается. Или вы чего-то не договариваете?

Ух ты! Потерял бдительность Евгений Андреевич, расслабился. Значит, о том, что происходило на совещании, в «СтройМажоре» уже знают. Быстро сработали, молодцы! Информацию слил явно кто-то из тех, кто присутствовал. Или тот, с кем присутствовавший поделился сразу после совещания.

Ну ладно, раз ты расслабился, дружок, то попробуем это использовать.

И Роман Дзюба бросил короткий взгляд на свой телефон. Изобразил на лице мечтательность. Потом еще один взгляд в сторону мобильника. Сделал вид, что стряхивает с себя нерабочий настрой и пытается сосредоточиться. Ах, как долго он учился всем этим штучкам у Антона, как терпеливо, ежедневно тренировался, репетировал, просил то Сташиса, то Дуню посмотреть и оценить: получается ли. Наконец вроде бы стало немножко получаться. Е-мое, каково же быть профессиональным актером?! Ведь это ж сколько всего надо знать и уметь!

— Евгений Андреевич, у меня предложение: давайте снизим уровень дискуссии. Поговорим по-простому, как мужики.

На лице у собеседника отразилось удивление пополам с недоверием.

— Ну, давайте рискнем, — осторожно ответил он.

— Я молод, опыта работы у меня не много, а жить нормально хочется. И двигаться по карьерной лестнице тоже хочется. Я не стыжусь в этом признаться. По-моему, желание совместить карьеру и личную жизнь — штука вполне нормальная. Сейчас я оказался в ситуации, когда для этого мне нужна помощь. Я должен вернуться из командировки с результатом, иначе мне башку снесут. Но у меня есть и свой интерес.

Евгений Андреевич не удержался и тоже посмотрел на телефон Дзюбы. Всё, решил Роман, он попался. Поверил. И радуется, считает себя дико умным и проницательным, ведь я впрямую ничего ему не говорил, а он вроде как сам обо всем догадался. То есть получил подтверждение того, что ему сказали полицейские.

— Понимаю, — Евгений Андреевич даже не пытался сдержать усмешку. — Хотите и преступление раскрыть, и время провести с приятностью. И поскольку вы внесли решающий вклад в раскрытие убийства Николая Васильевича Евтягина, то рассчитываете на благодарность, уважение и определенные преференции с нашей стороны. Я вас правильно понял?

— Правильно. С одной маленькой оговоркой: я не претендую на раскрытие преступления, тем более на чужой земле. У нас это считается неприличным. Но мне хотелось бы раздобыть какую-нибудь полезную информацию, чтобы оправдать свое присутствие здесь. И в этом мне нужна помощь ваших людей.

— Конкретнее, — потребовал Евгений Андреевич.

— Мне нужно знать, что говорят в определенных кругах? Какие слухи ходят? Сплетни? Догадки? Может быть, есть свидетели, до которых не добралась местная полиция? Эти вопросы, я думаю, вам уже сто раз задавали здешние опера, но ведь ответы наверняка были неполными. И опрошены были далеко не все, кто может что-то знать. Я прав?

— Допустим.

— Так вот: вы меня очень выручите, если в течение одного, максимум — двух дней вы мне дадите что-нибудь интересное. И я смогу считать, что свой служебный долг я выполнил.

— И...

— ...и уехать, — беззаботно рассмеялся Роман.

— В Москву?

Да что ж ты такой недоверчивый-то?! Все проверяешь, уточняешь... Так, быстро на лицо легкий налет нахальства, изображаем посыл: «А твое какое дело?» Но отвечаем вежливо и сдержанно.

— Пока не знаю, как начальство решит. Очень надеюсь, что оно решит так, как мне хотелось бы, и я смогу удовлетворить свой личный интерес. Но в вашем городе мне делать будет больше нечего. Так мы договорились?

Евгений Андреевич вынул из чехла телефон, посмотрел список недавних звонков, нашел среди них входящий вызов от рыжего молодого опера, попросившего об этой встрече, потом перевел взгляд на Дзюбу. Тот кивнул:

— Да, по этому номеру. Я буду ждать звонка.

Когда человек из «СтройМажора» ушел, Роман почувствовал, что до завтрака в гостинице не доживет. Нужно срочно съесть кусок мяса с каким-нибудь существенным гарниром. И черт с ними, с ценами!

* * *

На вечернюю встречу с Дзюбой полковник Конев приехал на своей машине, а не на служебной. Они сидели в теплом, даже душноватом салоне в автомобиле, припаркованном в каком-то уютном дворике с детской площадкой посередине. Долго складывали вместе имеющуюся информацию, и картинка получалась не особо радостная.

1 ноября состоялся очередной стихийный митинг против строительства, затеянного компанией «СтройМажор». Приехавшая полиция митинг разогнала, активистов, в числе которых был и Георгий Петропавловский, отвезли в территориальный отдел, составили протоколы, все честь по чести. Задержанные были при паспортах, вели себя вежливо, не кричали, не скандалили, сопротивления не оказывали, одним словом, было понятно, что они люди бывалые и грамотные, знают, что и как нужно делать, чтобы все закончилось быстро и безболезненно. Через несколько часов всех отпустили. Четверо активистов, в том числе и Петропавловский, направились домой к одному из них, чтобы «отметить» и сам митинг, собравший рекордное количество участников, и завершение эпопеи с полицией. «Отмечали» примерно до начала двенадцатого ночи, потом стали расходиться. Сперва ушли муж и жена Антоновы, где-то минут через десять-пятнадцать засобирался и Петропавловский. Во всяком случае, так утверждает четвертый участник посиделок, хозяин квартиры по фамилии Гош. Жена Гоша уточнить показания супруга не может, так как болела гриппом, лежала в другой комнате с высокой температурой, то спала, то дремала, голоса гостей слышала, но когда просыпалась — на часы не смотрела, поэтому не берется судить, в котором часу она еще слышала голос Жоры Петропавловского, а в котором — уже было тихо.

До своего дома Георгий так и не добрался. Тело его было обнаружено утром следующего дня на территории заброшенной неогороженной промзоны, рядом с тропинкой, которую уже много лет используют местные жители для сокращения пути от крупного жилого массива до остановки автобусов и маршруток. Маршрут от дома Гоша до дома Петропавловского к промзоне даже близко не подходит. Зачем Георгий сделал такой крюк? Что он там искал? Для чего отправился туда почти в полночь? Результаты осмотра места происшествия однозначно показали, что убит он был именно там, в промзоне, а не привезен откуда-то уже мертвым. И Гош, и супруги Антоновы дружно уверяют, что их друг Петропавловский не говорил о том, что у него в тот вечер назначена еще какая-то встреча, и о заброшенной промзоне ни разу и ни в какой связи не упоминал. Конечно, все трое могут лгать. Но если кто-то из них или все втроем убили своего товарища, то должен быть мотив. Не просто же так они его грохнули!

Разумеется, сделали запрос в телефонную компанию, изучили внимательно всех абонентов, с которыми с номера погибшего производилось соединение в последние несколько дней перед убийством. Опросили всех активистов, которые постоянно общались с Петропавловским. И ни малейшего намека ни на промзону, ни на встречу вечером 1 ноября, ни на мотив преступления. Вернее, мотив-то на первый взгляд казался очевидным: запугивание со стороны «СтройМажора». Но версия отпала, а никакой другой не появилось. На разбой не похоже, документы и деньги, хоть и очень небольшие, на месте, часы и телефон тоже.

— Если встречу не назначали по телефону, значит, ее назначили лично, — пробормотал Дзюба. — И была она такая секретная, что Петропавловский никому о ней не сказал, даже самым близким товарищам по общему делу. Подружка?

— Вряд ли, — отозвался Конев. — Он не женат, вернее, в разводе, живет один. Чего ему скрывать?

— А может, он был на прикорме у евтягинских? Тогда понятно, что свои контакты с ними он нигде не афиширует.

— Проверяли. Нет там ничего. Петропавловский был честным, идейным и убежденным. Остается последний вариант, самый гнилой: когда он шел домой от Гоша, к нему кто-то подошел на улице и сказал что-то такое, что заставило Петропавловского изменить маршрут и направиться в промзону.

— Значит, скорее всего, это наш Песков, — угрюмо проговорил Роман.

— Тебе Большаков как задачу поставил?

— Собрать максимально доступную информацию по всем убийствам, убедиться, что их совершил Песков, и попытаться просчитать, где и когда он появится в следующий раз. И успеть это сделать до того, как его найдут местные опера.

— Понятно. Тогда тебе нужно быть на двести процентов уверенным, что Петропавловского убил именно он, а не кто-то другой, о ком мы даже и не подозреваем.

Конев помолчал, и Роман решил, что разговор заканчивается. Но ошибся.

— Большаков очень торопится, — произнес полковник. — Не знаешь, почему?

— Наверное, не хочет, чтобы Песков еще одно убийство совершил. Это естественно.

— Да нет... Там что-то другое. Что-то очень личное. Тебе не показалось?

Да, показалось. Роман не считал себя квалифицированным человековедом, понимал, что молод еще, жизненным опытом не богат, но тоже обратил внимание на некие новые нотки и в голосе Константина Георгиевича, и во всей его повадке. Однако делиться своими наблюдениями капитан ни с кем не собирался, уж на это-то его небольшого опыта хватало.

— Я ничего такого не заметил, — сдержанно ответил он.

— Ну ладно. Значит, ты ждешь сутки-двое информацию от «СтройМажора», быстро делаешь вид, что проверяешь ее, и потом куда?

— Большаков велел ехать в Серебров и там залечь, информацию переваривать.

— Почему в Серебров?

— Там совершенно первое из этих парных убийств. Пока я здесь создаю себе алиби, вся информация собирается, и в Сереброве мне ее передадут. Заодно и понюхаю насчет этого первого убийства. Если оно действительно первое, то для Пескова это был пробный камень. К пятому убийству мастерство уже оттачивается, а на первом обычно совершается много ошибок. Может, удастся что-нибудь понять о его глобальном замысле.

— Сам додумался? — одобрительно спросил полковник. — Или Большаков подсказал?

— Конечно, Большаков, — улыбнулся в ответ Дзюба. — Я еще маленький, чтобы такие умные вещи знать.

— А что ты вообще знаешь про этого Пескова? Что он за человек?

— Он фанатик, — коротко сказал Роман. — Много лет боролся с системой, пытаясь доказать, что его отец был необоснованно привлечен к ответственности и осужден на длительный срок, но так ничего и не добился. Его пригласили в программу как человека, глубоко понимающего порочность системы и готового биться до победы. Какое-то время все шло нормально, но потом Песков стал злиться, что ничего не происходит, ничего не меняется, говорил, что принципы программы не работают, их нужно отменить, нужно резкими кардинальными мерами заставить все население подняться против правоохранительных органов. И сделать это можно только одним способом: посеять панику по всей стране. Его уговаривали, ему объясняли, но он ничего не хотел слушать, заявил, что уходит из программы и будет действовать по собственному плану. Сначала его всерьез не приняли. На то, что он полгода назад уехал из Москвы, никто даже внимания не обратил. И вдруг эта статья...

— Полгода, говоришь? — задумчиво повторил Конев. — А до этого никуда не уезжал?

— Большаков говорит, что вроде нет. Конечно, никто его не контролировал постоянно, живет себе человек — и живет, работает в какой-то конторе, помогает программе по мере возможностей. Но ни разу такого не было, чтобы Песков был нужен, а его в Москве нет, уехал куда-то.

— Может, в командировки ездил?

— Большаков проверил. Он тоже сразу подумал, что первые убийства из парных совершил Песков. То есть что замысел у него возник уже давно, и он еще весной прошлого года начал его потихоньку осуществлять. Совершал убийства на выезде, а спустя год начал их повторять с соблюдением условий времени, места и способа, чтобы создать видимость ужасного маньяка, который мотается по стране и может убить кого угодно и где угодно. Ну, поскольку Песков из своей конторы уволился, там сведения о его командировках дали без проблем. Во-первых, их было очень мало, а во-вторых, ни одна не совпала по времени с теми убийствами, к которым мы сейчас имеем пары.

— Хреново, — протянул Конев. — Выходит, он берет уже готовый материал и лепит его копию. Не завидую я тебе, друг мой сердечный, трудная у тебя задачка. Но одно обстоятельство внушает оптимизм.

— Какое?

— В Сереброве у нас Аркадий Михайлович, хороший человек, знающий, опытный и со связями. Правда, он уже в отставке, но в программе работает много лет. Думаю, Большаков отправит тебя именно к нему. Если не к нему — свяжись со мной, дам его координаты, сможешь обратиться, если трудности возникнут.

Когда подъехали к ведомственной гостинице, Роман уже собрался попрощаться с Коневым, но тот вдруг спросил:

— Ты меня в своем телефоне как обозвал?

Дзюба на мгновение смутился и растерялся, такого вопроса он не ожидал.

— Мышонком. А что?

— Ну спасибо, друг сердечный, а то я боялся, что мурзиком каким-нибудь или пупсиком обзовешь. Мышь — животное правильное, делает свое дело тихо, незаметно и упорно, никто ее не видит и не слышит до поры до времени. Как раз для оперов подходит. Ну, бывай. Завтра созвонимся.

«Вообще-то уже сегодня, — подумал Дзюба. — Я почти сутки на ногах. Будем надеяться, что удастся выспаться».

* * *

Выспаться Дзюбе вполне удалось, и первые минут пятнадцать-двадцать после пробуждения, пока брился и принимал душ, Роман пребывал в благодушном настроении. Сегодня 10 ноября, День сотрудника органов внутренних дел, профессиональный праздник. Отметить, конечно, вряд ли получится, ну и ладно.

Спустился в буфет с намерением плотно позавтракать. Надкусил пирожок с мясом, вспомнил вчерашний сочный чебурек, за ним — разговор с полковником Коневым и помрачнел. Почему он, капитан Дзюба, решил, что если не выявлен мотив убийства Георгия Петропавловского, то остается только один вариант: его убил Игорь Песков? С чего он это взял, ну с чего, скажите на милость?! Для того, чтобы активист борьбы со стройкой поздно вечером, направляясь домой из гостей, вдруг резко изменил маршрут и оказался в промзоне, нужна причина. Если его привез туда Песков, значит, он должен был, как минимум, подойти к Петропавловскому на улице и что-то ему сказать, что-то такое, что заставило Георгия отправиться вместе с незнакомцем к черту на кулички. Иначе никак не выходит. Так что Песков мог ему сказать? Для того чтобы подобрать нужные слова и побудить человека к поступку, нужно неплохо знать его и понимать круг интересов и потребностей. Получается, Песков знал Петропавловского или хотя бы просто был с ним знаком. Но ни о приятеле из Москвы, ни о человеке по фамилии Песков в окружении Георгия никто не слышал. По крайней мере, именно так утверждает полковник Конев, который накануне очень подробно пересказал Роману всю оперативную информацию по делу об убийстве активиста.

Ну, хорошо, предположим, Песков действительно познакомился с Георгием Петропавловским, втерся к нему в доверие и более или менее определил его личностные характеристики. Допустим. Зачем он это сделал? Почему именно Георгия он назначил в жертвы? Был личный мотив? Но какой? При таком раскладе Песков должен был следить за Петропавловским весь день, с самого утра, наблюдать за ним во время митинга, во время задержания, потом торчать неподалеку от здания, где располагается отдел полиции, и ждать, когда задержанных активистов отпустят. А если бы их не отпустили, а оставили в «обезьяннике» до завтра, а то и до послезавтра? Откуда Песков мог знать, что их отпустят? Ниоткуда он знать этого не мог. Значит, он должен был тупо стоять и ждать, надеясь неизвестно на что. Но такое тупое упорство говорит о том, что мотив и желание убить Георгия Петропавловского были у Игоря Пескова очень сильными. Как говорится, «жизнь положу» или «живота не пощажу».

Вот активисты вышли и направились домой к Гоше. Песков следует за ними. Они входят в подъезд, он остается на улице. Снова ждет. Проходит два-три часа, сначала дом покидают супруги Антоновы, через некоторое время — Петропавловский. Идет через сквер и переулок к остановке автобуса. Песков следует за ним и в какой-то момент подходит и что-то говорит... И они вдвоем едут в промзону. Как? Время позднее, автобусы ходят редко. Ловят частника, которого полиция легко и быстро найдет и который даст показания? И что, упорный и предусмотрительный Песков станет так рисковать? Не станет.

Из окна, возле которого Роман, сидя за столиком в буфете, жевал свой завтрак, виднелась припорошенная первым ноябрьским снегом улица. От реки постоянно тянуло сырым холодным воздухом, идущие по тротуару прохожие зябко ежились, придерживали у горла поднятые воротники и поглубже натягивали капюшоны. Вряд ли несколько дней назад в этом городе стояла тропическая жара. Холодно, сыро и промозгло. А Песков должен был с утра до позднего вечера находиться на улице. Никуда не отлучаться, нигде не греться. Как такое возможно? А в туалет сходить? А поесть? Выходит, у него был помощник? Получается, что был. Помощник с машиной, который и отвез всех троих в промзону. Машина — штука удобная, в ней можно посидеть, погреться, не теряя объект наблюдения из виду. Можно даже избежать необходимости искать сортир, если правильно подготовиться, уж советов на этот счет в Интернете полно, все-таки «пробки» очень стимулируют изобретательность.

Ладно, примем как допущение, что у Игоря Пескова есть помощник. Но главный вопрос все равно остается без ответа. Зачем? Обзаводиться помощником имеет смысл в том случае, когда перед тобой стоит сложная цель и тебе одному не справиться. Убийство Георгия Петропавловского по такой схеме, какую сам себе нарисовал Дзюба, дело действительно сложное, нужен помощник. Но это автоматически означает, что Песков охотился именно за активистом, никто другой в качестве жертвы его не устраивал. Значит, был мотив. Личный мотив. Ну, и откуда он взялся?

Или личного мотива не было, а были какие-то особенности характера или всей жизни Петропавловского, которые важны для убийцы. Важны, потому что в них содержится определенное послание. Убийства с посланиями — это уже серьезная психопатология, тут впору говорить о настоящем маньяке. Костя Большаков рассказывал о Пескове как о совершенно нормальном, психически здоровом человеке. Да, упрямом и упертом, фанатично преданном одной-единственной идее, но чтобы убийства с посланиями... Это как-то слишком. Кроме того, если у человека окончательно сносит крышу и он превращается в маньяка-убийцу, то помощников он себе не ищет. Получается, либо Песков действовал с помощником, и тогда он нормален, но непонятна причина выбора жертвы, мотив, либо Песков — псих, маньяк, жертву выбрал осознанно, но совершенно непонятно, как он в одиночку смог это провернуть.

Ничего не получается...

Роман со злостью бросил в тарелку недоеденную булочку с изюмом, залпом допил какао, вернулся в свой номер, натянул куртку и вышел из гостиницы.

* * *

Прогулка по промзоне, где с интервалом ровно в год убили двух человек, помогла сделать Дзюбе несколько выводов. В Москве, на службе, над капитаном всегда посмеивались за его буйную фантазию и советовали не злодеев искать, а книжки писать. Особенно усердствовал в свое время Гена Колосенцев, бывший наставником молодого оперативника, когда Ромка только-только после Университета МВД пришел в отдел. «Уйми фантазию, — зло говорил Гена. — Жизнь проще и жестче. Надо быстро дело делать, а не сидеть и придумывать». Нет, никогда Ромка не мог понять, как можно делать дело, не думая.

Здания на территории промзоны были пустыми, наполовину разрушенными, стекла почти нигде не сохранились. По тропинке действительно струился ручеек жителей соседнего микрорайона, причем струился как-то неравномерно: по направлению от трассы к домам люди шли только после того, как проезжал очередной автобус, человека по два-три, после чего движение замирало, а по направлению от домов к остановке оно было регулярным. «Наверное, в часы пик, когда люди уезжают на работу и возвращаются, народу погуще», — подумал Роман.

Одно из пустующих зданий было, судя по валяющимся на полу использованным шприцам, иглам и прочим принадлежностям, облюбовано наркоманами. Поскольку ни одного любителя дури там не оказалось в дневное время, можно сделать вывод, что это не классический притон, а место тусовки подростков. В настоящем притоне круглые сутки кто-нибудь да есть, а вот подростки обычно собираются только ближе к вечеру. Это и понятно, нужно же делать вид, что в школе учишься, в техникуме, в училище или еще где...

Место обнаружения обоих трупов оказалось совсем близко от здания. Очень неудобно, могут увидеть. Но у Пескова, если, конечно, это Песков, не было выбора: он должен был совершить убийство точно в том же месте, в котором год назад убили девятнадцатилетнего парнишку. То, прошлогоднее, убийство раскрыли быстро, ибо мотив был очевиден: ревность. И потерпевший, и его убийца, и девушка, из-за которой возник конфликт, жили в том самом микрорайоне, куда вела тропинка от остановки через промзону. Впавший в ярость убийца не особо задумывался, в каком месте ударить соперника камнем по голове, просто бежал за ним, догонял. Где догнал — там и ударил. А Песков... Трудновато ему было, если он осознавал все риски, но упорно шел к своей цели.

Роман медленно ходил взад и вперед по тропинке, скользя глазами по всему, на что эти самые глаза натыкались, и мысленно прогоняя один за другим самые разнообразные, в том числе и невероятные, сценарии, в ходе которых Георгий Петропавловский, разведенный инженер-компьютерщик тридцати четырех лет от роду, мог оказаться здесь в ночь с 1 на 2 ноября. Например, он увидел убегающего с места преступления человека и преследовал его... Он увидел красивую девушку, познакомился с ней, и она попросила проводить ее... Он вспомнил, что у его старинного приятеля сегодня день рождения, и решил пусть и поздно вечером, но заскочить поздравить... Приятель именно старинный, может, одноклассник или однокурсник, в круг постоянного общения давно не входит, а теплые чувства остались... Однокурсник... Одноклассник... Родственник... Сосед... Дорога из гостей домой... Поздний вечер... Телефон проверили, никто не звонил Петропавловскому в это время и сам он ни с кем связаться не пытался. Если бы решил поздравить с днем рождения давнего знакомого, то сначала позвонил бы, не вламываться же в дом в такое время...

И внезапно картинка сложилась. Яркая, красочная, такая живая, что Ромка даже остановился от неожиданности. «Правы были ребята, когда говорили, что мне надо книги писать, а не преступников ловить, — подумал он, вытаскивая из кармана телефон. — А еще лучше — кино снимать».

— Мне бы доложиться, товарищ полковник, — произнес он в трубку, стараясь, чтобы голос звучал не слишком возбужденно.

— У меня обед, — резко и недовольно отозвался Конев. — Во второй половине дня зайди.

Обед, стало быть. Ну и хорошо, чебуреков поедим. Они еще накануне договорились с Коневым: все, что выходит за рамки легенды, обсуждать вне стен управления. «Ты позвони, а я уж придумаю, как дать тебе понять. Сообщение пришлю: где и когда».

* * *

— А зачем тебе участковый? — удивился полковник Конев, выслушав просьбу Романа, когда они встретились в чебуречной.

— Первое: узнать, проживает ли в одном доме с Петропавловским какой-нибудь неблагополучный подросток, замеченный в употреблении наркотиков. Второе: выяснить, знакомы ли его родители или другие члены семьи с потерпевшим и каков характер этого знакомства. Ну и в идеале, если ответы на первые вопросы положительные, поговорить с ними.

— Думаешь, Петропавловского попросили помочь вернуть парня домой? — задумчиво переспросил Конев.

— Или девчонку. Вы сами говорили, что Петропавловский — честный, идейный и убежденный. Такие всегда готовы прийти на помощь. И подобная схема объясняет, почему никто не знал о поездке в промзону. Само собой, Петропавловский никому не мог о ней рассказать заранее, потому что и сам не знал, что оно так сложится.

— Схема у тебя... Хорошо бы факты под нее подложить, чтоб не провисла. Ладно, сейчас решу. От Евтягина не звонили еще?

— Пока нет. Но если я прав, то они ничего интересного мне не расскажут.

— Да что бы ни рассказали — все в дело пойдет, пусть мои ребята отрабатывают. Работа по раскрытию убийства должна вестись интенсивно, а вот самого раскрытия нам пока не надо. Если, конечно, это все-таки Песков. Как тебе наш город?

— Мрачноватый, — признался Дзюба. — И сырой очень. Я весь продрог до костей, хотя вообще-то мне всегда тепло, даже жарко.

— По улицам ходишь спокойно? Никто тебя не тревожит?

— Да прям-таки никто! — весело рассмеялся Роман. — По меньшей мере двоих заметил. Один точно из евтягинских, я его еще вчера срисовал, когда из ресторана возвращался, он и сегодня за мной таскается. И еще второй мелькнул, но не из наружки.

— Откуда знаешь? — насторожился Конев.

— А мне его лицо показалось знакомым. Значит, я вчера его в управлении у вас видел. Если б он был из наружки, я бы его хрен узнал, потому как видеть нигде не мог.

— Соображаешь, друг сердечный. Как от Евтягина позвонят — сообщи мне сразу прямо по телефону, пусть все, кому интересно, знают, что у тебя все в рамочках и ты тут свою задачу выполняешь. А по твоему вопросу я тебе эсэмэсочку скину, если что-то прояснится. Про смайлик не забудь: рожа с одним сердечком — нужна встреча, с двумя сердечками — не нужна. Если нужна, то сделаем так же, как вчера, в то же время и в том же месте. И с праздником тебя, капитан!

* * *

Вечер оказался еще более холодным, чем накануне, и сегодня Роману уже не было душновато в салоне автомобиля, даже наоборот, хотелось натянуть шапку на уши, а перчатки на замерзшие руки. Дзюба понял, что полковник Конев основательно проветрил свою машинку прямо перед приходом московского коллеги. «Накурил, наверное», — подумал Роман.

— Ты экстрасенс, что ли? — хмыкнул Конев, когда Дзюба уселся рядом с ним на переднее сиденье.

Роман рассмеялся.

— Не-а, у меня просто фантазия богатая. Надо мной все потешаются в конторе. Ходил-бродил по этой вашей промзоне и прикидывал, как могли бы сложиться события в жизни человека, чтобы он туда забрел, хотя делать там ему совершенно нечего. Вот и придумалось.

— Молодец, — в голосе полковника зазвучало одобрение. — И Большаков молодец, что заметил тебя. А друганы твои в конторе — тупые козлы, уж прости. Участковый все подтвердил: есть в том доме, где проживал потерпевший Петропавловский, две-три семейки с проблемными детьми, но одна из них особо выделяется, поскольку там папаша совсем неадекватный.

— Алкаш или наркот?

— Да нет, наоборот совсем. Такой правильный, что святее папы римского. В других семьях дети-подростки балуются наркотиками, но родителям на это наплевать, они сами сильно пьющие и не вникают, где и с кем их чада проводят время. А в этой семье папаня такой, что за проступок и убить может. Сильно гневается, наказывает, отлучает от финансирования, ну, в общем, все по полной воспитательной программе, сам понимаешь. Сынка уже два раза пристраивал на лечение, однако толку не вышло. Мать там безвольная и слабая, сыночка обожает и старается от отцовского гнева прикрыть, никак не усвоит, что своим потаканием толкает парня к гибели. Ну да что с нее взять, материнское сердце — оно такое... Участковый говорит, что она баба хорошая, добрая, только глупая совсем. С Петропавловским эта семья давно знакома, мамаша регулярно обращалась к нашему потерпевшему за помощью, когда нужно было срочно найти сына и притащить домой, пока папаша не узнал, что парень опять ведет себя неправильно. Мальчишка неделю назад вернулся из больницы, где его чистили, отец работает целыми днями и велит жене глаз с сынка не спускать и контролировать. А она не уследила. И испугалась, что муж явится домой, он как раз из командировки должен был вернуться в ночь с первого на второе ноября, а сынка или совсем нету, или есть, но в совершенно непотребном виде. Услышала около полуночи, что Петропавловский дверь своей квартиры открывает, и выскочила к нему, попросила помочь. Они на одном этаже живут.

— Вот же...! — Роман не сдержался и употребил выражение довольно резкое даже для неформальной беседы. — Ведь после обнаружения трупа Петропавловского наверняка всех его соседей опрашивали. Почему же она ничего не рассказала? Или с соседями вообще не работали, сразу в евтягинских уперлись?

— А ее и не опрашивали. И если бы ты сегодня вопрос не поставил, то и не опросили бы, наверное. С соседями поработали, конечно, только жизнь-то сложнее. И жестче. Петропавловский задачу свою не выполнил, парня домой не доставил. Папаша вернулся среди ночи, обнаружил, что сына нет дома, и на следующий же день, прямо с утречка, как только парень появился, схватил его в охапку и отвез в какую-то глухомань, где вроде как лечат, но сбежать оттуда проблематично, если нет своей машины. Мать, само собой, с ними поехала, чтобы с ненаглядным деточкой еще лишние десять часов провести. Так что в те два дня после обнаружения трупа, когда работали по квартирам, этой дамочки не было, и дверь операм никто не открыл. А потом уже евтягинскими занялись вплотную, так что никто и не вспомнил, что остались непроверенные адреса и неопрошенные соседи.

Ну да, понятное дело, стопроцентного охвата при поквартирном обходе никогда не бывает, и все дальнейшее зависит только от дотошности и добросовестности полиции. Но до чего же обидно, когда нужными для раскрытия преступления сведениями располагает именно тот человек, которого или забыли, или не посчитали нужным, или поленились опросить!

— Выходит, это все-таки наш Песков, — угрюмо констатировал Дзюба. — Стоял и ждал, когда хоть кто-нибудь мимо пройдет. Кто-нибудь одинокий, без компании. Ему же все равно, кого приложить, главное, соблюсти дату и место.

Конев помолчал немного, уставившись в окно, за которым все равно почти ничего видно не было.

— А если бы никто мимо не прошел? Шли бы люди по двое, по трое, а одинокого прохожего так и не подвернулось бы. Тогда что? — спросил он негромко.

— Тогда... — Дзюба вздохнул и тоже помолчал. Отвечать на вопрос не хотелось. Уж больно неприятные выводы напрашивались.

— Вижу, ты меня понял, — кивнул полковник. — В одном направлении думаем. Но проверить это я вряд ли смогу, людей надежных нет, да и техника хреновая, все железо позапрошлого поколения. Большакову доложим, пусть решает. Когда уезжаешь?

— Завтра утром.

— К Аркадию Михайловичу?

— Ага, к нему. Большаков сказал, что мне в Сереброве уже и невесту подыскали.

Конев скупо улыбнулся.

— Ну, бывай, капитан. Рад был познакомиться. Обращайся в любой момент, сделаю все, что смогу. Удачи тебе!

Роман крепко сжал сухую сильную ладонь полковника, вылез из салона, дождался, когда машина скроется из виду, и медленно побрел в сторону гостиницы. До назначенного времени, когда можно будет по скайпу связаться с Большаковым, еще полчаса, он вполне успеет дойти. Заодно и подумает.

В такт размеренным неторопливым шагам Дзюба мысленно перечислял пункты, на которых нужно остановиться при разговоре с шефом. Первое: каким образом Игорь Вадимович Песков ухитряется перемещаться между разными городами, не оставляя никаких следов? Понятно, что у него паспорт на другое имя, но как выяснить, на какое именно? Второе: как Песков получает информацию? Из открытых источников? Это вряд ли. Использование открытых источников не позволило бы просто стоять и выжидать: повезет или не повезет. У Пескова должны быть запасные варианты, причем много. Открытые источники потребного количества и качества информации никак не обеспечат. И полковник Конев с этим согласен. И третье: надо переделать всю работу, которую сам Ромка так скомкал в Москве. Он торопился, он еще не обдумал всю ситуацию, поэтому не сделал всего, что нужно, а то, что успел, сделал плохо, коряво. Конечно, признаваться в своих косяках не очень-то приятно, но молчать нельзя, ведь дело может пострадать.

Симпатичная дама-администратор в гостинице протянула ему ключ от номера и приветливо улыбнулась:

— Завтра покидаете нас?

— Да, труба зовет.

— Вам понравилось в нашем городе?

— Очень! — с преувеличенной искренностью ответил Дзюба.

— Так оставайтесь, зачем же уезжать? Что вам в той Москве крутиться? Здесь вам и должность достойную предложат, и жильем обеспечат, и женим вас на приличной девушке, все, как полагается. Оставайтесь!

Лицо администратора было серьезным, но глаза сверкали сдерживаемым смехом. Видно, у нее просто было хорошее настроение.

— Спасибо на добром слове, но невеста у меня уже есть. К ней и спешу!

— Москвичка, небось? Все хотят на москвичках жениться, никому девушки из провинции не нужны.

Вроде бы в голосе дамы прозвучала не то горечь, не то обида... Но Роман Дзюба не зря старательно учился у своего товарища Антона Сташиса. Кое-чему он все-таки успел научиться. «Нет у тебя, тетенька-администратор, никакого хорошего настроения, — сказал он себе. — Ты врешь и притворяешься. Зато у тебя есть то ли задание, то ли дружеская просьба прощупать меня и попробовать подловить. Интересно, с кем это ты так тесно и нежно дружишь? С полицией? Или непосредственно с фирмой Евтягина? А может, с самим Игорем Песковым? Ну ладно, лови меня, если есть охота».

— Вот моя невеста как раз из провинции, — сказал он таинственным шепотом. — В Сереброве живет. Хочу урвать два-три денечка от командировки и смотаться к ней. Только вы меня не выдавайте, ладно?

— Ну что вы, что вы, — заторопилась администратор. — Как можно? Я все понимаю! Могила!

Роман весело махнул рукой «Могиле» и вприпрыжку помчался по лестнице на третий этаж. Торопиться ему, само собой, некуда, до связи с Большаковым остается больше десяти минут, но Антон Сташис, когда-то глубоко изучавший приемы актерского мастерства, учил Дзюбу: «Любую роль, даже самую крохотную, нужно доигрывать до конца, иначе тебе не поверят. Смысл и суть того, что ты хочешь сыграть, всегда заключается именно в последнем слове и последнем жесте. Если ты вошел в комнату, радостно прокричал «Привет честной компании!», сел и заплакал, то все будут понимать, что у тебя беда. Никто и никогда не подумает, что ты пришел в хорошем настроении. Ты можешь целый час плясать, петь и прыгать, но если в самом конце ты заплачешь, то все впечатление от твоего веселья пойдет псу под хвост, а впечатление от слез останется». Поэтому уходить от тетеньки-администратора Роману следовало «в образе» молодого энергичного мужчины, предвкушающего несколько свободных дней наедине с возлюбленной.

Большаков

— Ты вообще слышишь, о чем я говорю? Костя! Я задала вопрос!

Требовательный голос жены врывался в мозг и сверлил его, раскалывая череп на несколько частей. Одна часть твердила: «Ты мужчина, ты муж и отец, ты должен проявить силу духа и миролюбие, ты не имеешь права раздражаться и злиться». Другая часть стонала: «Я не смогу пройти через это еще раз. У меня нет сил. Я не могу и не хочу снова сходить с ума от тревоги и беспокойства». Третья же часть настойчиво напоминала: «Выброси все из головы, сейчас главное — генерал Шарков. Нужно успеть. Нужно сделать все, что в твоих силах, чтобы спасти его жизнь, пока такая возможность еще есть».

Константин Георгиевич постарался взять себя в руки и ответить как можно спокойнее.

— Я слышу тебя, Юленька. Я уже отвечал на твой вопрос. И сейчас отвечу то же: нет. Я не готов к этому. Я не хочу.

— Но почему? — настаивала жена. — Разве плохо, если у нас появится маленький ребенок?

— Юля, мы с тобой вырастили двоих детей. Этого достаточно. Я не хочу приемного ребенка.

— Ах вот как ты заговорил? Значит, ты считаешь, что двоих детей достаточно? Значит, того ребенка, которого я потеряла, ты вообще не хотел? Выходит, когда я лежала в больнице, убитая горем, ты тут сидел и бурно радовался, что наш с тобой третий ребенок родился мертвым, да?

Большаков поморщился. Этот разговор возникал далеко не впервые. Константин Георгиевич понимал, почему он не хочет больше детей. Но совершенно не понимал, как объяснить это жене.

Ему очень повезло с родителями. Отец преподавал историю и обществоведение в той же школе, где учился Костя. Георгий Алексеевич Большаков принадлежал к когорте педагогов-новаторов и считал, что подростков нужно учить осмысливать исторические факты, а не заставлять зазубривать формулировки и даты из учебников. Разумеется, он знал всех одноклассников сына и был полностью в курсе того, как и с кем складываются у Кости отношения, при этом вел себя с сыном так, что мальчику даже в голову не приходило попытаться что-то скрыть от отца. Наоборот, именно к Георгию Алексеевичу в первую очередь бежал Костя с каждым вопросом и с каждым синяком. Отец его не щадил, всегда резал правду в глаза, но умел делать это так, что не было обидно. Совсем наоборот: было очень интересно, потому что за каждой такой «правдой» для Кости скрывалось новое знание, новое понимание, новое ощущение.

Даже сейчас, в 46 лет, Константин Георгиевич отчетливо помнил, как прибежал к отцу с вопросом:

— Пап, я слабак, да?

Было ему лет одиннадцать или двенадцать.

Георгий Алексеевич сдвинул на лоб очки и внимательно посмотрел на сына.

— Обоснуй свой вопрос, — подал он свою обычную для таких случаев реплику.

— Ребята решили на спор перебежать проспект в том месте, где нет светофора. Я сказал, что это глупо, а они сказали, что мне слабо. И смеялись надо мной.

— Так они все-таки побежали через дорогу наперерез транспортному потоку?

Никаких скидок на возраст отец не делал и, разговаривая с сыном, употреблял такие же формулировки, какими пользовался бы, общаясь со взрослой аудиторией.

— Ну да.

— А ты не побежал?

— Нет... То есть в первый раз я тоже побежал. Было очень страшно. А когда Витек предложил перебежать обратно, все согласились, а я нет. Они побежали через проспект, а я пошел к подземному переходу. И они смеялись надо мной и называли слабаком.

— Объясни, будь добр, почему же ты не побежал вместе со всеми, — потребовал Георгий Алексеевич. — Ведь отказываясь, ты рисковал дружбой, уважением товарищей, хорошими отношениями. Так почему ты не побежал?

— Ну...

Костя растерянно пожал плечами.

— Если честно, то я очень испугался. А вдруг я под машину попаду?

— Допустим. И что будет дальше?

— Дальше? Ну... это... больница, операции там всякие, гипс, больно будет и вообще... В футбол гонять запретят надолго... — старательно перечислял мальчик все негативные последствия возможной катастрофы.

— Ответ неверный, — строго произнес отец. — Ты правильно сделал, что отказался бежать вместе со всеми, но твоя мотивация в корне неверна. Ты отказался из страха. А было бы куда лучше, если бы ты отказался из чувства ответственности. Разницу улавливаешь?

— Нет, — признался Костя.

— Объясняю.

Отец поднялся из-за письменного стола, за которым он проверял конспекты старшеклассников, и принялся медленно ходить по комнате, заложив руки за спину.

— Допустим, ты согласился со своими товарищами и побежал через дорогу. И случилась беда. Что происходит дальше? Приезжает «Скорая помощь» и увозит тебя в больницу, мне или маме звонят на работу, сообщают, что наш сын попал под машину, мы срываемся, бросаем все дела и мчимся к тебе. Потом по очереди дежурим у тебя в палате, пока ты не начнешь самостоятельно передвигаться, а на это могут уйти месяцы. Что это означает для нас с мамой? Я не могу бросить учеников, я должен вести уроки, меня могут подменить другие учителя максимум на неделю, у них ведь тоже уроки по расписанию. Как это будет выглядеть, если я начну приходить на работу через день? Меня просто уволят, и будут правы. Теперь мама: она хирург, в ее руках жизни людей, которых она каждый день оперирует. Как она сможет спокойно и сосредоточенно делать операции, зная, что ее любимый ребенок страдает и болеет? Никак не сможет. Кроме того, она не сможет оперировать в те дни, когда будет сидеть с тобой. Такой работник тоже никому не нужен. Значит, ее тоже уволят, как и меня. Если нас уволят и мы останемся без работы, то нужно будет подумать о том, на что жить. На какие деньги питаться, покупать тебе конфеты, фрукты и соки, как платить за квартиру. Вероятно, нам придется продавать то, что у нас есть. Драгоценностей у нашей мамы нет, только обручальное кольцо, значит, мы начнем продавать книги и ту одежду, которая поновее и поприличнее. Через несколько месяцев ты вернешься домой и обнаружишь, что ни тебе, ни нам с мамой нечего читать и нечего носить. А поскольку мы уже все, что можно, продали, то и есть нечего. Мы все трое окажемся в глубокой яме. И все это только из-за того, что ты согласился вместе с товарищами бежать через дорогу. Знаешь, как это называется?

— Как?

Костя смотрел на отца широко раскрытыми глазами, все еще не веря, что такая ужасная картина может получиться из-за какого-то одного несчастного «слабо».

— Это называется безответственностью. Когда ты принимаешь решение совершить тот или иной поступок, ты должен сделать две вещи. Первая: продумать последствия поступка и убедиться в том, что эти последствия не коснутся никого, кроме тебя самого, и никому не доставят неприятностей. Вторая: взять на себя ответственность за эти последствия, то есть согласиться с тем, что ты готов претерпевать неприятности и тяготы ради того, чтобы сейчас совершить то, что ты собрался совершить. Я понятно выразился?

— Не очень.

— Хорошо, объясню иначе. Ты пришел домой и рассказал мне о том, что случилось. Ты ведь понимал, что я могу рассердиться и запретить тебе дружить с ребятами, которые предлагают делать подобные глупости, опасные для жизни. Ну, возможно, я бы не рассердился, но в любом случае был бы недоволен, и разговор у нас с тобой мог бы получиться крайне неприятным. Так?

— Так, конечно, — согласился Костя.

— Но ты все-таки поделился со мной, хотя и понимал, что конфетами за такое поведение я тебя угощать не стану. А если я еще и маме об этом поведаю, у нее от ужаса может сердце заболеть. Почему ты принял решение рассказать мне? Ты вполне мог бы скрыть, мы с мамой ничего не узнали бы, и ты избежал бы риска пройти через тяжелые объяснения. Так почему ты пошел на этот риск?

Костя задумался. Ответ был ему известен в общих чертах, но когда отец начинал так разговаривать с ним, мальчику хотелось хоть как-то соответствовать уровню беседы и излагать свои мысли более гладко и внятно, чем он привык, общаясь со сверстниками. Георгий Алексеевич остановился возле письменного стола и спокойно смотрел на сына, ожидая ответа.

— Ты всегда говоришь мне что-то интересное, я потом долго об этом думаю, — наконец начал Костя. — Ты говоришь такое, что мне и в голову не приходило. И мне кайфово чувствовать, что я узнал что-то новое и неожиданное. Я думаю об этом, использую при удобном случае, пересказываю ребятам, они удивляются и говорят, что я умный.

Он и сам понимал, что говорит коряво и совсем не так красиво, как отец. Но по-другому мальчик пока еще не умел.

Георгий Алексеевич едва заметно улыбнулся и кивнул.

— Получается, что ты предвидел и риск семейного конфликта, и вероятность получения нового знания. Положил и то и другое на чаши весов. Что перевесило?

— Ну... Когда интересное и полезное — это же важнее, — неуверенно проговорил Костя. — Вы с мамой будете сердиться, но это же не навсегда, я потерплю, а потом вы меня простите. А то интересное, что ты скажешь, я на всю жизнь запомню. Оно важнее, значит, весит больше.

— Разумно, — согласился отец. — Ты хочешь получить новое знание и готов за это заплатить тем, что мы с мамой расстроимся, будем тебя ругать, может быть, даже накажем за то, что ты и сам побежал через дорогу, и не отговорил своих друзей от такого безумного поступка, не остановил их. Иными словами, ты просчитал последствия и вывел для себя, какие блага ты хочешь получить и чем готов за это заплатить. А о том, что мама может за твое решение расплатиться сердечным приступом, ты не подумал. Или подумал?

— Нет, — подавленно пробормотал Костя. — Получается, было бы лучше, если бы я ничего тебе не рассказывал? Пап, я совсем запутался, ты так сложно объясняешь...

— Вот тут ты и подошел к самой главной точке наших с тобой рассуждений. Было бы лучше, если бы ты продумывал последствия того, что делаешь, не только с позиций твоих личных выгод и убытков, но и с позиций того, как твои поступки отразятся на окружающих. На окружающих, конечно, можно наплевать, но в итоге это все равно вернется бумерангом к тебе же самому. Ты захотел рассказать нам с мамой о том, как побежал вместе с другими ребятами через дорогу наперерез машинам и как собирался рисковать своей жизнью еще раз, но в последний момент отказался от задуманного. Ты понимал, что может возникнуть конфликт, но предвидел и возможную выгоду. Ты был готов заплатить за эту выгоду, она для тебя важнее. А если у мамы будет сердечный приступ и она сляжет или попадет в больницу? Тогда получится, что ты получил свою выгоду ценой маминого здоровья. Допустим, тебе все равно, как мама себя чувствует...

— Мне не все равно! — запротестовал Костя. — Я совсем не хочу, чтобы у мамы болело сердце.

— Я сказал «допустим». Но тебе в любом случае придется разделить со мной все хлопоты и заботы о маме и по дому. Вместо того чтобы быстро сделать уроки и бежать играть в футбол или смотреть интересное кино, ты должен будешь ходить в магазин и в аптеку, вытирать пыль, чистить и варить картошку. А мама будет болеть, и я буду переживать. Все вышеперечисленное — это твои прямые убытки. И когда ты принимал решение и смотрел, какая чаша перевесит, ты должен был учесть и их тоже. Но ты их не учел, насколько я понимаю. Вывод?

Отец требовательно посмотрел на вконец растерявшегося Костю.

— Не надо было рассказывать? — робко и неуверенно проговорил мальчик.

— Ответ неверный. Думай.

Георгий Алексеевич бросил взгляд на высокую стопку толстых «общих» тетрадей с конспектами.

— Мне нужно работать, сынок. Иди в свою комнату и подумай. Когда найдешь ответ — приходи, мы его обсудим.

Костя ушел тогда к себе. Он был в полном недоумении. Примерно полчаса он мучительно пытался понять, чего от него хочет папа и какую задачу ему нужно решить. Ведь ясно же: если ничего не рассказывать родителям, то они не будут сердиться и у мамы не будет болеть сердце. Но если ничего не рассказывать, то папа не будет объяснять ему разные интересные вещи, про которые так классно потом думать и обсуждать их с двумя самыми закадычными друзьями.

Так ни до чего и не додумавшись, мальчик снова зашел в комнату, где Георгий Алексеевич продолжал проверять тетради.

— Пап, у меня не получается.

— Что именно? — спросил отец, не отрываясь от работы.

— Ну... Я подумал, что не надо было рассказывать, а ты говоришь, что ответ неверный. Я не понимаю, как правильно ответить.

— А ты отступи на шаг назад и подумай еще раз.

— Куда отступить? — не понял Костя.

— Назад. На шаг назад с того места, где начинаются твои рассуждения.

Костя снова ушел к себе. С какого места он начинал рассуждения? Вот подземный переход, он поднимается по ступенькам вверх, выходит на тротуар, а там его поджидают ребята, они указывают на него пальцем, хохочут презрительно и кричат: «Большак — слабак! Большак — слабак! Струсил бежать, машин забоялся! Кишка тонка!» Костя уныло бредет домой, глядя под ноги, и думает о том, что нужно обязательно спросить у папы: если человек боится за свою жизнь — означает ли это, что он слабак? Конечно, папа может сильно рассердиться, когда узнает, что сын бегал через проспект, но сейчас гораздо важнее узнать, слабак ли он.

Получается, что нужно отступить от этого момента на шаг назад. Черт! Как же папа иногда сложно объясняет! Мозги сломаешь, пока допрешь, что он имеет в виду...

Костя решил отвлечься и почитать, открыл дочитанный до середины роман Джека Лондона «Майкл, брат Джерри» и с упоением окунулся в описание полной приключений и невзгод жизни ирландского сеттера Майкла. Первую часть дилогии про Джерри-Островитянина он дочитал несколько дней назад, ужасно сожалел о том, что книга закончилась, и прыгал от радости, когда мама сказала, что есть продолжение. Но заданная отцом задачка гвоздем сидела в голове и мешала получать удовольствие. Прочитав страниц десять, Костя сполз с дивана и направился в кухню за яблоком. В прихожей он споткнулся о сумку на колесиках, в которой отец привозил из школы тетради. «Зачем он приносит их домой? — мелькнул вопрос. — Такую тяжесть таскает... Проверял бы в учительской». Через пару секунд вопрос был забыт, во всяком случае, именно так показалось мальчику, с наслаждением жующему зеленое кисло-сладкое и очень сочное яблоко. Но внезапно выяснилось, что поток мысли, запущенный стоявшей в прихожей сумкой, не остановился. Если бы отец оставался в школе, проверяя тетради, то сейчас его не было бы дома... А ведь Костя, бредя по улице и собираясь поговорить с папой о том, слабак он или нет, был точно уверен, что Георгий Алексеевич дома... Мысль бежала быстро, и, уже взявшись за ручку двери, ведущей в его комнату, паренек вдруг развернулся и направился туда, где находился отец. Он нашел ответ.

— Пап, я, кажется, понял! — возбужденно заговорил Костя. — На шаг назад — это туда, где я принимал решение, бежать или не бежать, да? Я должен был подумать, что если побегу, то мне придется рассказать вам с мамой об этом, и вам это не понравится. А если не побегу, то ребята будут считать меня слабаком. И мне нужно было взвесить, что для меня важнее:

чтобы вы с мамой были спокойны за меня или чтобы ребята надо мной не смеялись. А если я побегу, но вам не расскажу, то вы тогда не скажете мне всякие умные и полезные вещи, да? Ребята будут меня уважать, но я останусь глупым.

— Эти ребята, — невозмутимо поправил его Георгий Алексеевич.

Костя сбился и растерянно посмотрел на отца.

— Эти?

— Да, эти. Ребята, с которыми ты играешь во дворе и которые предложили бежать наперерез машинам. Но ведь есть и другие ребята, те, с которыми ты дружишь в школе и с которыми обсуждаешь то, чему учим тебя мы с мамой. И если ты не будешь умнеть и останешься глупым, Коля и Дима вряд ли будут тебя уважать. Мы с мамой стараемся по мере сил объяснять тебе сложные, но очень важные для жизни моменты, и мы благодарны тебе за то, что ты даешь нам такую возможность, когда делишься с нами тем, что происходит в твоей жизни, и задаешь вопросы. Если ты начнешь скрытничать и отмалчиваться, мы не сможем вовремя подсказать тебе умную мысль, которую ты впоследствии обдумаешь и сможешь применять в разных обстоятельствах. Ты готов отказаться от того, чтобы быть с нами открытым и искренним? Подумай хорошенько. Если мы ничего не будем знать о твоих подвигах, то и сердиться не будем, и расстраиваться не будем. Все будет тихо и спокойно. И твои товарищи по двору будут тебя уважать. А Коля с Димой от тебя отвернутся, потому что они умные парни, мозги у них работают хорошо, и они тебя очень быстро перерастут.

Костя почувствовал, что снова запутался. Ему казалось, что он уже нашел ответ к заданной отцом задачке, а теперь вот выясняется, что надо было думать и говорить как-то по-другому...

— Значит, я каждый раз должен выбирать, каких друзей я люблю больше: школьных или со двора? И взвешивать, кто из них для меня важнее?

— Нет, Костик, речь не об этом. Речь о том, что, когда ты принимаешь решение что-то сделать, подумай: готов ли ты рассказать нам с мамой о том, что сделаешь. Если расскажешь, то не придется ли заплатить за это маминым здоровьем. А если не расскажешь, то не придется ли заплатить за это утратой доверия и отчуждением. Последствия и того и другого варианта я тебе обрисовал. Решение принимать будешь ты сам, и ты сам будешь нести ответственность и в том случае, если мама заболеет, и в том случае, если потеряешь своих друзей. Твое решение — твоя ответственность. В своих решениях ты полностью свободен. Но и ответственность будешь нести сам. У любого решения, у любого вопроса есть своя цена, и ты должен помнить, что ее всегда нужно платить.

Голова у Кости шла кругом, но так бывало всегда, когда Георгий Алексеевич объяснял «трудное про жизнь». Ни за что на свете Костя Большаков не пожертвовал бы этими беседами, во время которых он чувствовал себя тупым и умственно неповоротливым, но зато потом, в процессе обдумывания и обсуждения с Колькой и Димкой, начинал ощущать себя совсем взрослым.

Мама в тот день дежурила в больнице, Георгий Алексеевич до позднего вечера проверял тетради и что-то писал в большом блокноте, а Костя, так и не поняв до конца, чему же хотел научить его отец сегодня, валялся в своей комнате на диване с романом об ирландском сеттере Майкле. Уже улегшись в постель и погасив свет, он продолжал сердиться и на себя, и на папу: на себя — за то, что плохо понял, на отца — за то, что не хочет объяснить просто и понятно, как объясняют учителя на уроках. И эти мысли тоже были привычными, Костя каждый раз улыбался, когда ловил себя на недовольстве собой и отцом после таких разговоров. Улыбался он потому, что хорошо помнил тот восторг, ту радость открытия, когда после долгих размышлений вдруг понимал, о чем шла речь и чего добивался от него папа. Иногда эта радость приходила к нему только через месяц, иногда — через день-два, а бывало, что и утром следующего дня.

Над разговором об ответственности мальчик ломал голову недели две. Наконец, ему показалось, что он понял, в чем суть.

— Когда я что-то собираюсь сделать, я должен сначала подумать о том, чем нужно будет за это заплатить, но это не самое главное. Я должен еще подумать, не придется ли платить за это и другим людям, не только мне. И не окажется ли цена больше, чем то удовольствие, которое я получу...

Только став отцом двоих детей, Большаков понял, почему Георгий Алексеевич ничего не упрощал в своих объяснениях, отвечая на вопросы сына-подростка. А когда понял — не переставал благодарить родителей за то, что с самых малых лет заставляли его самостоятельно думать, тренировать мозги и учили многому из того, что основная масса людей постигала на собственном, порой весьма печальном, опыте.

На Юленьке Большаков женился с полным осознанием того, что готов взять на себя ответственность и за ее жизнь, и за жизнь будущих детей, которых он очень хотел и ждал. Но как ни были мудры и предусмотрительны его родители, они не смогли, да, вероятно, и не должны были научить сына всему тому, что приходит только с прожитыми годами. Юля была на три года моложе Кости и только-только получила диплом инженера, отучившись на факультете полиграфической технологии Московского полиграфического института, который, пока она училась, переименовали в Академию полиграфии, по специальности «технология полиграфического производства». Живая, энергичная и обаятельная девушка, как выяснилось, выбирала институт не по призванию, а больше наугад, твердо зная только одно: к гуманитарным дисциплинам у нее ни малейшей тяги нет, поэтому нужно выбирать технический вуз поближе к дому. Оборудованием типографий заниматься ей совершенно не хотелось, и, влюбившись в бравого офицера милиции, она с наслаждением окунулась в роль жены и матери, благо новые законы разрешали не работать. Юля совсем не представляла себе, что такое быть женой сотрудника уголовного розыска. Она мечтала о совместно проведенных вечерах, красиво накрытых трапезах, походах вдвоем в театры и на концерты, поездках на дачу на шашлыки. Однако очень быстро выяснилось, что ничего этого нет: Костя приходил поздно, а иногда и вовсе не приходил, разговаривать ему не хотелось, никакой красиво накрытый стол ему не был нужен, а нужно было только быстро поесть, принять душ и рухнуть в постель, причем из этой постели его могли выдернуть телефонным звонком в любой момент. Невозможно было планировать не только совместный отпуск, но даже выходные. Юля, превосходная хозяйка и отменная кулинарка, стремилась навести в доме идеальный порядок, создать красоту и уют, изыскивала необыкновенные кулинарные рецепты и негодовала, видя, что ее любимый муж ничего этого не замечает и не ценит. От семейной жизни он хотел одного: тишины и покоя. А пылинки и пятнышки на полированной мебели или недостаточно разнообразное меню его ни в коей мере не волновали. Максимум того, что он мог заметить и на что реагировал, — красивое белье на теле молодой жены.

Негодование Юленьки длилось недолго: с наступлением первой беременности она с головой погрузилась в заботы материнские, сначала будущие, а потом и реальные. Родился сын Славик, через два года — дочка Лина. Как только старший ребенок пошел в детский сад, жизнь Юлии Большаковой переменилась. Не прошло и двух месяцев, как активная энергичная мамочка Славика Большакова буквально влюбила в себя весь персонал дошкольного учреждения и стала незаменимой правой рукой заведующей. Если нужно было организовать родителей, собрать с них деньги, добиться какого-то решения в инстанциях на муниципальном уровне, договориться с представителями органов здравоохранения или пожарной инспекции, убедить детскую театральную студию бесплатно сдать в аренду костюмы и декорации для утренника — никто не справился бы с поставленными задачами эффективнее Юли. Пробивная сила, быстрота реакции и невероятное обаяние поистине творили чудеса. Юлию обожали и воспитатели, и нянечки, и повара, и родители.

Славик пошел в школу, и пару лет Юле пришлось разрываться между местом учебы сына и садиком, куда все еще ходила младшая дочка Лина. Надо ли говорить, что и в школе Юлия Львовна Большакова мгновенно стала центром всей родительской активности. Без ее участия и весьма существенной помощи не обходилось ничего, начиная от ремонта спортзала и заканчивая поездками учеников на экскурсии в другие города. Выпускные вечера и «первые звонки», юбилеи учителей, конкурсы и олимпиады, кружки и секции, приглашение известных ученых и интересных деятелей... Дни Юлии проходили в бесконечных общественных хлопотах и заботах, она была нужна всем, и все ее любили и ценили.

Но дети выросли. Сначала Славик закончил школу и поступил в институт, через два года — Лина. И жизнь Юлии Большаковой стала пустой и серой. А ведь ей всего сорок... Почему бы не родить еще ребеночка? И снова детский садик, школа, снова бесконечная круговерть забот, встреч, телефонных звонков, и снова множество людей будут нуждаться в Юлии и восхищаться ее организаторскими талантами.

Константин Георгиевич не нашел в себе в тот момент душевных сил, чтобы поговорить с женой. С момента рождения Славика жизнь для Большакова превратилась в непрерывный кошмар. Когда появилась Лина, кошмар стал вдвое сильнее. Боже мой, как он боялся за своих ненаглядных деток! Ему прежде даже в голову не приходило, что получаемые на службе знания о криминальной ситуации могут так отражаться на отношении к собственным детям. Вокруг него всегда были офицеры милиции, имевшие дело с самыми разными преступлениями в отношении детей и подростков или с преступлениями, которые совершали сами подростки, и ни разу Константин ни от кого не слышал о подобных проблемах дома. Работа — это работа, семья — это семья. Но чем больше он в ходе профессиональной деятельности узнавал, какие беды и трагедии могут случиться с любым ребенком, даже из очень хорошей семьи, тем страшнее ему становилось за Славика и Лину. Эта бесконечная, неистребимая тревога сжигала его изнутри постоянно, днем и ночью, рисуя в воображении самые жуткие картины, стоило только кому-то из детей задержаться хотя бы на полчаса или не ответить на звонок по мобильному.

Тревожился он напрасно: и сын, и дочь благополучно миновали трудный пубертатный период, стали студентами и не давали теперь никаких оснований для беспокойства. Константин Георгиевич с облегчением перевел дух... И вдруг Юля поставила вопрос о третьем ребенке. Большаков был умным человеком и прекрасно понимал, что жене нужна самореализация. Она не состоялась профессионально, но зато из нее получилась великолепная мать, что, разумеется, важнее. Юлия оказалась непревзойденным организатором, и пока дети учились в школе, ее способности были полностью востребованы. А что теперь? Чем ей занять себя? Детям она больше не нужна, у них своя жизнь, в которой присутствие матери уже не предусмотрено. Маленький ребенок мог бы спасти ситуацию, жена снова оказалась бы полностью занята сначала «правильным» вынашиванием и подготовкой к родам, потом самим малышом, потом детским садиком, школой... Но для полковника Большакова это означало бы еще 17—18 лет того мучительного, грызущего беспокойства, той невыносимой тревоги, от которой, как он надеялся, удалось наконец освободиться. Выдержит ли он? Хватит ли сил?

Ему казалось, что ради жены, ради того, чтобы она была счастлива и удовлетворена жизнью, он готов собраться с силами и вытерпеть. Но судьба распорядилась, увы, жестоко. Отслойка плаценты, ребенка не спасли, Юля больше не сможет рожать.

Отгоревав и придя в себя, Юлия Львовна попыталась устроиться на работу. Но в сорок один год, не имея за плечами ни одного дня работы по специальности, это оказалось невозможным. Работодателям требовались либо молодые и современные ребята, либо те, кто досконально знает предмет. Ни тем ни другим качеством Юлия Большакова не обладала.

Тогда она заговорила об усыновлении. И здесь Константин Георгиевич встал намертво: он не готов был взять на себя ответственность за ребенка, рожденного неизвестно какими родителями. Генетику никто пока не отменил. Если за своих родных детей, с наследственностью которых все было более или менее понятно, он тревожился на сто условных баллов, то за приемного ребенка он будет тревожиться на все двести. Чем чаще жена начинала говорить о малышах из детского дома, тем ярче перед глазами Большакова мелькали картины похищенных младенцев, изуродованных детских трупиков, фотографий с порносайтов педофилов и многого другого, чего он насмотрелся за годы службы в розыске. Он не вынесет этого, он просто не сможет. Либо сорвется и натворит бед, либо превратится в тяжелого невротика, которого быстро отправят в отставку, а то и на учет в психдиспансер поставят. В итоге семья получит на свои плечи либо отбывающего наказание преступника, либо инвалида.

Но как объяснить это Юле? Доброжелательной и открытой Юле, которая видит в людях только хорошее и ни от кого не ждет зла, Юле, которая и знать не знает, какую муку принимал ее муж, пока росли Славик и Лина. Вот снова она сегодня заговорила о приемном ребенке, а он ничего не может ответить ей, кроме короткого: «Нет, я не готов». Он не может сосредоточиться на разговоре, потому что сейчас самое главное для него — распутать узел, завязанный Игорем Песковым, и распутать как можно быстрее, чтобы Валерий Олегович Шарков смог лечь на операцию, пока не случилось самое плохое. Он не может ни попросить Юленьку замолчать и оставить его в покое, ни встать и уйти, ни объяснить ей, что происходит, ни признаться в своих невыносимых, раздирающих душу и отравляющих мозг тревогах.

Он ничего не может. Наступил один из тех редких моментов, когда полковник Большаков чувствовал себя совершенно беспомощным.

Обиженный голос жены все звенел и звенел у него над ухом, Константин Георгиевич то и дело выхватывал из потока слов обвинения то в эгоизме, то в трусости и лени, то в лживости и лицемерии, но никак не мог сосредоточиться, постоянно уходя мыслью в проблему пяти «двойных» убийств, совершенных в пяти разных городах. Ромка Дзюба поделился с ним своими ощущениями: информация, собранная им в Москве, неполная и искаженная, нужно переделать всю работу заново. Парень чувствует себя виноватым, это понятно, но он большой молодец, потому что нашел в себе достаточно самокритичности, чтобы объективно оценить качество проделанного, и достаточно ума и мужества, чтобы признаться в этом. Перед Большаковым стоят две задачи: срочно найти доверенного человека, которому можно поручить сбор сведений об Игоре Пескове, и не менее срочно, хотя и чуть позже, найти того, кто проведет тщательный и грамотный анализ ситуации, позволяющий хотя бы примерно угадать суть общего плана Пескова и его конечную цель. Первую задачу решить проще, для этого отлично подойдет любой участник программы из числа тех, кто раньше служил в розыске и сейчас нигде не работает. А еще лучше с работой справится женщина, причем немолодая, ведь основные источники информации — пожилая соседка, такая же пожилая тетка Пескова, а также его двоюродная сестра и бывшая жена. Женщин в уголовном розыске служило не так много, а вот на следствии их всегда было столько же, сколько и мужчин, значит, больше шансов найти исполнителя среди бывших следователей. Надо срочно ехать к Верочке Максимовой, вся кадровая информация собрана в ее компьютере. Собственно, списки участников программы есть и у Большакова, и у генерала Шаркова, но в этих списках указаны только основные данные и контактные телефоны, а вот у Веры сведения куда более полные, с ее собственными резюме, пометками и разъяснениями. В конце концов, можно попросить адвоката Орлова сделать эту работу.

Юля все еще излагала полный спектр своих претензий к мужу, среди которых, наряду с уже упоминавшимися ранее, появились и равнодушие, и отчужденность. Константин Георгиевич посмотрел на часы: половина десятого вечера. Славик на дне рождения у приятеля, придет поздно, Лина с друзьями на каком-то рок-фестивале. Если ехать к Вере, то придется оставить Юлю дома одну. Правильно ли это, если учесть, что жена явно расстроена и рассержена? Не должен ли он, как хороший муж, остаться дома, поговорить с ней, постараться успокоить, сгладить конфликт? Что получится, если сейчас он просто встанет и уйдет, сославшись на служебную необходимость? Возможно, Вера сможет быстро помочь, и уже завтра утром начнется работа по сбору сведений о личности Игоря Пескова, а в подобных делах имеет значение каждый час. Потому что в любую минуту может выясниться, что появился шестой «парный» труп. А за ним седьмой, восьмой... И за каждый из них он, Константин Георгиевич Большаков, будет чувствовать свою личную ответственность. А что же Юля? Она обидится, надолго перестанет с ним разговаривать, в доме повиснет тяжелая тупая тишина, которую, конечно же, почувствуют дети. Сам Большаков конфликты переносил легко, не боялся их и не избегал, его ни в малейшей степени не волновало и не трогало, если на него кто-то сердился или был недоволен. Он делал выводы из произошедшего, извлекал уроки, но эмоционально в конфликтую ситуацию не вовлекался и никак от нее не зависел. Но ведь речь не только о нем, но и о детях. Ни в коем случае нельзя допускать, чтобы детям дома было некомфортно. Да, они уже почти совсем взрослые и приходят домой, в основном, только переночевать, но все равно Большаков никогда не забывает о том, что может получиться, когда человеку не хочется проводить время там, где живет его семья. Риск опасных глупостей с возрастом снижается, но никогда не исчезает окончательно.

С другой стороны, если жена обидится и перестанет с ним разговаривать, то Константин Георгиевич хотя бы на несколько дней окажется избавлен от обсуждения вопроса о приемном ребенке. И при этой мысли он испытал облегчение. «Я не люблю ее, — подумал он спокойно, как думал об этом последние годы. — Мне очень жаль, она чудесная, добрая, искренняя. Юля — красивая женщина, прекрасная мать и прекрасная хозяйка. Но я уже давно ее не люблю. Я никогда не оставлю ее без помощи и поддержки, я благодарен ей за детей и за те счастливые годы, когда я был влюблен в нее, но мне было бы намного легче, если бы сейчас ее не было в моей жизни. Страсть прошла, а дружба не родилась. Обычный капкан, в который попадают миллионы».

Он вздохнул и встал из-за стола — разговор о третьем ребенке Юлия Львовна завела во время ужина, и они так и сидели друг напротив друга за овальным столом в просторной кухне.

— Юленька, это очень важный разговор и очень ответственное решение, которое нельзя принимать наспех, — проговорил Большаков. — Я принимаю все твои упреки, но сейчас не готов их обсуждать. Не обижайся, пожалуйста, но у меня сложная ситуация на службе, и мне нужно уйти. Мы обязательно вернемся к этому вопросу, только дай мне немного времени.

— Уйти? Куда? Куда можно уходить почти в десять вечера?! — неприятно взвизгнула жена.

— Мне нужно встретиться и переговорить с одним человеком.

Юлия Львовна побледнела.

— У тебя... У тебя женщина? Ты мне изменяешь?

— Ну что ты такое говоришь!

— Я все поняла, — медленно выдавила она, словно с трудом. — Ты завел себе бабу. И сейчас, когда я умоляю тебя о ребенке, ты собираешься уйти от меня и забраться к ней в постель. Отлично! Молодец! Продолжай в том же духе!

Константин Георгиевич аккуратно придвинул стул к столу, вымыл чашку, из которой пил чай, вытер ее полотенцем и поставил на полку.

— Юленька, людей не заводят, это не вши и не тараканы. Никакой женщины у меня нет, а служебная необходимость есть. И я очень прошу тебя отнестись к этому с пониманием. Мне нужно идти. Давай не будем ссориться, тем более скоро дети придут. Мы с тобой разберемся между собой, но пусть они не знают и даже не чувствуют, что между нами кошка пробежала. Хорошо?

— Ладно, — процедила Юлия сквозь зубы.

Большаков примирительно улыбнулся.

— Не «ладно», а встань, проводи мужа до двери, поцелуй его и пожелай ему удачи. Муж должен уходить на задание с легким сердцем, зная, что у него крепкие тылы.

Юля остывала так же быстро, как и заводилась.

— Знаю я эти ваши задания, — пробурчала она, но в уголках губ уже подрагивала слабая ответная улыбка. — Но не думай, что ты так легко от меня отделался. Я все равно не отстану от тебя насчет малыша из детдома.

— Обещаю тебе, что мы вернемся к этому разговору.

Константин Георгиевич натянул теплую куртку, всунул ноги в башмаки на толстой подошве, взял телефон и ключи от машины.

«Надо было бы позвонить Вере до того, как выходить из дома, — подумал он, спускаясь в лифте. — Но как позвонить, когда Юлька уже вбила себе в голову всякие глупости? Только хуже было бы. Ладно, сяду в машину и позвоню. Если Вере неудобно или ее вообще нет дома, то вернусь. Или поеду проветрюсь, подумаю в тишине и одиночестве».

Но Вера Максимова оказалась дома. И ей было вполне удобно.

Третий монолог

Пианино у нас не было. Но зато была очень старая, полурассохшаяся гитара, на которой когда-то давно бренчали папины приятели, приходившие в гости. Ничего не говоря отцу, я начал изучать нотную грамоту по интернет-самоучителю, рассудив, что сначала в любом случае нужно овладеть этой премудростью, чтобы хотя бы понимать самое элементарное, то есть разобраться в этих линеечках и кружочках и в прочих непонятных значках. На большом листе бумаги я перерисовал из Интернета клавиатуру фортепиано и погрузился в оказавшуюся такой трудной для меня науку. Никаких преподавателей и консультантов! Ведь Прекрасное Око ясно сказало мне: «Сделай сам». Сам — значит, никто не должен знать и уж тем более помогать. Отчего-то мне не хотелось, чтобы отец знал о моих занятиях, хотя я и понимал, что рано или поздно придется объясниться. Но это означало, что мне нужно будет солгать, ведь сказать правду я не мог, а лгать не любил.

Впрочем, нотная грамота довольно скоро, недели через две, перестала казаться мне непостижимой, я усвоил принцип — и дальше дело пошло легче. Глазами я все выучил, но совершенно не представлял, как оно должно звучать. Месяца через три я отправился в магазин музыкальных инструментов, нахально зашел в отдел пианино и роялей и сделал вид, что присматриваюсь и выбираю. Поднял дрожащими от волнения руками крышку самого дешевого пианино, воровато огляделся и робко нажал на клавиши: до — ми — соль — ми — до. В учебнике это называлось «трезвучие до-мажор». Потом попробовал трезвучие до-минор, вместо клавиши «ми» взял «ми-бемоль», прислушался. Читая учебники, я никак не мог понять разницу между мажором и минором, потому что не слышал звуков. Теперь услышал и понял, в чем разница. Мажорное трезвучие было веселым, минорное — грустным. И в тот момент меня осенил вопрос, ставший краеугольным во всей последующей истории с музыкой: почему? Почему разница всего в каких-нибудь полтона порождает совершенно разное настроение? И какой должна быть та музыка, которая изменит мир? Мажорной или минорной? Как правильно? В каком направлении мне двигаться?

Из магазина я вышел на ватных ногах, ошеломленный своим неожиданным открытием. Да, я всегда знал, что музыка может быть веселой или грустной, торжественной или печальной, но никогда не задумывался, за счет чего достигается это впечатление. И вдруг оказалось, что это всего лишь какие-то полтона...

Пора было переходить к практике. Освоив достаточно прочно основы нотной грамоты, я взялся за самоучитель игры на гитаре. Задачи освоить владение этим инструментом у меня не было, я хотел всего лишь научиться извлекать звуки, чтобы представлять звучание конкретных нот и разных интервалов. Разобравшись, в каком месте гитарного грифа и какую струну нужно зажимать, чтобы получились, например, соль-диез малой октавы или си-бемоль второй октавы, я почувствовал себя свободнее и увереннее. Когда отца не было дома, упорно играл гаммы и арпеджио, до мозолей на подушечках пальцев. Я постигал мир звуков, потом понемногу перешел к аккордам. И все больше убеждался в том, что гитара — не тот инструмент, который мне нужен. Ее звучание вызывало у меня тревогу и беспокойство.

163

Я никогда не забывал после занятий засунуть гитару на место, будто и не брал ее вовсе. Но отец заметил мои мозоли. Впрочем, случилось это весьма не скоро. В последнее время он стал часто задерживаться, приходил поздно, иногда не ночевал дома, и я подозревал, что у него появилась женщина. Так и оказалось. И я был этому искренне рад: пусть папа занимается собой, своей женщиной и своей жизнью, пусть как можно меньше внимания обращает на меня и на мои занятия, тогда мне не придется врать и скрывать.

Мне было девятнадцать. Наверное, я был еще глуп и неопытен, но Прекрасное Око внимательно следило за мной и в любой момент готово было прийти на помощь. Ничем иным, кроме этого, я не могу объяснить, как мне, сопливому юнцу, пришли в голову тогда именно те слова, которые позволили легко и красиво разрулить ситуацию.

— Что за мозоли? — спросил обеспокоенно отец, рассматривая мою руку. — Откуда?

— Пап, не хотел говорить тебе раньше времени... — я изобразил смущение. — Я учусь играть на гитаре. И вообще, хочу поглубже заняться музыкой. Мне, конечно, нравится фортепиано, но у нас же нет... Вот я на гитаре...

Отец был потрясен.

— Но ты же никогда не занимался музыкой... Ты где-то берешь уроки? Ходишь к преподавателю? Откуда у тебя деньги на это? И почему ты скрывал от меня?

— Я стеснялся. Никаких преподавателей, я сам, нашел в Интернете самоучители, освоил.

— А как же твой институт? — разволновался отец. — Ты собираешься его бросить и поменять специальность?

— Ну что ты! — рассмеялся я. — Мой пединститут никуда не денется, получу диплом и стану учителем математики. Музыка — это так, для души. И я ничего от тебя специально не скрывал. Просто стеснялся, мне казалось, что это как-то глупо... Музыкой же с раннего детства начинают заниматься, а я уже великовозрастный балбес.

И я обезоруживающе улыбнулся.

— И я тоже хорош, — отец обескураженно покачал головой. — Мой сын нашел новое увлечение, а я даже не заметил.

— Наверное, тебе и без моих увлечений было чем заняться, ведь правда? — лукаво заметил я. — Почему ты нас не познакомишь?

И отец смутился.

Мы долго проговорили с ним в тот вечер. И перед тем как лечь спать, я предложил:

— Если у вас все так серьезно, то, может, пусть она переезжает сюда, чтобы тебе не разрываться. Живите вместе. А я сниму что-нибудь и буду жить отдельно, чтобы вас не смущать. Мне ведь тоже нужно куда-то подружек приводить, — соврал я.

Разумеется, дело было не в подружках. Найти место и выкроить время для интимного свидания — не проблема. Но я собирался бросить институт и полностью посвятить себя музыке, найдя какую-нибудь необременительную подработку, чтобы не сидеть полностью у отца на шее. Армия мне не грозила по состоянию здоровья, все вопросы с военкоматом были давно решены. Но папа непременно хотел, чтобы у меня было высшее образование, диплом установленного образца и приличная профессия. Выбирая институт, я исходил из банального «куда проще поступить». Мальчиков в педагогические институты брали охотно, завышали им оценки на вступительных экзаменах и всячески поощряли: школам нужны учителя-мужчины. Моим выбором отец остался доволен. Бросить институт, живя бок о бок с папой, я не посмел. А вот если мы будем жить отдельно — совсем другое дело. Тем более если с этой женщиной все действительно очень серьезно, есть шанс, что скоро у них родится ребенок, и тогда папе вообще станет не до меня.

Я очень любил своего отца. Но Прекрасное Око было для меня важнее. И мое Избрание, и моя великая цель:

создать музыку, которая сделает этот мир совершенным, спокойным, счастливым и свободным от агрессии и насилия. Поэтому я по-настоящему обрадовался, когда папа, поколебавшись, принял мое предложение. Мне ни капельки не было обидно, что он так быстро и легко отказался от возможности жить вместе со мной. Я сам этого хотел. И Прекрасное Око помогло мне в тот вечер, оно стояло у меня за спиной и подсказывало нужные слова и правильные реакции: когда следует рассмеяться, когда смутиться, когда улыбнуться, когда тронуть отца за руку...

Через несколько дней папа привел к нам свою подругу. Она мне понравилась. Спокойная, мягкая, немногословная, внешне очень похожая на маму, какой я ее помнил. И снова Прекрасное Око встало рядом и помогало, подсказывало, как мне себя вести, чтобы выглядеть взрослым и самостоятельным, разумным и уравновешенным, одним словом — таким, какого не страшно выпустить из родительского гнезда. Сам бы я ни за что не догадался, например, вытянуть руки над головами отца и его женщины и с шутливой торжественностью произнести:

— Благословляю вас, дети мои, плодитесь и размножайтесь, порадуйте меня братиком или сестричкой, а меня отпустите в вольное плавание, мне пора становиться на крыло.

До той секунды я был уверен, что в моей голове и слов-то таких отродясь не бывало. Они были вложены в меня Прекрасным Оком, всевидящим и всезнающим.

Еще через несколько дней я переехал.

Дзюба

— Знакомьтесь, — прогудел басом Аркадий Михайлович, — Анюта, вот это Роман, твой временный кавалер. А это, — он обернулся к Дзюбе, — Анна, Анечка, Анюта, твоя девушка на ближайшее время.

Дзюба рассматривал вошедшую в комнату молодую женщину, показавшуюся ему очень красивой. Просто-таки ослепительной. Каштановые, с заметным красно-рыжим отливом волосы уложены в стильную асимметричную стрижку, слегка раскосые миндалевидные «кошачьи» глаза, безупречная стройная фигурка с изящными пропорциями. Анна улыбнулась, и улыбка могла бы сойти за проявление искренней доброжелательности, если бы не настороженные, какие-то даже испуганные глаза.

— Каждому из вас в отдельности я все объяснил, так что инструктаж проводить не буду, повторю только главные моменты: ты, Анютка, делаешь все, как просит Роман. Изображаете любовь-морковь и половую разнузданность. Роман города не знает, поэтому тебе, Анюта, придется ему помогать и информацией, и сопровождением. Ну и кормить-поить, разумеется, а то глупо выйдет, если парень вырвался к своей пассии из Москвы, души в ней не чает, а кушает в общепите. Люди не поймут.

— Какие люди? — напряженно спросила Анна.

— Ну как — какие? — рассмеялся Аркадий Михайлович. — Разные. Дело-то ответственное, так что наверняка найдутся желающие проверить, действительно ли капитан Дзюба в наш город за любовью и лаской приехал или у него другой интерес.

— А половую разнузданность как изображать? — задала Анна следующий вопрос.

— Как в кино. Хороший режиссер без единой постельной сцены умеет показать зрителю все, что считает нужным.

Роману стало смешно. Надо же, эта Анна, кажется, боится, что от нее потребуется сексуальная активность!

— Идите, ребятки, устраивайтесь. Рома, читай материалы, обдумывай, на все про все тебе вечер и ночь, завтра утром приеду — поднимешься ко мне сюда, все обсудим и решим, что делать дальше. Анютка, напоминаю еще раз: с квартирантом своим не откровенничай, но про то, что хахаль приехал, скажи обязательно.

— Зачем? — удивилась она. — Я ничего ему про себя не рассказываю и не собираюсь. Нечего всяким козлам лезть через мои личные границы.

«Резковата девушка, — отметил про себя Роман. — Интересно, ее квартирант действительно козел или это ее обобщающее мнение обо всех мужиках?»

— Надо, девочка, надо. Если кому интересно, то не у тебя же спрашивать будут, а как раз у твоего жильца, и нужно, чтобы ему было что правильно ответить.

— Ну ладно... раз надо... — нехотя согласилась она.

Дзюба перехватил взгляд Анны, быстро обегающий его с ног до головы. Что она видит? Широкие плечи, крепкие ноги, огненно-рыжие волосы, веснушки на лице, голубые глаза, густые ресницы, на которые когда-то обратила внимание Дуняша, девушка из ломбарда, куда молодой оперативник пришел в поисках сведений о взятом напрокат колье. Снова привычная острая боль пронзила тело насквозь... И тут же утихла так же привычно.

Шарков

Отец Валерия Олеговича Шаркова жил один и, несмотря на давние и настойчивые уговоры сына, переезжать к нему отказывался категорически.

— И не заводи со мной эти разговоры, — говорил Олег Дмитриевич. — Я давно привык жить один, я прекрасно справляюсь. И не хочу беспокоиться о том, что мои звери кому-то мешают.

Отец в свои годы действительно был вполне бодр и самостоятелен. Еду любил простую, отварить картошечки или сделать гречневую кашу — не проблема, но чаще всего Олег Дмитриевич ел то, к чему привык в молодости: творог со сметаной, сосиски с консервированным зеленым горошком, бутерброды с сыром, чай с плюшечкой.

— Пока работал, я только это и ел, в нашем буфете такая еда была самой безопасной, — объяснял он. — Все остальное могло оказаться просроченным или испорченным. Колбасой один раз отравился, решил, что случайно не повезло. Потом поимел приступ гастрита, когда взял салат из капусты, а туда уксуса налили побольше, чтобы заглушить запах, потому что капуста уже была подтухшая. Снова на случайность списал. Потом, как сейчас помню, взял салат из помидоров со сметаной, и так меня рвало и несло после него, что я зарекся брать в буфете то, что хотя бы теоретически может оказаться испорченным. Казалось бы: милиция, серьезная организация, — а все равно в столовке воровали все, кому не лень, и не боялись. И обвес, и пересортица, и недовложение продуктов — весь перечень того, за что мы людей из сферы торговли и общепита сажали.

— Пап, ну когда это было-то? — возражал обычно Валерий Олегович. — Может, пора расстаться с прежними привычками? Давай я найду женщину, которая будет хотя бы пару раз в неделю приходить к тебе и готовить. Супчик сварит, жаркое сделает, пирожков напечет — плохо ли?

Но Олег Дмитриевич твердо стоял на своем:

— Не надо мне этого. Не надо никаких женщин и никаких супчиков и пирожков. Тридцать лет этого не ел — нечего и начинать. И потом, посторонний человек в доме — для зверей травма, они уже старенькие, чтобы к новым порядкам привыкать.

Зверями Олег Дмитриевич Шарков называл кота Ганю и кошку Настю. Он купил их одновременно, у какой-то бабульки в подземном переходе, горестно стоявшей с коробкой в руках. В коробке копошились два крошечных котенка. Бабулька уверяла, что котята породистые и что их родители имеют официальную родословную, но, заметив недоверчивый взгляд потенциального покупателя, вдруг вздохнула и призналась:

— Обычные они, дворовые. Кошечка у нас в подъезде окотилась, ну не топить же? Рука ведь не поднимается. А так, может, хоть какая-то прибавка к пенсии. В помете шесть котят было, двое померли сразу, одного соседи взяли, еще одного я уж пристроила, а этих вот не берет никто...

— Дворовые — это хорошо, — обрадовался опытный в таких вопросах Олег Дмитриевич. — С породистыми всегда мороки много, особенно если порода искусственно выведена. У них и болезни всякие, и к питанию требования. Обычную кошку и прокормить легче, и вылечить. Давай, мать, обоих возьму. Сколько просишь за них?

Названная бабулькой цена оказалась вполне посильной для майора милиции в отставке Шаркова. Дома Олег Дмитриевич внимательно рассмотрел свое приобретение, определил половую принадлежность и задумался над именами. Он всегда любил животных, но вот завести их как-то не получалось, не складывалось. Но мечталось. И имена были заготовлены в этих мечтах: если кот, то Ганя, а если кошечка, то Аглая. Очень уж любил майор Шарков Достоевского, особенно роман «Идиот». Правда, оставшись один на один перед необходимостью дать имена одновременно двум животным, Олег Дмитриевич сообразил, что первоначальная задумка получилась не вполне удачной: звук «г» в обоих именах мог смутить кошек, и они будут плохо различать собственные клички. Немного поразмышляв, он вспомнил о Настасье Филипповне. Вообще-то эту даму Шарков не любил ни капельки, и ничего, кроме раздражения, сей литературный образ у него не вызывал, но имя «Настя» так хорошо подходило к серенькой изящной кошечке с зелеными глазками!

Случилось это четырнадцать лет назад. Уж какой там образ жизни вели предки разродившейся в подъезде кошки и ее сердечного дружка — неизвестно, но котята у нее получились на редкость здоровыми и совершенно разными. Ганя, при покупке выглядевший невнятного цвета комочком, превратился в огромного кота с длинной пушистой рыжей шерстью, а Настя так и осталась небольшой, изящной серой кошечкой с явными признаками дальнего родства с «британцами» и «шотландцами». Болели они крайне редко и вылечивались легко и быстро, кушали с неизменным аппетитом, хозяина своего обожали и беспрекословно слушались, всех остальных людей боялись, ненавидели и презирали.

Так и жил бывший сотрудник милиции, долгие годы прослуживший в ОБХСС, со своими двумя кошками. Жена его, мать Валерия Олеговича, давно умерла, почти сразу же после того, как самого Олега Дмитриевича неожиданно и довольно грубо вытолкали со службы на пенсию: шел 1989 год, разрастались, как грибы, частные предприятия торговли и общественного питания, которых прежде не было, и, конечно же, нашлись желающие занять должность, позволяющую стричь купоны с новоявленных предпринимателей. Если свободной должности не оказывалось, следовал телефонный звонок «откуда надо» руководству или заносился пухлый конверт, и вскоре в службе борьбы с экономическими преступлениями появлялась вакансия. Иногда удавалось уговорить занимавшего нужную должность сотрудника выйти в отставку, возраст и выслуга позволяли. Иногда достаточно было заплатить, и человек радостно вспархивал с насиженного места. Но порой приходилось прибегать и к более жестким мерам. Именно так, жестко и нагло, был отстранен от должности майор Шарков, к рукам которого за все годы не прилипло не то что копейки — даже пылинки. Его грубо и явно подставили, после чего пригрозили возбуждением уголовного дела и вынудили написать рапорт об отставке и хлопнуть дверью.

Времена для семьи Шарковых наступили тяжелые. Валерий, боготворивший отца и выбравший вслед за ним стезю служения правосудию, тогда был еще капитаном милиции, работал в уголовном розыске обычным опером и помочь Олегу Дмитриевичу ничем не мог, разве что моральную поддержку оказывать. Но и на поддержку эту времени и сил оставалось не особо много: работа без праздников и выходных, жена Лена, маленький сынишка, до отца ли тут? Мама давно страдала сердечным заболеванием, отец озлобился, впал в депрессию и начал выпивать. Валерий разрывался между службой, своей семьей и родителями, но печального конца все равно избежать не удалось. Через полгода он похоронил мать, а Олег Дмитриевич — жену.

Примерно тогда же, в конце восьмидесятых, молодой капитан Шарков был замечен родоначальником программы, Евгением Леонардовичем Ионовым. Идея программы вызвала у Валерия восторг и горячее одобрение. В то время, почти тридцать лет назад, речь не шла о перестройке системы, ибо сама система всех устраивала и функционировала вполне приемлемо. А вот кадры, наполнявшие эту систему, ухудшались в качественном отношении с каждым днем. И благодаря сему прискорбному факту стало возможным вести речь о тактике разгрома значительной части криминального сообщества. Кадровая составляющая системы прогнивала и разрушалась, это было очевидно уже тогда, но именно этот фактор и лег в основу той программы: размывание и ослабление профессионального ядра в правоохранительных органах влечет за собой утрату профессионализма и в криминалитете, ибо для чего напрягаться и стараться, если с «той» стороны никто не рвется тебя ловить, а все хотят только заработать денег? Заплатишь — и гуляй дальше. Если попадешься, конечно. Но с такими кадрами риск попасться с каждым годом становится все меньше и меньше. Утратившее бдительность и растерявшее навыки преступное сообщество можно будет в правильный момент «накрыть» и обезвредить, если в этот же правильный момент разом заменить прогнившую и ослабевшую часть системы заранее подготовленными высокопрофессиональными кадрами.

Программа Шаркова привлекала, казалась перспективной и выполнимой. Пусть до конца сгниет и развалится система, так безжалостно расправившаяся с его отцом, человеком, который честно и добросовестно служил ей тридцать пять лет. Идеология профессора Ионова была близка и понятна Шаркову, но его личные мотивы, личный интерес тоже значили немало. Ох, как немало!

Шли годы, «правильный момент» все не наступал, а потом программу закрыли. Профессор Ионов умер. Без финансирования и поддержки на государственном уровне осуществить задуманное в прежнем виде возможным не представлялось, поэтому тем, кто остался сотрудничать с программой, была предложена новая идеология, направленная на развал системы, но куда менее затратная: задействовать все инструменты, какие только можно найти в действующем законодательстве, чтобы заставить систему задохнуться под гнетом собственного несовершенства и непрофессионализма. Люди, ставшие жертвами преступников, обращаются в полицию и не получают помощи и защиты? В дело тут же вступают юристы, адвокаты, составляющие жалобы на незаконные действия правоохранительных органов, протесты и письма. Подключаются журналисты, пишущие статьи о порочной практике отказов в возбуждении уголовных дел, поднимается волна обсуждений в Интернете. Хорошо обоснованная жалоба ложится на стол работника прокуратуры, тому ничего не остается, как отменить незаконное решение об отказе, материалы возвращаются в полицию, где через определенное время снова выносится постановление об отказе. И так по кругу десятки раз. Вал бумаг растет, отчетность все труднее и труднее фальсифицировать, начальники на совещаниях орут благим матом: «Отказывайте так, чтобы терпилы не писали жалобы! Отказывайте грамотно! Составляйте бумаги безупречно, чтобы прокуратура к нам не цеплялась! За каждый плохо составленный отказ буду налагать взыскание!» Но для того, чтобы выполнить требование руководства, нужно тратить время на работу, напрягать мозги, составляя те самые «безупречно обоснованные отказы», выуживая из недр памяти жалкие кусочки истинно правовых знаний, а это мало кому под силу. И опять пишутся беспомощные с юридической точки зрения и смехотворные с точки зрения нормальной логики бумаги, которые опротестовываются в прокуратуре...

Да, это была тактика медленного и постепенного, но зато постоянно нарастающего давления, которое рано или поздно должно принести свои плоды. И так много уже сделано, такой длинный и трудный путь пройден, что невозможно допустить, чтобы из-за одного человека все пошло прахом.

* * *

Генерал Шарков открыл дверь отцовской квартиры своим ключом.

— Папа, ты дома? — громко крикнул он.

Ответом ему послужил грозный утробный «мяв», изданный рыжим Ганей. Если Олег Дмитриевич был дома, Ганя громко и нахально заявлял о своем неудовольствии появлением «четвертого лишнего», окаянства хватало. Если же хозяин отсутствовал, оба четвероногих, едва заслышав, что пришел не любимый папочка, а кто-то еще, немедленно прятались в самый дальний угол и сидели там, прижав уши и не издавая ни звука.

Сразу же за голосом кота послышались шаги отца, выходящего в прихожую.

— Сынок! — Он крепко обнял Валерия Олеговича. — Ты один, без Лены?

«Сказать или не сказать?» Готового решения у Шаркова не было.

— Как ты? — спросил он вместо ответа. — Как чувствуешь себя?

— Да что со мной будет, — улыбнулся Олег Дмитриевич. — Скриплю помаленьку. А ты как? Выглядишь неважно. Не болен?

«Скажу, — решил Шарков. — Все равно скрыть не удастся. Надо сказать».

— Не болен, но расстроен.

— Что-то случилось? С Олежкой? Или с Маришкой? — встревоженно спросил отец.

— Не волнуйся, с ними все в порядке. Пойдем, чайку выпьем, я тебе расскажу.

Олег Дмитриевич захлопотал над чайником и чашками. Генерал не стал ждать, когда чай будет готов, и выпалил прямо в спину отцу:

— Лена от меня ушла.

Олег Дмитриевич медленно повернулся, в одной руке чашка, в другой сахарница.

— Лена... что? Что она сделала?

— Она ушла от меня, — негромко повторил генерал.

— Почему? Что случилось? На бабе попался?

Валерий Олегович поморщился.

— Ну перестань, папа, какие бабы? О чем ты говоришь?

— Но ведь у тебя были, я точно знаю... И не одна.

— Ну, когда это было... Сто лет назад. Молодой был, глупый. Нет, никаких баб.

— Тогда что? Она себе завела кого-то?

Шарков-младший пожал плечами.

— Говорит, что никого. Просто ей надоело жить со мной. Я ее понимаю. Я стал плохим мужем. Когда-то был хорошим, а стал плохим.

— Глупости не говори! — Отец повысил голос. — Как это ты можешь быть плохим мужем, если ты ей не изменяешь и зарплату приносишь? Какого еще рожна ей надо?

Объяснять и пересказывать свой разговор с Еленой не хотелось. Отец все равно не поймет. И не потому что глупый, отнюдь. Просто потому, что Шарков и сам плохо понимал свою жену, но не считал нужным удерживать ее и уговаривать. Раз она так хочет, раз ей так лучше — пусть будет так. Не может же он признаться отцу, что у него просто не хватает интеллектуального и эмоционального ресурса выяснять тонкости душевной организации Елены и глубину ее запросов, потому что все его мысли заняты только одним: как сделать так, чтобы выжить и при этом не загубить дело всей жизни. Хотелось бы достичь обеих целей, но это весьма и весьма проблематично, и ему нужно делать свой выбор каждую минуту: или программа, или собственная жизнь. Еще несколько дней назад ему казалось, что выбор, пусть и нелегкий, уже сделан и другого решения нет и быть не может. Но уже на следующее утро он поймал себя на мысли: а не отыграть ли назад? Так ли уж правильно я решил? Чем усиленнее он гнал от себя эту мысль, казавшуюся ему самому позорной и трусливой, тем активнее коварный лукавый мозг подсовывал ему оправдания и аргументы в пользу того, чтобы изменить принятое решение, прекратить поиски Пескова и немедленно лечь на операцию. Был и альтернативный вариант: лечь в больницу, спасая свою жизнь, и положиться на то, что Костя Большаков сам разберется со всеми трудностями, которые будут возникать. Может быть, Пескова найдут и обезвредят без всякой помощи со стороны генерала Шаркова...

Валерий Олегович ждал, что отец разволнуется, разнервничается, станет многословно возмущаться и требовать от сына отчета: что тот сделал, чтобы вернуть жену, какие меры принял. Однако генерал ошибся. Старик только спросил:

— Олежка знает?

— Конечно. Лена сама ему сказала.

— И как он отнесся?

— Расстроился, удивился, но не более того. Как еще взрослый сын, живущий своим домом, может отнестись к известию о том, что его стареющие родители разошлись? Не станет же он бегать от Ленки ко мне и обратно и уговаривать нас помириться. Да мы и не ссорились.

Олег Дмитриевич поставил на стол чашки, дробно позвякивающие о блюдца: руки дрожали. Что поделать, возраст... Разлил чай, тяжело уселся на стул и тут же переключил внимание на Ганю и Настю, бесшумно появившихся на пороге.

— Вы мои сладкие, — заворковал он, — вы мои золотые, идите скорее, я вам вкусненького дам. Умнички мои, поняли, что это Валера пришел, вышли к нам, пушистенькие мои сокровища.

Ганя с видом полного осознания собственных правомочий немедленно вспрыгнул на колени хозяина, Настя же, обнюхав ноги генерала и презрительно фыркнув, села слева от Олега Дмитриевича и вперила в него требовательный взгляд зеленых глаз.

— Это у меня рука сыром пахнет, — счастливо рассмеялся Шарков-старший. — Я же в левой руке кусок держал, когда резал, а в правой нож. Настюшка за сыр жизнь отдаст, уж до того любит!

Он отломил крошечную полоску сыра и протянул кошке. Та аккуратно взяла и тут же отошла подальше, чтобы не пришлось делиться с братом.

— Пап, не кормил бы ты их со стола, — укоризненно проговорил Валерий Олегович. — Все ведь говорят, что это вредно.

— Говорят, — согласился отец. — Но сердце-то — не камень. Не могу я не дать им, когда они так смотрят. Что у меня в жизни есть, кроме тебя да этих котов? Внук? Больно я ему нужен, звонит раз в два-три месяца, да и то только потому, что вроде как обязан, а не по интересу и не по зову души. Правнучка? Имела она меня в крупном виду. У нее и родители есть, и бабушек-дедушек полный комплект, даже с избытком, на кой ляд ей сдался такой старый пень, как я? Нет, Валерка, я себя обманывать так и не научился, правду вижу и честно себе в ней признаюсь. А коты у меня старенькие уже, им по четырнадцать исполнилось, не ровен час — покинут они меня. В любой момент могут. Для них это очень солидный возраст. И останешься у меня только ты. Жены нет, других детей не завели. Ты один. И если, не дай бог, с тобой что-то случится, я жить не буду. Ты это помни и учитывай.

Валерий Олегович похолодел, но лицо сохранил и ответил, стараясь выглядеть беззаботным:

— Да что со мной может случиться-то? Я же не на оперативной работе, а так, в главке сижу, штаны протираю, бумажки перебираю.

Ему захотелось сменить тему. Обсуждать вопрос о том, может ли с ним случиться что-нибудь плохое, было невыносимо.

— Кстати, о главке: в соседнем департаменте одного из руководителей арестовали, нашли у него при обыске огромные суммы наличными, а он от всего отпирался, утверждал, что деньги не его. Сначала все смеялись, а потом оказалось, что это общак, то есть деньги и в самом деле ему не принадлежали. Начальник департамента сделал заявление для прессы, так я хотел у тебя спросить...

— И не спрашивай, — резко оборвал сына Олег Дмитриевич. — Ничего этого не знаю и знать не хочу. Тебе прекрасно известно, что я все эти бредни по телевизору и по радио не слушаю. Не надо мне этого.

Да, Валерий Олегович знал, что его отец уже много лет принципиально не смотрит и не слушает новостные программы. Радио он не включал вообще никогда, а в телевизоре пользовался только несколькими из двух сотен каналов: его интересовали передачи о природе, о животных, о географии и путешествиях, а также старые фильмы, советские и иностранные, но снятые непременно до 1990 года. Майор в отставке не принял изменившегося мира и умышленно отрезал себя от него, отказавшись от любой информации об этом мире и таким образом вычеркнув его из своей жизни. Он не хотел ничего знать ни о выборах, ни о скандалах с депутатами, ни об изменениях в законодательстве, ни о шоу-бизнесе и свадьбах и разводах звезд. Ни политика, ни экономика его не интересовали. Менявшийся мир отверг его, и в ответ на это Олег Дмитриевич отверг окружающую действительность. Если я вам не нужен, то и вы мне не интересны. После отставки он пытался найти работу по специальности, но оказался востребован только в качестве «решальщика вопросов» и «заносчика конвертов». Майор Шарков слишком уважал себя, чтобы пойти на такое унижение даже за очень приличные деньги. Пенсии вполне хватало на приемлемое существование без особых запросов, детей содержать не нужно, жена умерла... Для чего колотиться и карабкаться, пытаясь заново выстроить жизнь, на которую плюнули те, с кем он служил долгие годы, а плевок еще и растерли? Какое-то время он искал утешения в спиртном, потом очнулся и несколько лет истово занимался старенькой дачей, что-то сажал, полол, разводил, перестраивал. Но в конце концов остыл, стало скучно. Тогда прилип к телевизору, благо каналов в те времена становилось с каждым днем все больше, и передачи были совсем не похожи на те, которые показывали в советское время. На интересе к телевидению продержался долго, лет десять. А потом в один момент — как отрезало.

Все это генерал Шарков прекрасно знал. Но он так не хотел, чтобы разговор с отцом вертелся вокруг ухода Лены или вокруг неприятной темы «если с тобой что-нибудь случится»! О политике Олег Дмитриевич рассуждать не хочет и не может, об экономике тоже, светские сплетни его не интересуют. С удовольствием он обсуждает только своих котов, но и эта тема чревата выходом на опасную стезю «они уже старенькие, они в любой момент могут меня покинуть». Не может Валерий Олегович поддерживать такой разговор, ну не может он! Запас его сил не бесконечен.

Остается только одна тема: МВД и его проблемы, работа полиции, кадровые перестановки. И безопасно, и отцу, как говорится, по специальности.

Поэтому такой резкий категоричный отказ обсуждать ЧП с министерским чиновником Валерия Олеговича несколько обескуражил.

— Папа, ну неужели тебе не интересно, что происходит в нашей полиции, в нашем министерстве? — удивился он. — Ну, я понимаю, ты не хочешь слушать про идиотов-депутатов, про сомнительные законодательные инициативы, про экономические провалы, про санкции, про Трампа и все такое. Но ведь я рассказываю о системе, в которой ты служил столько лет, о деле, которому ты посвятил всю профессиональную жизнь. Как же это может быть не интересным?

Олег Дмитриевич наклонился, взял на руки кошку Настю, давно уже занявшую свою позицию слева от хозяина, где повкуснее пахло. Потревоженный движением Ганя недовольно заворчал и попытался распластаться и занять побольше места на коленях старика, чтобы Насте негде было устроиться. Олег Дмитриевич хмыкнул и усадил кошку себе на плечо.

— Знаешь, сынок, я тоже когда-то был дураком и наивно полагал, что работа, профессия, карьера — это вся моя жизнь. Не просто полагал, а искренне верил, был убежден. Нас ведь так воспитывали: умри, но работу выполни и перевыполни, потому что твоя жизнь — это пыль, стройматериал, а вот работа, дело — это все, главный смысл и главная цель. Но вот меня отправили в отставку, и не просто отправили — в спину плюнули. За все то, что я делал тридцать пять лет. Да, звезд с неба я не хватал, другие за тридцать пять лет службы до высоких должностей дорастали, а я так и задержался в должности старшего опера в ОБХСС. Но я работал честно, я работал хорошо, у меня агентура была — дай бог каждому, да не какая-нибудь липовая, на бумажках, а настоящая, работающая. Я много чего интересного знал, может быть, даже и лишнего, не по рангу мне было такое знать. И своей работой я гордился, и ее результатами, и своими умениями и опытом. И думал, что нет в жизни ничего важнее, чем схватить за шиворот расхитителя, мошенника или взяточника. И что вообще ничего в этой жизни нет другого, только моя работа. А потом оказалось, что твоей мамы больше нет, и мне никто не вернет тех праздников и выходных, которые я с ней не провел, и тех отпусков, в которые не смог поехать с ней. И никто мне не вернет тебя маленького, чтобы я мог видеть каждый день, как ты растешь, меняешься, узнаешь мир, учишься говорить, читать, писать, как постепенно из малыша становишься мальчиком, из мальчика — юношей, потом мужчиной. Никто не вернет маминого здоровья и нервных клеток, которые она тратила, волнуясь за меня и переживая. И тогда я понял, что работа, профессия, дело — это, конечно, хорошо и нужно, но это не вся жизнь. Вот у меня отняли профессию, а я живу. Все живу и живу... И меня забыли в тот же день, как я подал рапорт. К вечеру уже и забыли. Два-три месяца кое-кто еще позванивал из вежливости, а потом перестали. Ни я сам, ни моя работа никому оказались не нужны. Это иллюзия, сынок, будто бы человек умирает, а дело его живет. Неправда это. Дело забывается быстро. Имя может остаться в веках, а дело — нет. Вот ты парень у меня образованный, а можешь мне с ходу ответить, что было делом всей жизни... ну, скажем, Вернадского?

Валерий Олегович опешил на мгновение. Ну да, имя известное, вон проспект в его честь назван. Пожалуй, отец прав.

— Не помню, — признался он. — Что-то про ноосферу, кажется. Но не уверен.

— Вот о том я и толкую. Академик, а дело его жизни многие забыли, а может, и знать не знали. Что ж тогда говорить о деле всей жизни обыкновенного старшего опера? Да не стоит это дело того, чтобы о нем думать и вспоминать. Было — и было. И прошло. Всё. Точка. Ни одно дело не стоит всей человеческой жизни, поверь мне, сынок. И обязательно нужно, чтобы в этой жизни было еще что-то, а лучше — много всего, кроме самого дела. Только в этом случае сама жизнь будет чего-то стоить. А если жизнь равна делу, то ни эта жизнь, ни это дело не стоят ни гроша. Вот так, — припечатал в конце своей речи Олег Дмитриевич.

— Но как же так, папа, — растерялся генерал, — как ты можешь говорить, что твоя жизнь и твоя работа ничего не стоят? Да у тебя целая полка в шкафу набита грамотами и наградами!

Отец криво усмехнулся.

— И что? Кому они нужны, эти грамоты и награды? Кому они интересны? Кому от них хоть какая-то радость или польза? Ни-ко-му.

Валерий Олегович молча смотрел на отца, чувствуя в душе непонятное смятение. Вот сидит перед ним очень пожилой и не очень здоровый человек, сидит спокойно, на коленях — пушистый рыжий кот, на плече устроилась, свесив хвост, серая зеленоглазая кошка. На столе стоят чашки с чаем, чайник, сахарница, блюдечко с нарезанным сыром и пластиковая, белая в красных маках миска, наполненная пряниками и квадратными вафельками. За окном темно, желто-зеленые занавески на окне шевелятся — отец все время держит фрамугу приоткрытой: его сил уже не хватает на то, чтобы часто менять наполнитель в кошачьем лотке, и запах, к которому хозяин квартиры давно притерпелся и который перестал замечать, весьма ощутим для тех, кто не живет здесь постоянно.

Такая уютная, такая мирная картина! Сюда бы живописца, создающего бытовые полотна, — вполне можно писать что-нибудь вроде «Молодой генерал навещает престарелого родителя» или «Многоопытный старец учит жизни сына». Иван Грозный-то сына убивал, а Олег Дмитриевич учит... Вот интересно, можно ли написать такую картину, чтобы всем стало очевидным: старец не учит сына жизни, а выбивает у него почву из-под ног и сам этого не понимает? Что старец произносит слова, которые сын никак не ожидал услышать от него и которые полностью ломают все представления этого самого сына об отце, об окружающем мире и о собственной жизни? Сейчас, в этой мирной уютной, почти идиллической обстановке происходит нечто, сравнимое с ядерным взрывом, только не в мировом масштабе, а в границах одной отдельно взятой личности.

Мозг Шаркова отказывался обдумывать две мысли одновременно. Первая повергала его в полную растерянность: неужели отец действительно так думает и чувствует? Ни разу за все годы Олег Дмитриевич не заводил разговоров на эту тему, и ни одного слова, пропитанного горечью и обидой, сын от него не слышал. И что же получается? Что без малого тридцать лет майор в отставке жил с осознанием того, что все было неправильно? Что тридцать пять лет безупречной службы — одна сплошная большая ошибка? И еще получалось, что он, Валерий Олегович Шарков, совсем не знает своего отца. Живет иллюзиями, полагая, что отец — просто состарившийся человек, забывший о своей прежней профессии и переключивший внимание исключительно на четвероногих питомцев, ибо ему, воспитанному советской идеологией и культурой, неприятен, непонятен и, более того, непереносим тот порядок жизни, который воцарился в стране. На самом же деле у этого с виду такого спокойного, уравновешенного старика, нетребовательного и не капризного, внутри зияет бездна осознания собственной неправоты, ошибочности идей и представлений и, самое главное, чувства вины за то, что эти ошибки и неправильные представления повлекли за собой невосполнимые потери.

Вторая же мысль отдавалась в голове тревожным гулом набата: а если отец прав? Если действительно ни одно дело не стоит человеческой жизни со всеми ее радостями и печалями, открытиями и разочарованиями, взлетами и провалами? Тогда получается, что решение немедленно лечь в больницу — единственно правильное, а вовсе не проявление трусости и слабости.

Ему захотелось выпить. У отца в шкафчике всегда стояла бутылка хорошего коньяка, Валерий Олегович сам же и приносил. Олег Дмитриевич позволял себе рюмочку один раз в неделю, по воскресеньям, так что бутылки хватало надолго. Генерал Шарков встал из-за стола, сделал шаг к заветному шкафчику, но внезапно испугался: а вдруг ЭТО произойдет именно сейчас и именно из-за этой рюмки? Врач ведь предупредил его: никакого крепкого алкоголя, да и от некрепкого лучше воздержаться. Шаркову так тошно, что даже умереть сейчас не страшно. Но не на глазах же у старого отца... Нет, этого нельзя допустить. «Выпью потом, дома», — решил он.

— Что ты вскочил? — спросил Олег Дмитриевич, не трогаясь с места, чтобы не потревожить своих любимцев. — Уходишь уже?

— Да, пойду. Надо в магазин заехать, продукты купить, по дому кое-что сделать. Я же теперь один, ухаживать за мной некому.

— Домработницу найми, — посоветовал отец. — Твоя зарплата позволяет.

— Не позволяет, — покачал головой Шарков. — Знаешь, сколько сейчас домработницам нужно платить? За копейки теперь никто работать не хочет. Да и не люблю я посторонних в квартире, ты же знаешь.

— Знаю, — улыбнулся отец. — Я сам такой, а ты весь в меня. И не переживай насчет Ленки, сынок. Все правильно она сделала.

— Почему?

— Потому что тебе же во благо пойдет. Я же говорю: ты весь в меня, а это означает, что тебе лучше быть одному. Не знаю, что с тобой происходит, ты сам ничего не рассказываешь, видно, делиться не хочешь, но я не в обиде, ты ведь мой сын, значит, такой же, как я, молчун и одиночка, все в себе носишь и внутри перевариваешь, в обсуждениях и в чужих советах не нуждаешься. Только я вижу, что не все у тебя в порядке, и выглядишь ты плохо. Не нужен тебе никто сейчас, так что все к лучшему. А там видно будет. Может, Ленка одумается и вернется, а может, ты и приживешься так, в одиночестве, или найдешь себе кого-нибудь. Не переживай.

В горле у генерала разбухал тяжелый упругий ком, который никак не удавалось сглотнуть.

«Кажется, это называется «глобус истерикус», — подумал Валерий Олегович. — Не хватало еще, чтобы папа увидел мои слезы. Надо скорее уходить».

— Не вставай, не провожай меня, — произнес он с вымученной улыбкой. — Не тревожь котов, они так хорошо на тебе устроились.

Он вышел в прихожую и начал одеваться. Из кухни доносился голос Олега Дмитриевича, напряженно-громкий: старик старался, чтобы сын его услышал.

— Вот говорят, что собаки привыкают к человеку, а кошки — к месту и якобы хозяин для кошки всего лишь мебель, часть обстановки того места, в котором она обитает. Вроде как кошки человека любить не умеют, а умеют только использовать его. Вранье это, сынок! Никогда не поверю, что Ганька и Настюшка сейчас лежат на мне и думают, что я бессловесная мебель! Быть такого не может! Любят они меня, я точно знаю...

Шарков, уже одетый, заглянул в кухню, попрощался с отцом и вдруг, словно впервые, заметил и глубокие морщины на его лице, и ставшие совсем-совсем реденькими волосы, и пигментные пятна на дрожащих руках. Господи, какой же он старый... Старый и одинокий.

* * *

Выйдя из дома отца, генерал собрался было сесть в служебную машину, но остановился, уже почти взявшись за ручку дверцы, отступил на шаг и вытащил из кармана телефон. Разговаривать при водителе не хотелось.

Набрал номер Большакова, дождался, когда тот ответит.

— Костя, можем встретиться?

— Смогу быть часа через полтора, — ответил полковник после небольшой паузы.

Шарков понял, что Константин Георгиевич прикидывает, как лучше распланировать время с учетом просьбы о встрече.

— Хорошо, — коротко сказал генерал. — Буду тебя ждать.

От дома отца до дома, где располагалась квартира профессора Ионова, езды минут сорок. Значит, есть время заскочить в магазин. Шарков сел в машину.

— Едем на квартиру, — скомандовал он водителю. — По пути остановись у какого-нибудь супермаркета, я дам денег и скажу, что купить.

— Понял, Валерий Олегович, — отозвался водитель. — Вы какой супермаркет предпочитаете, попроще или с наворотами?

Вопрос застал генерала врасплох. Покупкой продуктов он интересовался прежде ровно настолько, насколько это было необходимо, чтобы не приезжать к отцу с пустыми руками. Но в этих случаях обычно покупки делала Лена, а Шарков лишь предупреждал ее: дескать, завтра собирается съездить к Олегу Дмитриевичу, и пусть она купит, что полагается. Где, в каких магазинах жена покупала продукты, Валерий Олегович и не задумывался. Елена перед уходом набила для него полный холодильник припасов, так что за последние дни вопрос о супермаркете встал впервые.

— С наворотами — это какие? — спросил Шарков.

— Ну, где всего много, все в основном импортное и жуть какое дорогое. Но нарваться на подделку можно и там, конечно, сегодня нигде гарантий нет, сами понимаете. Хотя в тех, что попроще, шансы травануться выше, само собой. Зато дешевле на порядок. Вы скажите, что нужно купить, а я уж соображу, куда лучше ехать.

— Водку хорошую и закуску какую-нибудь, немного, но приличную.

— Чтоб водка не паленая была — это только в навороченный надо ехать, — авторитетно заявил водитель. — В обычных магазинах сплошной левак продают. А закусочку можно и где попроще сообразить. Хлеб, колбаску, консервы, огурчики-помидорчики маринованные. Пойдет?

— Пойдет, — равнодушно согласился Шарков.

Он откинулся на спинку сиденья, прикрыл глаза. Прав отец или нет? Нужно ли, правильно ли ставить дело всей жизни выше самой этой жизни? Выходило, что даже выражение «дело всей жизни» — неправильное и не имеет права на существование. Но ведь восьмидесятилетний Олег Дмитриевич Шарков, майор милиции в отставке, уже давно отгородившийся от всего мира, вряд ли может считаться оракулом, провозглашающим истины в последней инстанции.

И все-таки что-то в его словах заставляло бурлить нутро генерала, вызывая одновременно и сопротивление, и стремление опровергнуть эти слова, и непреодолимый соблазн прислушаться к ним и согласиться.

Погруженный в размышления, он даже не обратил внимания, возле каких магазинов водитель останавливал машину. Главное, что все было куплено.

— Поезжай поужинай, — сказал Валерий Олегович, когда автомобиль припарковался перед подъездом давно знакомого дома. — Я освобожусь не раньше, чем через час.

В квартире Ионова он не стал раздвигать шторы, аккуратно сдвинутые соседкой Розой при очередной уборке. Зажег свет, прошел на кухню, достал стакан и тарелку, отрезал кусок хлеба и толстый ломоть копченой колбасы, налил себе водки, выпил залпом, закусил.

«Если сдохну сейчас — то и черт с ним, — с неожиданным для себя равнодушием подумал он. — Скоро Костя приедет, если что — «Скорую» вызовет. Не откачают — значит, не судьба. Я больше не могу. У меня нет сил. Я устал каждую секунду ждать смерти».

Водка пробежала по пищеводу, растеклась по жилам, исчезло ставшее почти непереносимым напряжение в голове. Валерий Олегович налил второй стакан, выпил половину, сунул в рот хлебную горбушку и только теперь заметил, что все еще стоит.

«Сесть, что ли? — как-то вяло подумал он. — Или не садиться здесь, на кухне, а пойти в гостиную и устроиться на диване? На диване, конечно, удобнее, но водка и закуска — здесь, а нести в гостиную не хочется, лень. Да и нехорошо продукты таскать в комнату, мусорить... Непорядок это... Господи, о чем я думаю? Какая ерунда в голову лезет! Сесть — не сесть, здесь или в гостиной... Какое все это имеет значение?»

Наступившее от полутора стаканов водки облегчение быстро прошло. Шарков допил второй стакан, навинтил пробку на горлышко бутылки и отправился в комнату, которая когда-то была кабинетом профессора Ионова. Вот письменный стол, тот же самый, что стоял здесь тридцать лет назад, а кресло уже другое: Евгений Леонардович в начале девяностых приобрел свой первый персональный компьютер, и кресло пришлось заменить, ибо высокие подлокотники мешали работать на клавиатуре. Но когда молодой оперативник Валера Шарков оказался здесь впервые, профессор сидел еще в том, старинном, кресле с высокой спинкой и высокими же подлокотниками. Было это года за два до того, как отца выперли на пенсию...

В учетной группе того районного управления внутренних дел, где он тогда служил, работала молоденькая девушка по имени Настя, худая бесцветная блондинка, которая однажды, принимая у Шаркова карточки первичного учета «на зарегистрированное преступление» и «на выявленное лицо, совершившее преступление», бросила как бы между прочим:

— Все орут про кривое зеркало статистики, а вместо этого надо просто сесть и посчитать радиус кривизны.

— Как посчитать? — удивился в тот момент Валера.

— Да элементарно. Естественная и искусственная латентность плюс типичные ошибки в квалификации вот и вся кривизна. Зная ее коэффициент, всегда можно достаточно точно интерпретировать статистику. Только никому же неохота возиться. Про естественную латентность кое-что написано, про искусственную — меньше, все жить хотят, подставляться страшно. А применить математику к ошибкам или техническим погрешностям в квалификации вообще никому пока в голову не приходило. Всем проще либо оперировать готовыми цифрами, либо кричать на всех углах, что статистика — самая наглая ложь.

В тот раз Шарков сдал карточки и ушел, но слова Насти из учетной группы засели в его голове. И чем больше он думал о сказанном, тем интереснее ему становилось. Ведь и в самом деле, в Уголовном кодексе довольно много составов, разграничение между которыми проходит по чисто формальному признаку. Например, тяжкие телесные повреждения, повлекшие смерть потерпевшего, и умышленное убийство: если человек умирает в течение 14 суток после причинения повреждений, то деяние квалифицируется как убийство, а если больше 14 суток — то как тяжкие телесные со смертельным исходом. А велика ли на самом деле разница между 14 и 15 сутками? Более того, эта разница может оказаться всего в один час, но законодательный лимит в 14 суток уже будет превышен и в статистику попадет совсем другая статья. То же самое с преступлениями взрослых, несовершеннолетних и малолетних. Подростку исполнилось, допустим, 18 лет, и он на радостях в день своего рождения напился с друзьями до поросячьего визга, а в состоянии опьянения каких только глупостей, в том числе и уголовно-наказуемых, не сделаешь. Совершил, попался, признался, все чин-чинарем. А заполняешь карточку по форме 2 и понимаешь, что согласно закону пацан-то — несовершеннолетний, ибо наступление восемнадцатилетия признается только в одну минуту первого следующего дня. Успел набедокурить до полуночи — пойдешь под суд как малолетка, не успел — срок тебе впаяют как взрослому. А хищения и кражи? До определенного размера они считаются малозначительными деяниями, и по факту их совершения уголовные дела вообще не возбуждаются. Но если размер окажется, к примеру, на 20 копеек больше и обозначенный законом «рубеж» будет перейден, то в соответствующую строку статистической отчетности попадет очередная единичка. Много, много подобных примеров припомнил Валера Шарков, как из собственной практики, так и из чужой.

Но жизнь крутила и вертела по-своему, нагружая оперативника и служебными заданиями, и домашними хлопотами. Миновал не один месяц, когда Шарков решил поговорить с Настей из учетной группы более подробно и предметно. Разумеется, просто из любопытства, а вовсе не ради того, чтобы писать, скажем, статьи или даже диссертацию. Никаких научных амбиций у старшего лейтенанта в то время не было.

— Настя? — переспросила его начальник «учетки», полная дама с красивой пышной прической. — Каменская? Так она уже здесь не работает. Ее на Петровку забрали.

Он и сам не мог объяснить, почему мысли, бродившие у него в голове, вызывали такое беспокойство. Но они действительно беспокоили, более того, заставляли хоть что-то предпринимать. Но что? Провести исследование самому? Бред и глупость, у него не хватит ни сил, ни времени, ни знаний. Поступить в адъюнктуру в Академию или в Высшую школу милиции? Ага, разбежался начальник давать ему направление. Да и не хотелось Шаркову заниматься наукой всерьез, он любил оперативную работу. А вот прояснить ситуацию, обрисованную худенькой блондинкой Настей, ему отчего-то ужасно хотелось. Ну просто так, для самого себя.

Валерий пытался обсудить вопрос с коллегами, но понимания не встретил. Им было все равно. Он посоветовался с отцом, тот пообещал узнать, с кем можно об этом поговорить, и через две-три недели Шаркову позвонили. Незнакомый, но чрезвычайно вежливый голос сказал, что если Валерию Олеговичу действительно интересно разобраться в тонкостях статистического анализа преступности, то доктор наук, профессор Ионов Евгений Леонардович готов его проконсультировать.

Вот так и оказался впервые Валера Шарков тридцать лет назад в этой самой квартире, в этом самом кабинете. Евгений Леонардович подробно и не спеша отвечал на вопросы старшего лейтенанта, рассуждал вместе с ним, строил предположения, выдвигал гипотезы, и оба они наперебой придумывали способы и методы проверки этих гипотез. Из квартиры Ионова Валерий вышел через несколько часов с ощущением, что он побывал на другой планете, где люди совсем иначе устроены, и мысли их совсем не похожи на мысли тех, кого он привык видеть рядом с собой, и интересы и жизненные ценности у них тоже совсем-совсем другие...

На полученное через некоторое время предложение поступать в адъюнктуру Академии Валерий ответил отказом, но учиться у Ионова продолжал, постоянно приходил то к нему в лабораторию, то домой. Постепенно перезнакомился со всеми сотрудниками профессора, со многими из них подружился. Шло время, родился Олежка, отец вышел в отставку, и вот тогда Ионов впервые заговорил с Шарковым о программе. И разговор этот тоже происходил именно здесь, в этом самом кабинете. Как давно это было... А вроде как только вчера...

Хлопнула дверь, Валерий Олегович вздрогнул и вынырнул из пучины воспоминаний. Костя пришел.

За многие качества, ох, за многие любил генерал Шарков полковника Большакова, любил, ценил и уважал. Но в первой пятерке этого длинного списка качеств стояли, бесспорно, умение не говорить ненужных слов и не задавать ненужных вопросов. Друзей, настоящих, близких и задушевных, у Валерия Олеговича давно уже нет, так что если с кем и поделиться, то только с Костей.

Генерал вышел из кабинета, молча пожал руку Большакову, жестом предложил пройти в кухню.

— Выпей со мной, — сказал он, перехватив удивленный взгляд Константина Георгиевича, которым тот окинул сомнительной гармоничности натюрморт на столе. — Я один начал, тебя не дождался, очень уж хреново было.

Шарков точно знал, что Костя ни о чем не спросит, просто нальет, поднимет стакан и выпьет. Так и произошло.

— Что твой мальчик в Сереброве? Есть подвижки? Когда ты с ним разговаривал в последний раз?

О работе капитана Дзюбы полковник Большаков отчитался ему сегодня еще до обеда, очередной отчет запланирован самим генералом на завтрашнее утро, но Костя — он и есть Костя. Он не станет ни возражать против внепланового отчета, ни возмущаться нетерпеливостью Шаркова. Он просто ответит. Четко, ясно, последовательно. Как всегда.

— Дзюба получил от Аркадия Михайловича все

материалы, изучает, завтра утром доложит свои соображения. Аркадий ему все организовал, если будет нужно — даст толковых людей. Борис Александрович Орлов собирает информацию в Москве, анализирует записи отца и свои по делу Вадима Пескова, потом будет разговаривать с людьми. Дзюбе сложно работать и строить предположения, не имея хотя бы приблизительного психологического портрета Игоря Пескова. Орлову трудно одному, конечно, но, к сожалению, никого ему в помощь мы сейчас дать не можем.

Все это Шарков уже слышал сегодня. Ничего нового. Так хотелось бы, чтобы произошло чудо и Костя сказал бы: «Дзюба нашел Пескова, задержание — вопрос нескольких часов». Но чудес, как известно, не бывает. А жаль.

— Думаешь, Орлов справится?

— У нас нет других вариантов, Валерий Олегович. Я специально к Вере ездил посоветоваться на этот счет. Орлов официально был адвокатом Пескова, несколько лет помогал ему составлять жалобы и обращения в разные инстанции, а его покойный отец был адвокатом Вадима Пескова. Поэтому если адвокат Орлов начинает разыскивать Игоря Пескова и расспрашивать о нем, это никого не удивит и не насторожит. И если кто-то находится в контакте с Песковым и скажет ему об активности Орлова, то и Пескова это не испугает. Именно Орлов порекомендовал Игоря в программу, именно через Орлова Игорь получал задания, поэтому, узнав, что Орлов его ищет, Игорь просто подумает, что для чего-то понадобился в интересах программы.

— Ну, строго говоря, так оно и есть, — скупо усмехнулся генерал. — Именно в интересах программы мы его и ищем. Скажи мне, Костя, какие организационные трудности ты видишь в ближайшей перспективе?

Большаков молчал.

— Тебе непонятен мой вопрос? — сердито и даже слегка раздраженно спросил Шарков.

Константин Георгиевич задумчиво погладил пальцами черенок вилки, которой доставал из банки маринованный огурец.

— Вы хотите знать, понадобится ли ваш административный ресурс в течение ближайшего месяца, если вы ляжете на операцию? — негромко проговорил полковник, причем в его голосе вопросительная интонация почти полностью отсутствовала.

Шарков не ответил. Что тут ответишь? Костя прекрасно понял вопрос, и ответа, судя по всему, у него нет.

— Если возникнут трудности и понадобится ваш административный ресурс, я сделаю все возможное, чтобы решить проблему без вашего участия. Но не могу дать никаких гарантий, что у меня это получится. Разумеется, я буду очень стараться, и другие наши с вами соратники тоже. Но есть вещи, сделать которые мы просто не в силах. Зато нам вполне по силам придумать, как без этих вещей обойтись.

Придумать... Хорошее слово, очень оно нравится генералу. Именно профессор Ионов привил когда-то Валерию Олеговичу любовь к этому глаголу. И снова вспомнилась Настя...

— Ты Настю давно видел? — спросил Шарков, нимало не заботясь о том, что столь резкая смена темы разговора требует хоть каких-то разъяснений.

С Костей Большаковым никакие разъяснения не нужны, он сам все понимает.

— Где-то с полгода назад, — невозмутимо ответил полковник. — У Зарубина, зама в «убойном», был день рождения, круглая дата, он всех старых сослуживцев собирал. Ну и меня пригласил как бывшего, хоть и давнего, начальника отдела.

— Как она? В порядке?

— В полном. Работает, как и прежде, в частном детективном агентстве, вполне довольна жизнью.

— Как ты думаешь, Вера не изменит своего мнения?

— Думаю — нет, — твердо сказал Константин Георгиевич. — У Каменской слишком теплые и доверительные отношения с мужем, да и со своим начальником Стасовым она давно и крепко дружит. Нельзя ее втягивать в программу, нельзя навязывать ей двойную жизнь с тайнами и секретами, это может ее разрушить.

— Ну да, ну да, — Шарков рассеянно покивал головой.

Жизнь поистине непредсказуема. Кто мог ожидать, что спустя полтора десятка лет после того разговора Валеры Шаркова с девушкой из учетной группы Настя Каменская будет опытным сотрудником уголовного розыска, а Костя Большаков возглавит «убойный» отдел и станет ее непосредственным начальником? В те годы программа еще работала на полную мощь, активно проводились полевые испытания и монографические исследования, и в поле зрения группы профессора Ионова попали и Сергей Зарубин, и Анастасия Каменская. Их работа по раскрытию убийства, выбранного в качестве объекта исследования, тщательно и подробно изучалась во всех мыслимых ракурсах, и точно так же тщательно и многосторонне изучалась их личность. Но, к сожалению, психолог Вера Максимова пришла к заключению, что ни Зарубин, ни Каменская к работе в программе не рекомендуются, несмотря на высочайший профессионализм: Зарубин — выраженный экстраверт, а Каменская, хоть и глубокий интроверт, но слишком дорожит отношениями с мужем. И то и другое является препятствием к ведению двойной жизни, если стоит задача сохранения целостности личности. «Никогда, ни при каких условиях нельзя посягать на целостность личности, — неоднократно повторял своим последователям и ученикам профессор Ионов. — Ни одна социальная задача не стоит разрушенной психики даже одного человека». Об этом правиле все помнили и старались по мере возможности его соблюдать.

Жаль, что Вера не разрешает привлекать Каменскую. Очень бы она сейчас пригодилась: умная, хваткая, опытная, достаточно молодая, чтобы эффективно работать, и достаточно немолодая, чтобы уметь правильно выстроить общение с людьми любого возраста. Костя сказал, что капитан Дзюба, которого он отправил искать Пескова, сам признался: где-то напортачил, собирая сведения об Игоре. А у кого он эти сведения собирал? Кто был источником информации? Пожилая соседка, престарелая тетка Пескова, склочная двоюродная сестра, бывшая жена, находящаяся в больнице с каким-то серьезным заболеванием. Разве с таким контингентом справится пацан, которому еще тридцати нет? Да никогда в жизни. А Настя справилась бы.

— От меня жена ушла, — неожиданно вырвалось у Шаркова. — Знаешь, вспомнил Настю и вдруг понял, почему Лена меня бросила.

Сказал — и замолчал. Большаков терпеливо ждал продолжения, не перебивая Валерия Олеговича ни удивленным возгласом, ни сочувственным вздохом.

— Ионов был прав. Наша программа и наша личная жизнь угрожают друг другу. Они несовместимы. Или одно, или другое.

— Существует и третий вариант, — негромко заметил Константин Георгиевич. — И примеры у нас с вами есть.

— Это счастливое исключение, когда в программе задействованы оба супруга или близкие друзья. Таких мало. А в основном...

Шарков глубоко вздохнул, отломил кусочек хлеба от буханки и принялся медленно жевать.

— В основном мы все — одиночки с разрушенной или не состоявшейся личной жизнью. Или везунчики, которым обстоятельства позволяют спокойно работать и никому не врать, — жестко проговорил он. — Вот Орлову повезло, его дочь вышла замуж за американца, переехала в США, у них четверо приемных детей, и жена Бориса живет там с ними по шесть месяцев в году, дочке помогает. У Бориса и руки развязаны, и с женой прекрасные отношения.

«Но такая ситуация — эксклюзив, — мысленно продолжал Валерий Олегович, словно споря сам с собой и не желая повторять вслух то, что и без того прекрасно известно его собеседнику. — Да и не дай бог кому-то такую беду: у дочки Орлова редкое заболевание, орфанное, и ей пожизненно нужно принимать очень дорогой препарат. Она лечилась в США, там и с мужем познакомилась, у него тоже это заболевание. Лечить научились, заболевание теперь не смертельное, но детей иметь нельзя. Вот и взяли приемных. Нет, глупость я сказал, не повезло Борису. Это программе повезло с ним и нам всем. А Борис такое пережил, когда лекарства от этой болезни не было и дочка могла умереть! Какое уж тут везенье...»

— А я со своей женой дружить так и не научился, — безжалостно продолжил он уже вслух. — Сына вырастили, совместный быт устроили. А дружбы не было. И быть не могло. Была бы Елена терпеливой овцой — тянула бы до гробовой доски. А она хочет жить, а не тянуть. Все правильно, Костя. Ионов был прав. И теперь я задумался: стоит ли наша программа хотя бы одной человеческой жизни? Не разрушенной психики, о которой говорил Евгений Леонардович, и даже не разрушенного многолетнего брака, а всей жизни?

Шарков нервно налил еще водки, немного, на два пальца, быстро выпил, закусывать не стал.

— Ты ничего не говори, Костя, я знаю, что ты ответишь. Мне не нужен оппонент в дискуссии. Я сам с собой подискутирую. Я здравый человек и понимаю, что могу не выдержать. Страх внезапной смерти переносить не умею, меня этому не учили. До сегодняшнего дня сил хватало, сегодня я засомневался, что справлюсь. Если не справлюсь — придется идти сдаваться хирургам. Но даже если и справлюсь, могу в любой момент помереть. И я хочу понимать цену вопроса. Я хочу твердо знать, что, если я не выйду из игры и дотяну до конца, игра закончится победой. Потому что если победа не гарантирована, то цена вопроса становится совсем другой. Ты меня понимаешь?

— Иными словами, вы хотите знать, уверен ли я, что Дзюба справится?

— Именно. Потому что если ты не уверен, то я начну сомневаться, стоит ли игра свеч.

Большаков встал из-за стола, не спеша прошелся по просторной кухне, остановился, прислонившись к дверному косяку.

— Если вы хотите честный ответ, то вот вам этот честный ответ: нет, я не уверен. Роман молод и недостаточно опытен. Он, бесспорно, умен, очень настойчив, у него нестандартное мышление и высокая познавательная активность. И он единственный из действующих офицеров, кого я смог отправить в Тавридин и в Серебров. Пенсионер в этом деле может быть использован только как второе лицо, помощник, но первым лицом должен быть именно действующий сотрудник. Других сотрудников, которых можно было бы отмазать от службы и отправить на поиски Пескова, у нас с вами нет, и вы это понимаете.

— И свободных денег у нас сейчас тоже нет, — угрюмо произнес генерал. — Я прав?

— Вам виднее, но, насколько мне известно, вы правы.

Да, деньги — это проблема. Послать опытного бывшего опера или следователя на помощь капитану Дзюбе можно в любой момент, да не одного, а целую команду, но ведь нужно покупать билеты, оплачивать их проживание в гостиницах или на съемных квартирах, обеспечить людей командировочными на питание и расходы. А расходы в этом деле всегда велики: одно дело, когда у тебя в руках служебное удостоверение, и совсем другое — когда ты никто, человек с улицы. Кто будет с тобой разговаривать? Кто «за просто так» захочет давать тебе информацию? Тут уж как минимум шоколадка, коробка конфет или бутылка, а максимум — конверт, да не тоненький. Соратник, отвечающий за ведение бухгалтерии программы, не далее как вчера констатировал: до тех пор, пока не поступит транш, обещанный новым инвестором, придется ужаться в расходах, в противном случае пострадают работающие на программу пенсионеры. После обязательных ежемесячных выплат тем, кому нельзя не заплатить, в домашнем сейфе у бухгалтера не останется почти ничего.

— Валерий Олегович, я понимаю, что вы хотите со мной договориться, — ровным голосом заговорил Большаков. — Но мы не договоримся. У нас с вами разные цели. Вы хотите во что бы то ни стало сохранить программу. Я хочу во что бы то ни стало сохранить вас. Вы ищете аргументы в пользу того, чтобы повременить с операцией. Я вам этих аргументов не дам. И не помогу их найти. У нас нет денег, и мы не можем создать сильную команду. Дзюба один. Он недостаточно опытен и недостаточно силен. В Тавридине ему помогал Конев, в Сереброве и в Шолохове его худо-бедно поддержит Аркадий, но в Елогорске и Дворцовске у нас никого нет. Вам придется оценивать ситуацию с открытыми глазами.

— То есть ты считаешь, что шансов нет?

— Они есть, но они очень и очень малы. Близки к нулю. В то время как ваши риски потерять жизнь раньше времени чрезвычайно высоки. Я не могу принимать решение за вас, но не стану скрывать: я не буду помогать вам принимать то решение, которое мне не нравится. Вы знаете, как я предан и вам лично, и нашей программе, и памяти Евгения Леонардовича, но все-таки вы и ваша жизнь для меня значат больше, чем программа. Уж простите, но в этом вопросе мы не договоримся. Я буду честно исполнять все ваши указания и делать все возможное для достижения наилучшего результата, но врать вам и делать вид, что я с вами согласен и полностью поддерживаю, я не стану.

Шарков разлил остатки водки, задумчиво посмотрел на опустевшую стеклотару. Сколько выпил Большаков? Немного. Генерал практически в одиночку «уговорил» бутылку. А ощущений почти никаких, разве что самую малость полегчало. Не берет его спиртное, никакого проку от градусов, только деньги на ветер.

— Вот и ты меня бросил, Костя, — усмехнулся он. — Сначала сбежал Игорь Песков, потом от меня ушла жена, теперь ты оставляешь меня без поддержки. Правду говорят: каждый умирает в одиночку. Но спасибо тебе за прямоту.

— Вы меня не слышите, — голос Константина Георгиевича оставался таким же ровным, но в нем явственно зазвучали железные ноты. — Я никогда не оставлю вас без поддержки, я всегда буду рядом, в любой момент, когда буду вам нужен. Но мы с вами по-разному понимаем слово «поддержка». Вы уже давно находитесь в позиции руководителя высокого ранга, и для вас поддержка — это в первую очередь согласие министра и одобрение со стороны подчиненных. Для меня поддержка — это именно поддержка, больше ничего. Если вы оступитесь и провалитесь в яму, министр заменит вас другим сотрудником, ваши подчиненные будут аплодировать и кричать, что вы молодец и все сделали правильно. А я могу просто идти рядом и смотреть, нет ли на вашем пути ямы. Упадете — протяну вам руку и вытащу, и если вы при падении сломаете ногу, я помогу вам добраться до больницы. Но при этом я не буду рассказывать вам, какой вы молодец и как правильно сделали, что оступились и упали. Вот в чем разница.

Валерий Олегович тяжело поднялся, сложил в мойку тарелки, приборы и стаканы, остатки продуктов запихнул в холодильник, пустую бутылку оставил на столе. Потом придет Роза и все помоет, уберет, ненужное выбросит.

— Кремень ты, Костя, — сказал он, слабо улыбнувшись. — Ничем тебя не проймешь. Значит, не договоримся? Точно? Уверен?

— Уверен, — кивнул полковник.

— А если я предложу компромисс?

— Для переговоров я всегда открыт.

— Три дня, Костя. Дай мне три дня. И своему капитану Дзюбе дай три дня. Если через три дня дело не сдвинется и шансы по-прежнему будут близки к нулю, я сдамся. Но в течение этих трех дней ты должен действительно поддерживать меня. От тебя требуется только одно: не спорить со мной и не говорить, что я не прав. Я всегда ценил и продолжаю ценить твою честность, но сейчас прошу: на три дня засунь ее себе в задницу и не вытаскивай.

— Хорошо, — согласился Большаков. — Поскольку вы говорили о компромиссе, то это подразумевает не только ваши условия, но и мои тоже. Я принимаю срок в три дня. Через три дня вы ложитесь в больницу. Но не в том случае, если шансы будут по-прежнему близки к нулю, а в любом. В абсолютно любом случае. Даже если шансы вдруг резко вырастут. Даже если станет понятно, что мы нашли Пескова и через два часа его возьмем. Вы все равно пойдете на операцию. И вы прямо сейчас, при мне, позвоните вашему врачу и скажете, что во вторник утром вы будете готовы к госпитализации. Вы — генерал-лейтенант, большой начальник, вас госпитализируют по первому требованию и все документы оформят за пять минут.

Ах, Костя! Рукавица ежовая, хватка мертвая. Берет за горло сразу и продохнуть не дает.

— Что, вот прямо сейчас и звонить? — недоверчиво переспросил генерал. — Ты на часы посмотри, время-то уже...

— Ничего, — невозмутимо откликнулся Большаков, — вам позволено, вы генерал и большой начальник, а хирург у вас из нашей ведомственной поликлиники, а не из частной лавочки. Звоните, Валерий Олегович, звоните. При мне, чтобы я слышал. Это мое первое требование в рамках движения к компромиссу.

— Первое? Стало быть, не единственное?

— Не единственное. Есть и второе.

— Какое же?

— Вы сказали, что если ситуация не сдвинется с места в течение трех дней, то вы сдадитесь. Я правильно услышал?

— Ну да, — кивнул Шарков. — Вроде я именно так и сказал. Во всяком случае, я совершенно точно так думал в тот момент. А в чем дело?

— Так вот, мое второе условие: вы никогда не будете говорить, что вы сдадитесь. И не будете так думать. Если человек принимает решение бороться за собственную жизнь, это не может означать, что он сдался. Это означает, что он борется.

Валерий Олегович только головой качнул в знак согласия и взялся за телефон.

Дзюба

К половине четвертого утра Роман понял, что выдохся окончательно. Почти десять часов он просидел на диване с компьютером на коленях, читая переданные Аркадием Михайловичем материалы. Картина вырисовывалась удручающая... Нужно оторваться от текстов, сделать перерыв и попытаться обдумать и хотя бы в первом приближении систематизировать прочитанное.

Он снял с колен ноутбук и принялся оглядывать комнату. Ему с первой же минуты понравилась эта квартирка, такая несовременная, даже старомодная, напоминающая детство, бабушек и дедушек, увешанные фотографиями стены в их комнатах, громоздкие резные буфеты и очаровательные этажерки. Хорошо здесь, уютно, спокойно. Анна тоже не спит, сидит за своим компьютером, что-то пишет. Интересно, она не спит из-за него или всегда работает по ночам? Роман прикрыл глаза и легонько улыбнулся, вспомнив, как накануне периодически напоминал Анне о том, что она должна называть его каким-нибудь ласковым именем.

— Нужно тренироваться, чтобы на людях выглядеть достоверно, — говорил он.

Анна смущалась, отводила глаза и отвечала, что ей неловко, она к такому не привыкла, ей трудно приспособиться и пусть он разрешит ей называть его просто Романом.

— Ага, еще и по отчеству, — сердился Дзюба. — Ну как это будет звучать, если я называю тебя Мышонком, а ты меня — Романом? Это ж курам на смех! Адекватный человек моментально почует подвох.

— А почему ты назвал меня Мышонком?

Кошачьи глаза недобро сузились и смотрели с подозрением.

— Я под этим прозвищем уже тебя засветил, когда был в Тавридине. Ну извини, если тебе не нравится, я же тебя еще не знал, а какое-то имя нужно было выдать тем, кому интересно. Теперь ничего не поменяешь, поздняк метаться. А что, тебе неприятно, если я называю тебя Мышонком?

Подозрительность из глаз Анны ушла, ему на смену пришло какое-то другое выражение, которое Дзюба не смог идентифицировать.

— Пусть будет Мышонок. Спасибо, что не Лисенок.

— Почему?

— Да ну... — она махнула рукой. — Все эти козлы, с которыми я встречалась, называли меня Лисенком. Они во мне вообще ничего не замечали, кроме формы глаз и цвета волос. Вот веришь — все как один! Как будто у них на всех был единственный комплект мозгов, и они им по очереди пользовались. Убогие.

«Значит, для нее «козлы» — все мужики, а не конкретно квартирант», — сделал вывод Роман.

Он постарался отвлечься от прочитанных материалов, чтобы потом вернуться к ним со свежим взглядом, и начал вспоминать минувший вечер. Вот Анна отправляется на кухню, готовит еду, потом уходит с подносом — несет ужин квартиранту, Роман открывает ей дверь... Вот они сами ужинают на маленькой кухоньке... Вкусно было? Он не помнит, он был так голоден, что съел бы что угодно. Вот Анна, смешно сдвинув брови, негромко вслух перебирает и словно пробует на язык разные имена, которыми можно было бы называть Дзюбу: он предложил ей довольно широкий выбор. Рома, Ромка, Ромчик, Ромик, Рыжик и даже Ромашка... Ей ничего не нравится.

— Неудобное у тебя имя, — наконец говорит она.

— Хорошо, называй какой-нибудь зверушкой, — соглашается он. — На твой вкус.

— Роман, повесть, рассказ, очерк, эссе... — бормочет Анна. — Нет, не то. Рыжий — кот, лев, эрдельтерьер... Тоже не туда... Роман, а ты какой?

— В смысле?

— Какие у тебя самые главные качества? Ну, может, ты необыкновенно умный, или необыкновенно добрый, или злопамятный...

— А-а, — рассмеялся он. — Мое главное качество — неуемная фантазия, надо мной на службе все смеются из-за этого. Говорят, мне надо книги сочинять, а не преступников ловить. Некоторые даже называют Сказочником.

— Сказочник, — снова бормочет Анна. — Волшебник, волшебник Изумрудного города, Гудвин... А ничего, если ты будешь Гудвином? Не обидно?

— Да ради бога! Гудвин был, кстати, неплохой мужик, добрый, только трусоват.

— Тогда Гудвин, — решительно произносит она. — Мне нравится.

— Не забудь записать меня к себе в телефон под этим именем, — напоминает Роман и снова утыкается в экран компьютера. — И продиктуй мне свой номер, я тебя в «Мышонка» добавлю.

— Добавишь? — В ее голосе снова плещется подозрение. — Значит, у тебя кто-то уже записан под этим именем?

— Конечно, — спокойно кивает Дзюба. — Записан тот, кто мне звонил, когда нужно было изобразить, что меня разыскивает моя девушка.

«Беспокойная, подозрительная, — думает он. — С ней нельзя недоговаривать или уклоняться от ответов, так меня Сташис учил. Ей нужно точно понимать, что происходит, кто что думает и делает. Стремление к контролю. Что это, жажда власти? Или перфекционизм, страх совершить ошибку, оказаться не на высоте? Ладно, разберемся по ходу».

Что еще происходило вечером и ночью? Они пили чай... Анна читала какие-то тексты на своем компьютере, потом надела наушники и смотрела запись ток-шоу, идущего на местном телевидении, периодически останавливала запись и что-то помечала в открытом блокноте... Потом она устроилась в кресле с толстой книгой. Название Дзюба не разглядел, но, судя по виду, книга была издана очень давно: такие корешки и обложки он видел в свое время у деда в книжном шкафу, и дед объяснял, что с этими книгами нужно быть очень аккуратным, потому что они — библиографическая редкость...

Роман посмотрел на сидящую к нему спиной девушку, быстро печатающую на клавиатуре компьютера. Надо обдумывать дело Пескова, но в голове такой сумбур! И усталость ужасная...

— Мышонок, можно тебя отвлечь? — спросил он осторожно.

Тихое шуршание клавиш прекратилось, Анна повернулась к нему.

— Что-то нужно? Может, чаю сделать? Или поесть?

— Я спросить хотел... Что ты читала?

— Когда?

— Когда в кресле сидела. Такая старинная книга.

— А, — усмехнулась она. — Это Радищев.

— Радищев?! — изумился Дзюба. — Который из Петербурга в Москву?

— Ну да, тот самый. А что?

— И зачем он тебе? Я помню, в школе нас заставляли читать, так я еле домучил, скука смертная.

— Мне нужно реферат по Радищеву написать.

— Ты где-то учишься?

— Давно уж отучилась, — снова усмехнулась Анна, тряхнув челкой, закрывающей брови. — Я этим зарабатываю. Курсовики, дипломы, рефераты. Если за очень хорошие деньги, то могу и диссертацию состряпать. Докторскую, конечно, не потяну, а кандидатскую — вполне. Что, не ожидал?

— Чего не ожидал? — не понял он.

— Что я окажусь такой обманщицей.

— Разве ты кого-то обманываешь?

— Я — нет, я работаю честно, ничего ниоткуда не копирую, каждый раз пишу заново, из головы. Конечно, в работах по филологии часто приходится приводить огромные цитаты из литературных первоисточников, и тогда процент цитирования зашкаливает, становится больше допустимого. Тут есть свои технические хитрости, как сделать так, чтобы мой собственный текст и объем цитирования соответствовали стандарту, например, часть цитируемого отрывка можно пересказать своими словами. Я своих заказчиков не обманываю, пишу все сама. Но те, для кого я пишу, — да, обманывают своих преподавателей. А я участвую в этом обмане.

— Ну, если так смотреть на вещи, то все люди, которые трудятся, например, в сфере рекламного бизнеса, тоже обманщики. Перестань на себя наговаривать. Лучше расскажи мне, что там Радищев умного написал.

— Зачем тебе? — И снова из ее миндалевидных глаз выплеснулась подозрительность. — Проверяешь меня?

— Прости, Мышонок, но мне нужно отвлечься. К утру мне приказано составить какое-то суждение о деле, а я не могу мозги собрать, устал. Меня учили, что в таких случаях полезно переключаться. Кстати, ты опять никак меня не называешь. Надо привыкать, Мышонок, надо стараться.

— Ладно... — Еще одна слабая усмешка. — Ладно, Гудвин, расскажу тебе про законотворческую деятельность Радищева.

Роман вытаращил глаза от изумления.

— Про какую, про какую? — переспросил он недоверчиво.

Анна внимательно посмотрела на него, встала с вертящегося кресла, взяла со стеллажа книгу, ту самую, которую читала вечером.

— Слушай, Гудвин, ты вообще где учился-то?

— В Университете МВД, это бывшая Высшая школа милиции. Слыхала про такую?

— Слыхала. Ну и на кого, извини за выражение, тебя там выучили? На артиста? Или на художника-передвижника? Или все-таки на юриста?

— Мышонок, я понимаю твой сарказм, но у меня голова совсем мутная. Давай как-нибудь попроще, а? — миролюбиво попросил он. — Я уже понял, что Александр Иванович Радищев написал не только про путешествие из Петербурга в Москву, а, вероятно, еще что-то про право и законотворчество. Но мы в курсе истории государства и права этого не проходили. У нас там были Томас Мор, Кампанелла, Монтескье, еще были реформы Солона, но это совсем древнее. Короче, много кого мы изучали, а Радищева — точно нет. Просвети меня, если не трудно.

Анна начала рассказывать, то и дело заглядывая в раскрытую книгу, и в первые несколько мгновений Дзюба подумал, что наверняка сейчас уснет, потому что спать хотелось невыносимо и глаза закрывались, словно верхние веки магнитом притягивались к нижним. Он действительно начал проваливаться в дрему, но вдруг встрепенулся, стал слушать все более и более внимательно, не переставая удивляться: ну как же так? Это же азы той науки, которую называют криминологией! И никогда, насколько он помнил, ни в одном учебнике криминологии он не встречал ссылок на Радищева. Как это возможно? Оказывается, этот писатель и государственный деятель еще в 1801—1802 годах, то есть больше двухсот лет назад, четко разделил закон и правоприменительную деятельность, заявив: ни один, даже самый совершенный закон, не в состоянии сам по себе защитить гражданина от обмана и насилия, закон «не может всегда воспретить, чтоб человек не покусился на неправду, чтобы не впадал в преступление». Сколь законы ни мудры, а человеческие страсти делают мудрость их напрасною... И оказывается, акцент на профилактику преступлений и правонарушений вовсе не является гениальным достижением «советской криминологии», как гласили учебники; идея была сформулирована все тем же Радищевым: «Правило всякого законоположения, правило, долженствующее почитаться всегда аксиомою, есть: что лучше предупреждать преступления, нежели оные наказывать». Елки-палки! А судебная статистика? Это ведь тоже из трудов Радищева, который считал, что прежде чем заниматься изменением уголовных законов, нужно изучить преступность и судебную практику за предыдущие 100 лет, при этом предлагал вполне конкретные формы статистического учета, в которые вносились бы сведения о событии преступления, о причинах и условиях его совершения, о методах раскрытия, о предпринятых преступником способах избежать поимки и наказания, о квалификации содеянного, о судебном решении по делу. Стало быть, получается, что известные каждому оперу карточки первичного учета были придуманы и предложены больше двухсот лет назад?! И современные формы статистической отчетности тоже оттуда. Уму непостижимо! Да... Придуманы, предложены, но не внедрены в практику... Или внедрены, просто об этом не принято говорить, потому что на протяжении семидесяти лет все должны были считать, что при царизме в России не было вообще ничего хорошего и умного, кроме великой русской литературы, обличающей этот самый царизм, а все хорошее, умное и передовое придумали под руководством коммунистов? Черт его знает...

Анна продолжала рассказывать, стараясь избегать тяжеловесных оборотов первоисточника и заменяя многие слова более современными терминами. Выяснилось, что и социология права — тоже из Радищева. Он настаивал на том, что необходимо изучать причины нарушений законов, чтобы точно понимать, связаны они с нравами, обычаями и умонастроениями, «или корень свой влекут из проходящих обстоятельств, от нечаянности, от худого или ложного о вещах понятия», иными словами, «сии причины суть всегдашни и общи или временные и частные».

Очнулся Дзюба только тогда, когда Анна заявила:

— Лекция окончена, господа студенты и вольнослушатели могут выйти на перерыв. Если студент Гудвин собирается еще поработать, то предлагаю все-таки пойти выпить чаю.

Он с готовностью поднялся и пошел следом за Анной на кухню.

— Самообслуживайся, — она кивком указала на холодильник. — Я пока чай заварю.

Роман сделал бутерброды на двоих, уселся за стол.

— Так это ты реферат по Радищеву сейчас строчила? — спросил он.

— Реферат я давно написала, вечером еще. Сейчас я для Аркадия Михайловича текст пишу. Он тебе, наверное, говорил: он мне дает фактический материал, я делаю из него публицистику, а наши журналисты эти тексты размещают в своих изданиях и блогах, но уже под своими именами. Они известные, их публика любит и им доверяет, поэтому сказанное ими воспринимается с большим доверием.

— Аркадий говорил, что у тебя тоже блог, — заметил Роман.

— Это само собой. Но он рассчитан на другую аудиторию. У меня такая фишка: я каждый будний день смотрю наше местное ток-шоу и делаю в своем блоге критический разбор. Такой, знаешь, для дамочек и девиц: кто какую глупость сказал, кто как был одет, как выглядел, как неудачно повернулся. Можно было бы, конечно, работать с каким-нибудь федеральным шоу, но моя задача — охватить население конкретно нашего города, а нашим жителям намного интереснее смотреть и слушать про то, что происходит у нас, а не где-то там в столицах. Честно сказать, я сама не ожидала, что в населении такое огромное количество людей, которые любят смаковать чужие ошибки и промахи. Ну просто хлебом их не корми — дай посудачить о том, что кто-то неудачную пластику сделал, платье не того цвета надел, глупость ляпнул. В общем, на этом я и играю. Каждый день пишу в блоге про это ток-шоу, а между делом вставляю информацию о том, что нужно для программы. Ну вот например: на героине платье, на платье пятно, явно она поленилась воспользоваться услугами химчистки, а кстати, милые дамы, в нашем городе один человек сдал вещи в чистку, получил испорченными, обращался во все инстанции вплоть до суда, а результата никакого — и далее везде. Два абзаца про шоу — пять про «а кстати».

Значит, вот что она смотрела в компьютере, когда надевала наушники! Занятно. Но оригинально.

— А для Аркадия о чем пишешь сейчас?

— О том же, о чем обычно: о том, что человеку, ставшему жертвой преступления, очень трудно добиться возбуждения уголовного дела. Как правило, Аркадий Михайлович дает мне конкретные факты с именами и датами, а я делаю из этого статью. А сегодня он дал мне официальную статистику из Генпрокуратуры, вот я с ней и ковыряюсь. Но она тоже корявая, на нее опираться нельзя. Вот скажи мне как полицейский: в полиции часто отказывают в возбуждении уголовного дела?

— Сплошь и рядом, — кивнул Дзюба. — А какие там цифры у Генпрокуратуры?

— Цифры странные, я поэтому и спрашиваю. Смотри: в четырнадцатом году выявлено больше тысячи случаев неправомерных отказов, в пятнадцатом — больше двух тысяч, а в шестнадцатом — всего пятьсот с хвостиком. Получается, что полиция наглела-наглела прямо на глазах, а потом взяла и в один момент перевоспиталась. Разве так бывает?

— Сколько-сколько? — расхохотался он. — Ну, мастера! Ну, жулье! Пятьсот с хвостиком — это на один административный округ в Москве и то мало будет. А уж на всю страну... Да у моих коллег целая система уловок и приемов разработана, лишь бы не допустить возбуждения дела. Они отказывать научились намного лучше, чем раскрывать преступления.

— Я филолог, а не юрист, поэтому, наверное, плохо понимаю механизм, — задумчиво проговорила Анна. — Описать историю, основанную на фактах, я еще могу, а вот сделать обобщение на основе статистики — это вряд ли потяну. Поможешь?

— Мышонок, помогу, конечно, но...

— Понимаю, — поспешно перебила она, — тебе Аркадий Михайлович дал задание и срок до утра, тебе нужно работать. Ну не сейчас, а потом когда-нибудь, может, завтра или послезавтра... У меня с этим материалом сроки не горят, просто я им сейчас занялась, потому что ты не спишь, работаешь, и мне вроде как неловко бросить тебя и завалиться в постель. А хочешь, я тебе помогу?

— Каким образом?

— Да любым, каким скажешь. Могу что-нибудь поискать в Интернете, например, если надо. Или прочитать что-нибудь и сделать выписки.

Дзюба встал, потянулся до хруста в костях. Одурь

постепенно спадала. Правильно говорят, что при бессонной ночи самое тяжелое время — с трех до четырех часов. Если их перетерпеть, то потом становится легче.

— Ложись-ка ты спать, Мышонок. У меня голова вроде прояснилась немного, пойду я к своему станку.

Анна

«Он не хочет твоей помощи, потому что ты глупая и неумелая», — нашептывали Гады, высунувшиеся из норы, едва только Анна выключила компьютер и вышла в соседнюю комнату — маленькую спальню. «Да перестаньте, — возражали Искатели, — не порите ерунды, Роман — хороший парень, и вовсе он не собирался ее обижать».

«Но обидел же! — тут же встряли Защитники. — Она к нему со всей душой, и чай ему, и еду, и диван, и помощь предложила, а он в ответ что? Ничего! Потому что козел, как и все мужики».

«Вот правильно! — вмешались Надсмотрщики. — Правильно говорите! Все дело не в том, что она глупая или неумелая, а именно в том, что этот Роман козел, как и все. А Анна ни капельки не глупая, она вон сколько всего знает и умеет».

Анна чистила зубы и принимала душ, а голоса становились все громче, выкрики — истеричнее, аргументы — острее.

«Если бы она не была глупой, ей бы сразу все объяснили. И Аркадий Михайлович объяснил бы, и Роман. Втемную используют только тех, кого считают ниже себя по интеллекту, — шипели Гады. — Что это за дело такое? Зачем Анна должна изображать из себя любовницу Романа? В чем там фишка? Ей ничего не рассказали, ничего не объяснили, потому что она недостойна, ей не хватает ума и сообразительности. Или ее считают ненадежной. Не доверяют ей».

«Заткнитесь! — возмущенно отвечали Надсмотрщики. — Что вы понимаете? Это же работа полиции, она должна быть секретной, нельзя ничего никому рассказывать. Болтун — находка для шпиона, забыли?»

«И ничего хорошего в этом Романе нет, — зудели Защитники. — Рыжий, конопатый, самовлюбленный козел! Расселся на ее диване и уткнулся в свой ноутбук, строит из себя великого мыслителя. И еще Мышонком ее называет, как будто более приличного слова найти не смог. Смог, да не захотел! Потому что козел и других людей ни в грош не ставит! Для него все люди — пыль под ногами, и Анечка тоже!»

В этой сваре почти совсем не слышны были голоса Искателей:

«Но ведь Аркадий Михайлович попросил о помощи именно ее, Анну, а не какую-нибудь другую девушку. Значит, он ей доверяет, он ее ценит, он в ней уверен. Он знает, что Анна — надежная, исполнительная и толковая, иначе он и в программу бы ее не взял, и с Романом не познакомил. Ее помощь нужна, необходима, просто она выражается в том, чтобы обеспечить Роману возможность выполнить свою работу, а не в том, чтобы выполнять эту работу вместе с ним или вместо него. У каждого свой участок, своя зона ответственности...»

Анна ненавидела эти периоды, длившиеся от нескольких минут до нескольких часов. Каждой своей клеточкой она ощущала, как раскручивается спираль истерики, и ей хотелось выть, царапаться и бить чем-нибудь тяжелым по всему, что попадалось под руку. Она так хотела быть полезной, ей так нравилось помогать! Только в помощи другим людям Анна Зеленцова видела собственную ценность. Помощь — это реальная польза, которую можно принести. И чем быстрее и эффективнее эта помощь будет оказана, тем искреннее ее похвалят, тем сильнее будут любить и тем выше будет ее самооценка. За годы, проведенные возле бабушкиной постели, сформировалось твердое убеждение в том, что помогать и быть полезной и нужной — это самое главное. Не красивой, не умной, не удачливой, а именно полезной и нужной. Только это оправдывает твое существование в этом мире. Если ты бесполезен — ты никто и ничто. Она была нужна бабушке, она была полезна маме... А теперь она не нужна никому. И даже этот рыжий дурацкий Гудвин отказался от ее помощи. Даже он считает, что она недостаточно умна для той работы, которую он выполняет.

«Ну зачем ты так? — укоризненно говорили Надсмотрщики. — Как это — ты не нужна никому? Ты нужна Аркадию Михайловичу, ты нужна программе, вспомни, сколько материалов ты написала для журналистов и как Аркадий тебя хвалил! А посмотри, сколько людей читают твой блог! Ты очень умная, у тебя прекрасный слог, ты умеешь находить слова, которые цепляют внимание и будят чувства. Это редкий дар!»

Анну знобило, она натянула одеяло до самого носа, свернулась калачиком в постели. Эх, если бы существовала такая волшебная таблетка: выпил — и ни одной плохой мысли в голове, остаются только радостные, позитивные и спокойные. Говорят, такие таблетки есть, они хорошо помогают, только вызывают быстрое привыкание. Ей очень хотелось попробовать такой препарат хотя бы разочек, особенно в те моменты, когда между внутренними сущностями разгоралась настоящая война. Но она боялась стать зависимой от лекарства. И еще боялась, что если таблетки подействуют на мышление, то она утратит те свои способности, за которые ее хвалит Аркадий Михайлович. Да и вообще умственная работа может пострадать, и тогда она не сможет зарабатывать рефератами, дипломами и статьями. Голову надо хранить и беречь. Но, господи, как же трудно удержаться от соблазна, когда сущности принимаются скандалить и никак не хотят успокоиться!

Она резко повернулась на диване, хотела достать лежащий на прикроватном столике телефон, чтобы посмотреть, который час, задела рукой настольную лампу, при свете которой обычно читала перед сном. Лампа с грохотом разбилась. Старая, громоздкая, со стеклянным абажуром, купленная в незапамятные времена еще родителями отца.

«Мало того что глупая и не вызывающая доверия, так еще и корявая, руки-крюки, — немедленно забрюзжали Гады. — Вещь разбила. Теперь придется деньги тратить на новую. Не человек, а ходячая авария!»

Анна понимала, что нужно встать, включить верхний свет, принести веник и совок, вымести куски стекла, потом тщательно пропылесосить. Она спустила ноги на пол, не смогла сразу нащупать тапочки и тут же наткнулась на острый осколок. Свод стопы обожгло огнем. Отдернув ногу, она испуганно подтянула колени к подбородку и вдруг расплакалась.

«Какая же я никчемная, — проносилось в голове под бурные аплодисменты Гадов. — Лампу разбила, ногу поранила, от меня одни убытки и никакой пользы...»

За дверью послышались шаги, потом осторожный стук.

— Мышонок, у тебя все в порядке? Что там у тебя грохнуло?

— Я лампу разбила! — прорыдала Анна.

— Можно войти?

— Угу, — провыла она.

Дверь открылась, в освещенном проеме возникла широкоплечая фигура.

— Можно зажечь свет?

— Дыыы... — захлебываясь слезами, выдавила Анна.

Вспыхнули лампочки потолочного светильника. Анна сжалась в комочек под одеялом, стараясь спрятать залитое слезами искривленное лицо. Есть женщины, которых слезы не портят, но она точно знала, что это — не про нее.

— Где у тебя веник и совок? — спросил Роман.

— Не нужно, я сама...

Он быстро окинул взглядом пододеяльник, заметил пятнышко крови.

— Порезалась? Аптечка есть?

— В ванной.

— Лежи, я принесу.

Через минуту он вернулся, неся в руках пластиковую синюю коробку.

— Я сама, — повторила Анна уже тверже.

Мысль о том, что ее ногу будет держать и обрабатывать этот чужой, в сущности, парень, была ей неприятна. И почему-то в тот момент ей пришло в голову, что она давно не делала педикюр. Пожалуй, такие ноги стыдно показывать посторонним... То есть сами-то ноги в порядке, но лак на ногтях уже облупился.

— Хорошо, — Дзюба протянул ей коробку. — Давай сама. Я пока осколки уберу.

— Я сама...

— Лежи уж, — улыбнулся он. — Ногой лучше занимайся.

Анна выпростала ногу из-под одеяла и осмотрела ранку. Даже и не ранка это была, просто царапина, из которой вытекло буквально пару капель крови. А так больно было, наверное, от неожиданности, да и место неудачное, очень чувствительное. Пока Роман орудовал веником, она быстро обработала стопу антисептиком и заклеила царапину пластырем.

«Он считает тебя настолько неудалой, что не доверил даже вымести осколки», — назойливо прожужжали Гады.

«Он бросился тебе на помощь! — тут же вступили в бой Искатели. — Он очень хороший!»

«Ничего в нем нет хорошего, — заворчали Защитники. — Он рассматривает тебя как вспомогательный инструмент, как вещь, которую нужно содержать в порядке. Потому и пришел проверить, не сломалась ли машинка».

Искатели запротестовали против такой несправедливости.

«Неправда! — завопили они. — Если бы он относился к тебе только как к инструменту, он бы повернулся и ушел, увидев, что ты жива и здорова. В крайнем случае, он настоял бы на том, чтобы самому осмотреть порез и убедиться, что ты в порядке. А пол мести и осколки вручную собирать он не стал бы! Защитники твои все врут, не верь им!»

«Я не могу больше это слушать, — подумала Анна. — Я не хочу это слушать. Господи, ну помоги же мне, подскажи, как остановить поток этих ужасных мыслей, которые не дают мне спокойно жить!»

Ей было одновременно и стыдно и сладко. Стыдно за то, что она в глазах Романа оказалась такой нелепой и неуклюжей, да еще и ревела белугой. И сладко оттого, что он прибежал, чтобы ей помочь. Он беспокоился, все ли у нее в порядке. Ему было не все равно. Как давно не испытывала она этого радостного чувства: знать, что есть человек, которому не все равно, что с тобой происходит...

ИЗ БЛОГА
АННЫ ЗЕЛЕНЦОВОЙ

Ну что вам сказать о сегодняшнем эфире, дорогие мои читатели? Плачется девушка, которая так хотела выйти замуж «в Германию», а нарвалась на прикидывавшегося коренным немцем нашего бывшего соотечественника, не имеющего в прекрасной Баварии ни кола ни двора и живущего на социальное пособие. Девушку-то не особо жалко, согласитесь, по крайней мере, в студии она вела себя так, что ни малейшего сочувствия не вызывала. Но я хотела сегодня порассуждать с вами на тему о том, почему наши дамы так рвутся «взамуж» за границу? Ну чем там лучше-то?

Возьмем хоть ту же Германию. Там же по улицам страшно пройти! Сплошные воры, грабители, мошенники, наркоманы, насильники, убийцы! С чего я это взяла? А вот же данные, открытые, опубликованные, читай — не хочу. В Германии за год регистрируется больше 6 миллионов преступлений. 6 миллионов!!! А в России — чуть больше 2 миллионов. Это притом, что в Германии населения всего 82 миллиона человек, а в России чуть ли не в два раза больше, 147 миллионов. Поделите количество преступлений на численность населения, и сами увидите разницу. В Германии плотность преступников намного-намного выше. Так чего ж туда рваться-то? Жизнь, что ли, не дорога?

Это я так наивно рассуждала, пока не спросила у специалистов, что же означают эти странные и пугающие цифры. А специалисты мне быстренько разобъяснили, что в приличных странах полиция принимает все жалобы и регистрирует все преступления, в отличие от нашей страны, где заявления о преступлениях стараются не принимать под любыми предлогами. Во-первых, чтобы статистику не портить, а во-вторых, просто работать неохота. Скажу вам больше: имидж нашей полиции испорчен настолько, что люди, считающие себя жертвами преступников, в каждом третьем случае даже и не обращаются в правоохранительные органы. А чего обращаться, если все равно не помогут, даже утешить не попытаются, не то что злодеев каких-то искать! Те же специалисты рассказали мне про опросы населения, которые проводились в самом начале 1990-х, то есть четверть века назад. Людей спрашивали, приходилось ли им становиться жертвой преступления, обращались ли они в милицию и если не обращались, то почему. И представьте себе, 38% опрошенных граждан признались, что жертвой были, а в милицию не обращались. И это в те времена, когда общественное мнение о милиции было еще вполне приличным, поскольку служители порядка к тому моменту не сильно успели запятнать свое честное имя. Представляете, каков этот процент сегодня? Какая там треть! Это я так написала, примерно, опираясь на устаревшие данные. Сегодня, я думаю, этот показатель перевалил за половину...

Четвертый монолог

Расчет, подсказанный мне Прекрасным Оком, оказался верным. Папина подруга уже в момент знакомства со мной была беременна, и спустя несколько месяцев ему стало ну совсем не до меня. Он вкалывал на трех работах и был более чем доволен, что я звоню раз в три-четыре дня и коротко докладываю: «У меня все в порядке». Брать у него деньги было совестно, но приходилось: моих мелких подработок хватало только на прокорм, а ведь нужно было оплачивать и съемное жилье, пусть и самое плохое и дешевое.

Институт я бросил, как и собирался, и целыми днями занимался музыкой. Квартиру я выбирал, соблюдая единственное требование: в ней должно быть пианино. Жилье оказалось неблагоустроенное, запущенное, в отдаленном от центра районе, но инструмент в нем был. И это главное.

Отец отвык от меня очень быстро. Новая семья, новые заботы и исступленное зарабатывание денег не оставляли ему времени и сил на то, чтобы беспокоиться о живущем отдельно беспроблемном сыне, а уж тем более навещать его. Даже удивительно, что при такой, как мне казалось, близости и взаимной любви я мгновенно превратился в «отрезанный ломоть». Наверное, и в этом мне тоже помогло Прекрасное Око. Я появлялся у отца и его подруги (они так и не расписались почему-то) несколько раз в год, на дни рождения, приносил нехитрые подарки, минут пять тетешкал куколку-сестренку и умело изображал участника семейного ужина. Этим наши контакты, помимо телефонных, и ограничивались. Все были довольны.

Подошло время, когда я должен был, по идее, закончить институт и пойти работать в школу. К этому моменту я уже значительно продвинулся в своих музыкальных занятиях и довольно резво записывал на нотной бумаге рождающиеся в голове мелодии, пока еще простенькие и с примитивным аккомпанементом. Но для меня, никогда не обучавшегося ни в музыкальной школе, ни у частных преподавателей, это был гигантский скачок вперед, к моей мечте, к моей великой цели.

Скрывать тот факт, что я не учусь в институте, мне вполне удавалось, но я боялся, что с работой в школе этот фокус не пройдет. Новому папиному ребенку уже три года, еще немного — и встанет вопрос о том, чтобы отдать девочку именно в ту школу, где я якобы работаю. Конечно, за это время все может измениться, и я создам свою музыку, которая изменит мир, и тогда уже никого не будет волновать, где и кем я работаю, но... Я неплохо знал математику и легко просчитал, что чем больше отец работает, тем больше у него контактов, а это означает, что вероятность спалиться для меня резко возрастает. Правило «пяти рукопожатий» никто не отменил, и если папа работает в трех разных местах, то в условиях нашего города правда обо мне выплывет скорее рано, чем поздно. Я счел, что будет лучше, если я уеду подальше. В другой город. И буду оттуда спокойно врать о своей состоявшейся профессиональной жизни и тщательно оберегать свою великую тайну о миссии, возложенной на меня Прекрасным Оком.

Папина подруга оказалась человеком щедрым. От какой-то одинокой тетки она получила в наследство квартиру и выразила готовность продать ее, чтобы я смог купить себе жилье в том городе, куда я собрался ехать учить детей «математически разумному и математически вечному», хотя вряд ли доброму. Вероятно, она считала себя отчасти виноватой в том, что ребенка выгнали из родительского дома и оставили без отцовской поддержки. Мне смешно было думать о ее наивном заблуждении, но Прекрасное Око и в этот раз помогло мне изобразить искреннюю благодарность и растроганность.

Итак, я уехал. Купил самую маленькую и самую дешевую квартиру, какую только смог найти, стараясь, чтобы цена оказалась существенно меньше суммы, выданной мне папиной подругой. Разница вышла вполне приличной, позволявшей какое-то время вообще не работать даже после покупки самой необходимой мебели и предметов обихода. Но я все-таки нашел работу. Платили мало, но если брать понемногу из оставшихся после покупки жилья денег, то можно протянуть довольно долго.

Старенькое пианино досталось мне вообще бесплатно: владельцы инструмента были счастливы, что кто-то заберет и вывезет из дома ставший ненужным громоздкий предмет, который только занимает место, собирает пыль и не приносит никакой пользы.

Я жил уединенно и почти ни с кем не знакомился, общаясь лишь с теми, с кем приходилось контактировать по работе. Мне никто не был нужен. Только моя музыка, которая постепенно становилась все более выразительной. Но прошло время, и я понял, что одним лишь пианино мне не обойтись, если я хочу получить тот эффект, к которому стремлюсь. В звучании инструментов я разбирался крайне слабо, ведь у меня не было учителей. Пришлось познакомиться с каким-то утлым дедом, которого я заприметил в магазине, где продавались диски. Дед спрашивал записи Рахманинова и какого-то Рождественского. Про Рахманинова я читал, это имя было мне знакомо, а про Рождественского слышал впервые.

— Рождественский — это кто? — довольно бесцеремонно спросил я дедка. — Тоже композитор?

— Это великий дирижер, — строго ответил дедок и недовольно глянул на меня из-под поредевших от старости белесых бровей.

И тут снова у меня рядом с ухом возникло Прекрасное Око и стало подсказывать слова, прочитанные когда-то и тут же вроде бы забытые. Я действительно очень много прочел за эти годы о музыке, композиторах и музыкантах, и в голове, оказывается, отложились целые фразы. Благодаря помощи Ока мне удалось поговорить с дедком так, что он сказал:

— Если хотите, мы можем пойти ко мне домой, я вам на примерах объясню, чем отличаются друг от друга трактовки разных дирижеров.

А мне только этого и нужно было. Уже через полчаса я сидел в уютной квартирке одинокого дедка и слушал его пояснения:

— Вот здесь главную линию ведут скрипки... А вот это же самое место, но у другого дирижера, и здесь больше слышна партия альтов... Вот это флейта... Это рожок... Это медная группа... Слышите, какой акцент трагичности появляется благодаря тому, что слышно медь? А в другом исполнении — вот послушайте — в этом месте ведут струнные, и возникает ощущение тихой печали, а не трагичности...

Мне было трудно, но я кивал и просил включить еще раз, и еще, и еще. Постепенно я начал слышать, пусть не все, о чем говорил дедок, но ведь еще вчера я и этой малости не знал и не понимал.

Ушел я далеко за полночь, попросив разрешения назавтра прийти еще. И вообще приходить до тех пор, пока в голове не наступит ясное понимание и я не научусь даже мысленно слышать, что и как звучит. Дедок был страшно доволен; похоже, я изрядно скрасил его одиночество. Но дома на меня напал страх: ведь Прекрасное Око сказало, что я должен все сделать сам. А я посмел ослушаться и нашел учителя. Что теперь будет? Око перестанет считать меня Избранным и передаст великую миссию другому? Или сурово накажет меня?

Я промучился всю ночь, не сомкнув глаз, но утром получил ответ: если хочешь что-то сделать — сначала научись, а учиться невозможно без учителей. Ведь те люди, которые написали самоучители, тоже могут считаться моими учителями. И те, кто написал бесчисленные прочитанные мною материалы о музыкантах. Значит, учителя допустимы. Недопустимы помощники. Но помощников у меня нет, не было и не будет.

Мне стало легче. Я выпил бутылку сока с бутербродом и заснул, а когда проснулся — отправился к дедку. Тот ждал меня и даже купил печенья и конфет к чаю. Мне стало неловко, и я дал себе слово в следующий раз ни в коем случае не приходить с пустыми руками.

Так прошло около месяца. И я решился показать ему свою музыку. Принес нотную тетрадь с записанной мелодией, которую я считал на тот момент самой своей удачной. У дедка был рояль, небольшой, кабинетный, и я представлял себе, как он поднимет крышку, поставит на пюпитр ноты и начнет играть. Играть МОЮ МУЗЫКУ. Потом, когда закончит, медленно снимет руки с клавиатуры и восхищенно выдохнет: «Удивительно!» Или: «Потрясающе!»

Но вышло совсем не так. Дедок к роялю не пошел, просто открыл тетрадь и пробежал глазами две страницы. Потом поднял на меня спокойный и даже отрешенный взгляд.

— И что это такое?

— Это... — я растерялся. — Я думал, вы сыграете и сами услышите...

— Я и так слышу, мне рояль для этого не нужен, — усмехнулся дедок.

Я еще больше растерялся.

— Как это?

— Любой человек, который занимается музыкой, умеет читать с листа и в уме. Так что это такое?

Он кивнул на тетрадь, которую все еще держал в руках.

— Это я сочинил. Хотел узнать ваше мнение.

— Я понимаю, что это ты сочинил. Но что это? Песня? Романс? Свадебный марш? Или, может, похоронный? Каково предназначение этой мелодии?

— Вы просто скажите мне, это хорошая музыка или плохая.

— Друг мой, я не оцениваю музыку в категориях «хорошо» или «плохо», я оцениваю в категориях «годится» или «не годится». Как мелодия для примитивной песенки в жанре дешевого шансона — вполне пойдет. Включи телевизор, там такое на каждом канале. Как ария из оперы — не пойдет, не годится. Как главная тема для сонаты — не годится тем более. Эта музыка — уровень детского сада. Поэтому я повторю свой вопрос: что это?

Я молча забрал тетрадь и ушел. Больше я к дедку не приходил, хотя мне еще было много чему у него поучиться. Но он не понял ни меня, ни мою музыку. Он назвал результат моего творчества примитивной песенкой для дешевого шансона.

Старый дурак, свихнувшийся от одиночества.

Да, моя музыка пока еще не совершенна, в ней нет той великой гармонии, которую я сам почувствовал бы. Но она УЖЕ прекрасна, в этом я не сомневался. И ждал, что дедок, сыграв мою музыку, восхитится и подскажет, где и что нужно чуть-чуть доделать, чтобы прекрасное стало совершенным. А он... Даже играть не стал. И никакого восхищения. И никаких дельных советов.

Дзюба

Роману было неловко: Анне из-за него так и не удалось поспать сегодня. Сначала она работала, потом вроде бы легла, но, судя по тому, что разбила лампу, так и не заснула, а когда заклеила ногу — встала и пошла готовить завтрак.

— Бессмысленно затеваться со сном, — сказала она. — Шесть утра уже. Я, конечно, засну, но потом буду разбитая и никуда не годная. Лучше уж перетерпеть до вечера и лечь пораньше.

— Ну, если удастся, — усмехнулся Дзюба. — Неизвестно, как день сложится. Я-то привычный, давно натренировался по двое суток работать без сна: сутки отбарабанишь в дежурной группе, потом еще до поздней ночи домой не уйдешь. А тебе, наверное, тяжело будет.

— Нормально. Ты свою работу сделал, которую Аркадий поручил?

— Частично, — вздохнул он. — Мозгов не хватает. Для такой работы нужен коллектив человек в пять и времени побольше, хотя бы трое суток. А тут я один, дурак дураком, и сроки поджимают.

При этих словах Анна, стоявшая в длинном, до пола, махровом васильково-синем халате перед открытым холодильником, резко обернулась. И снова на Романа плеснуло недоверием и подозрительностью.

— Слушай, Гудвин, а тебе не бывает стыдно признаваться в том, что ты дурак? Не боишься, что над тобой будут смеяться?

— Так надо мной всю жизнь смеются. Потому что рыжий и потому что вечно лезу куда надо и куда не надо со всякими безумными идеями. Я же тебе рассказывал, что меня называют фантазером и сказочником.

— И как оно тебе? Не обидно?

— Давай по порядку. — Дзюба отодвинул Анну от холодильника и закрыл дверцу. — Признаваться в том, что ты недостаточно умен и чего-то не понимаешь или не можешь сообразить, не стыдно. Никогда и никому. Это если объективно. А если субъективно, то, конечно, масса людей страдает проблемами с самооценкой, и им признавать себя дураками просто невыносимо. Дальше: надо мной всю жизнь смеются, но мне это безразлично. То есть никак меня не задевает.

— Почему?

— Не знаю. Наверное, меня так воспитали. Когда я был совсем маленьким, еще в детский сад ходил, меня никто не трогал. А как пошел в школу, так и началось. Рыжий-рыжий-конопатый-стукнул-дедушку-лопатой и все в таком духе. Я к маме жаловаться побежал, а она сказала: «Если люди рядом с тобой смеются, значит, им весело и у них хорошее настроение. А когда у людей хорошее настроение — это же замечательно!» Не дословно, конечно, но приблизительно так. И как-то мне эти слова в душу запали. Видимо, мама сумела так сформулировать свою мысль, что мне, шестилетнему пацану, она стала понятна и близка. И с тех пор как отрезало! Все ржут — и я вместе со всеми. Или внимания не обращаю. А уж как только надо мной не издевались! И в школе, и на службе... Особенно мой первый наставник надо мной изгалялся, не будь он тем помянут.

Роман вспомнил погибшего Гену Колосенцева, и голос его дрогнул.

— Почему «помянут»? — настороженно уточнила Анна. — Он умер?

— Убит, — коротко ответил он.

— А почему ты сказал «первый наставник»? Был еще и второй?

— Был. И есть. Антон. С Геной я работал в округе, а с Антоном — уже на Петровке, он меня туда и перетянул с «земли». Он совсем другой. Он меня учит, натаскивает, на все мои вопросы отвечает. А вопросы, сама понимаешь, далеко не всегда бывают умными. Иногда такую глупость спрошу — хоть стой, хоть падай. Но у Тохи терпения — море, у него двое детей, так что он хорошо натренировался на любые вопросы отвечать и не раздражаться.

— А у тебя самого дети есть?

— Нету. Я и женат-то еще не был. Мышонок, ты что-то такое говорила насчет завтрака, или мне показалось?

— Да, завтрак... — рассеянно кивнула Анна, снова открывая холодильник. — Творог со сметаной будешь?

— Буду, если с сахарным песком. Или вареньица какого-нибудь добавить, а то кисло. И с хлебом.

— Наш Гудвин любит сладкое?

В ее голосе отчетливо прозвучала ирония.

«Наверное, ей внушили, что мужчина, который любит сладкое, совсем не мужчина. Настоящий мужик должен любить мясо и водку и закусывать ее чесноком или селедкой с луком», — подумал Дзюба.

— Твой Гудвин обожает сладкое. И совершенно не стыдится в этом признаваться, — ответил он. — Потому что в этом нет ровно ничего постыдного. Постыдными могут быть только поступки, совершенные по низменным, некрасивым мотивам. А быть рыжим, глупым или сладкоежкой — не стыдно.

Анна смешала в пластиковой миске творог, сметану и мед, нарезала хлеб, поставила на стол тарелки, положила приборы. Роман быстро смел свою порцию, выпил две чашки крепкого кофе и отправился перечитывать материалы.

Итак, что «дано в условии задачи»? Игорь Вадимович Песков, 1976 года рождения, москвич, привлеченный пару лет назад к работе по программе, пришел к выводу, что правила и принципы этой программы не дают нужного результата и действовать следует по-другому. Его идеи не нашли поддержки среди соратников, более того, были подвергнуты резкой критике. После чего, спустя некоторое время, господин Песков продал дачный участок за очень солидные деньги, уволился с работы, наврал тетке, что едет к другу-леснику, и отправился сначала в сторону Брянска, а далее — неизвестно куда. Случилось это в апреле 2016 года. А в мае, точнее — 17 мая 2016 года, в городе Сереброве обнаружен труп женщины средних лет. И никто не вспомнил, что ровно за год до этого, 17 мая 2015 года, точно в том же самом месте нашли тело двадцатипятилетнего мужчины. Похоже, обнаружение мертвых тел в этом месте никого не удивляло: неподалеку расположен вокзал и железнодорожный узел, на территории обитает огромное количество бомжей и алкашей, среди них и спрятаться может кто угодно — никогда не найдут, и пропасть может любой из них — никто не спохватится. Вторая жертва — женщина средних лет — была как раз из категории постоянных обитателей привокзальной местности, совершенно спившаяся, давно потерявшая человеческий облик. А вот первая жертва, некто Борискин, с бомжами ничего общего не имел, работал менеджером в логистической компании. Более чем приличный молодой человек, хотя в момент убийства и был изрядно нетрезв, но лишь потому, что побывал на дне рождения у приятеля. И первое, и второе убийства остались нераскрытыми.

Прошло меньше месяца, и в городе Шолохове, расположенном в 60 километрах от Сереброва, 10 июня находят тело двадцатилетнего юноши. И опять никто не вспоминает о том, что за год до этого, 10 июня 2015 года, в том же самом месте, на небольшом городском пляже на берегу водохранилища, уже находили труп. И тоже мужской. Правда, в прошлом году потерпевший был чуть постарше, но не значительно. Пляж летом — место особое, на нем устраивают пикники, занимаются любовью, ссорятся, дерутся, выпивают и закусывают, знакомятся, играют в карты... Кого удивит убийство летом возле воды? Никого. Кто вспомнит точную дату прошлогоднего убийства? Никто.

3 августа 2016 года — труп во Дворецке, юная наркоманка, в крови которой было столько героина, что если бы ее не задушили, она, скорее всего, умерла бы сама если не через два-три часа, то уж через два-три дня — наверняка. Тело нашли в городском лесопарке. За год до этого в том же месте, рядом с той же скамейкой и под тем же самым деревом, нашли мертвого наркомана, причина смерти — передозировка,

заключение судмедэкспертизы ни у кого сомнений не вызвало, признаков насильственной смерти не выявлено. Опять же место такое... Что ни рейд — с десяток задержанных, так кого удивит мертвый наркоман?

28 сентября 2016 года — Елогорск, территория замороженной давным-давно стройки, где начали и бросили возводить многоквартирный жилой дом. Год назад на втором этаже обнаружили висящее в петле тело молодой женщины. Следствие очень быстро пришло к выводу о том, что это суицид, и дело прекратили. В этом году на том же втором этаже нашли повешенного пожилого мужчину. Признаки насилия были явными, так что ни о каком самоповешении речь не шла. Но поскольку за год до этого было совершено не умышленное убийство, а самоубийство, то о нем, само собой, никто не вспомнил. Вернее, кто-то что-то вспомнил, ровно столько, чтобы назвать замороженную стройку «про́клятым местом», но явно недостаточно, чтобы связать оба трупа.

И, наконец, Тавридин. 1 ноября 2015 года в промзоне совершено убийство из ревности, 1 ноября 2016 года — убийство Георгия Петропавловского. 5 ноября появляется статья тавридинского журналиста. Выходит, Песков не уехал сразу после совершения преступления, а подзадержался в Тавридине как минимум еще на 4—5 дней. Либо сразу уехал, а потом вернулся. Интересно, почему он из всех городов выбрал именно Тавридин, чтобы «слить» в средства массовой информации свой материал? Он с таким же успехом мог проделать это и в Сереброве, и в Шолохове, и в Елогорске, и в Дворецке.

Итог — десять трупов, из них восемь — криминальные, один суицид и одна смерть от передоза.

Из пяти эпизодов прошлого года одно убийство раскрыто (в Тавридине), два — во Дворецке и в Елогорске — не являются криминальными, и еще два (Серебров и Шолохов) — «висяки», которыми, похоже, никто уже и не собирается заниматься. Из пяти эпизодов года нынешнего криминальные все пять. И перед Романом Дзюбой вовсе не стоит задача раскрыть эти последние убийства, ибо преступник отлично известен: Игорь Вадимович Песков. Ему нужно (всего-то навсего!) выяснить внутренний механизм, согласно которому Песков принимает решения, и вычислить место его следующего удара. Конечно, хорошо бы найти Пескова там, где он сейчас находится, но это, скорее всего, нереально, поэтому надо постараться хотя бы перехватить его в том месте, куда он потом направится. Вся проблема в том, чтобы понять куда.

Если вообще это Песков, а не кто-то совсем другой... Но раскрывать убийства на чужой территории Дзюбе в любом случае не нужно, никто ему этого и не позволит.

Роман открыл в компьютере карту и взял листок бумаги: надо первым делом попытаться составить схему движения Пескова по расстояниям и по срокам. На карте он прочерчивал траекторию, на бумаге записывал даты.

— Роман... — послышался осторожный голос Анны.

— Гудвин, — строго поправил он, не отрывая глаз от экрана.

— Ну да, Гудвин... Тебе не будет мешать, если я на кухне включу аудиокнигу?

— Конечно, включай, — рассеянно кивнул Дзюба.

Анна скрылась в кухне, притворив дверь. Смешная она... Никогда в жизни у капитана Дзюбы не было отдельного кабинета, в котором можно было бы предаваться размышлениям в тишине и покое. Он привык думать на ходу, на бегу, в помещении, где все время кто-то разговаривал и что-то происходило. Разве может ему помешать какая-то аудиокнига? Звукоизоляция в доме, разумеется, не идеальная, и при определенном напряжении слуха можно даже различить отдельные слова, произносимые актером-чтецом, но если не акцентироваться на этом, то и не мешает вовсе. Интересно, почему Анна не пользуется плеером с наушниками? «Спрошу при случае», — решил Роман, возвращаясь к схеме.

Картина получалась странноватой. От Шолохова до Дворецка — приблизительно 1700 километров, временной интервал между убийствами — почти два месяца. От Дворецка до Елогорска 990 километров, и интервал снова почти два месяца. От Елогорска до Тавридина — 1450 километров, и чуть больше месяца. А вот в самом начале схемы — что-то странное. Первое убийство в Сереброве, и уже меньше чем через месяц — второе, в Шолохове, расположенном совсем рядом, всего в 60 километрах. Что это? Неудачная попытка, показавшая необходимость готовиться к совершению преступления более тщательно и выбирать место подальше от предыдущего? Вполне возможно. Но тогда в чем «неудачность»? Чем Игоря Пескова не устроил результат убийства в Шолохове? Его что-то испугало или насторожило? Но что?

Пришлось вернуться к материалам об обнаружении трупов на пляже у водохранилища. Прошлогодняя жертва, Егор Анисимов, двадцати семи лет, погиб от ножевых ранений. Потерпевший нынешнего года, двадцатилетний Виктор Юрьев, тоже убит ударами ножа. Ни в первом, ни во втором случаях оперативно-розыскные мероприятия результата не дали: недоброжелатели у убитых, само собой, нашлись, но ни у одного из них не выявлено достаточно убедительного мотива для убийства, зато алиби, твердые и доказанные, оказались у всех до единого. Вопрос о том, для чего и с кем Анисимов пришел ночью на пляж, остался открытым, что же касается Юрьева, то юноша, по свидетельству тех, кто его знал, был, что называется, «со странностями»: общению со сверстниками предпочитал одиночество, в холодное время года мог часами, до поздней ночи, сидеть на скамейке в сквере, в теплый же сезон частенько вечера проводил на пляже, глядя на воду и о чем-то думая. Буйно гуляющие на берегу компании давно перестали замечать невысокого худенького Виктора, познакомиться с ним не пытались, между собой называли «блаженненьким». В тот вечер, когда Юрьева убили, одна компания, вдоволь навеселившись, ушла с пляжа около полуночи, и «блаженненький», по показаниям всех участников загула, в тот момент был жив и здоров, сидел на своем обычном месте, на краю пирса, а примерно в половине второго туда заявились две парочки, надеявшиеся приятно провести остаток теплой июньской ночи. Они-то и обнаружили труп Виктора.

Дзюба сломал глаза, разглядывая карту, оценивая возможности добраться из одного города в другой разными видами транспорта, в попытках поймать какую-то закономерность. Ничего не получалось.

Со сроками не получилось тоже. Между убийствами в Шолохове и Дворецке — два месяца без одной недели, между Дворецком и Елогорском — столько же, однако все остальные интервалы либо больше, либо меньше. Никаких закономерностей.

До встречи с Аркадием Михайловичем оставалось полтора часа, а никаких идей у капитана пока не появилось.

«Буду танцевать от печки», — сказал себе Дзюба. Он попытался представить себя Игорем Вадимовичем Песковым, 40 лет, инженером-радиотехником, разведенным, не имеющим ни детей, ни родителей. Получилось плохо. А вернее сказать — не получилось никак. Хорошо было отцу Брауну, герою Честертона, он умел влезть в душу преступника, терзаться его страстями и думать его головой. А ему, Ромке, такая способность природой не дана. Ладно, он будет оперировать теми инструментами, которые доступны. Какова конечная цель Пескова? Поднять панику в населении, которое придет в отчаяние от беспомощности правоохранительных органов, в результате чего начнется открытый бунт. Какими средствами он пытается достичь своей цели? Он хочет создать видимость того, что по стране разъезжает маньяк, свернутый на всю голову, и методично совершает убийства с интервалом ровно в год. Маньяк начал свою деятельность полтора года назад, убил невесть сколько людей в самых разных городах, а теперь пошел по второму кругу, кладя новые трупы в тех же местах и в точности соблюдая даты. Какие из всех совершенных в прошлом году убийств — дело его рук? Какие из них он намерен «скопировать»? Где и когда он убьет в следующий раз? Никто ничего не знает, и чем больше становится этих «парных» убийств, тем сильнее должна, по замыслу Пескова, становиться паника, которая, в конце концов, заставит людей сначала выходить на митинги, а потом громить здания полиции, прокуратуры и судов. Никаким иным способом, по мнению автора идеи, невозможно заставить власть понять, что правоохранительная система прогнила до основания и ее нужно не просто менять — перестраивать коренным образом.

Ну ладно, предположим, цель Пескова они определили более или менее верно. Как он будет ее реализовывать? Что ему для этого нужно? Правильно, ему нужна информация об убийствах, совершенных в прошлом году. Он каким-то образом эту информацию добывает, изучает, обдумывает и прикидывает: какое преступление он реально может скопировать? Годится ему далеко не все, ибо Игорь Песков — самый обычный человек, не имеющий ни подготовки, ни навыков киллера, ни нужных связей, при помощи которых можно достать ствол или яд и при этом не спалиться. Из пяти совершенных им убийств — ни одного огнестрела, ни одного отравления. Он использует только подручные средства: шарф для удушения, кулаки и веревку для повешения, нож, камень. Дальше: он отбирает объект для копирования с учетом места и времени. Квартиры, офисы и прочие подобные места отбрасывает, равно как и убийства, совершенные белым днем. Ему нужно безлюдное место и темное время суток. Ему нужна ситуация, когда он может просто стоять и ждать. Кто пройдет мимо — тот и станет жертвой. Если не пройдет никто — значит, дата упущена, и нужно искать следующий вариант. Песков —

ни разу не Рэмбо, поэтому ему необходим одинокий прохожий, без выдающихся физических кондиций, в идеале — нетрезвый.

Да, он не Рэмбо и не киллер... Может быть, в этом и есть причина того, что первый временной интервал оказался короче последующих? Игорь просто не знал изначально, как это трудно: ни с того ни с сего взять и убить человека, без всяких чувств к нему, без злости, без ненависти. Убить просто так. Он переоценил свои силы и взялся за второе убийство слишком быстро, едва совершив первое. И понял, что не «тянет». Ему нужно время, чтобы восстановиться. Возможно, ему требуется пить несколько дней, чтобы прийти в себя... Да, это хорошее объяснение. По крайней мере, не противоречивое.

Но, с другой стороны, бывшая жена назвала Пескова фанатиком. А станет ли фанатик испытывать какие-то душевные муки, совершив убийство во имя своей великой идеи, которой он преданно и безоглядно служит? Сомнительно.

«Надо будет обсудить это с Аркадием Михайловичем», — подумал Роман, и в этот момент из-за стены, отделяющей комнату от кухни, раздался громкий голос чтеца:

— Ай, не он!.. Не он!..

Потом голос снова стал тише и почти сливался с доносящимся из-за окна уличным шумом.

Дзюба посмотрел на часы: через 15 минут нужно идти на восьмой этаж, докладывать Аркадию. Можно успеть перехватить бутербродик. И о чем это так истошно верещал чтец? Впрочем, сами слова показались Роману смутно знакомыми. То ли слышал он их уже где-то, то ли читал... Почему-то услышанное только что тревожило его.

На кухне Анна жарила оладьи, на подоконнике стоял старенький аудиоплеер, такие Дзюба видел лет десять назад, а то и больше.

— Мышонок, а что ты слушаешь?

— Пушкин, «Метель», — ответила Анна без улыбки. — Оладьи будешь?

— Буду, спасибо, — он тут же подхватил вилкой оладушек и засунул в рот. — Зачем тебе Пушкин?

— Вчера заказ пришел, просят курсовик по прозе Пушкина, вот я и решила в памяти освежить. Пока готовлю — слушаю, время экономлю.

— А-а, понял, — кивнул Роман. — А чего он так вопил? Что там случилось-то?

— Не он, а она, — строго поправила его Анна. — Марья Гавриловна. Она хотела тайком обвенчаться с возлюбленным, приехала в церковь ночью, в метель, уже в полуобмороке от страха и переживаний, плохо соображала и ничего практически не видела, священник их обвенчал, а когда она посмотрела в лицо жениху, то есть уже мужу, то увидела, что это вовсе не ее возлюбленный, а совершенно посторонний тип. Вот она и закричала: «Ай, не он! Не он!» Неужели сам не помнишь?

— Теперь вспомнил, — пробормотал Дзюба вмиг одеревеневшими губами. — Я возьму еще?

— Бери, конечно, тут на всех хватит, этот козел голодным не останется, не бойся.

— Ты и завтраками его кормишь?

— Ну а то! Трехразовое питание. Ты пойдешь к Аркадию, а я понесу вниз оладьи.

Она говорила что-то еще, но Роман уже не слышал ее голоса и не разбирал слов. «Ай, не он! Не он!»

Вот же черт!

* * *

В дверь квартиры, расположенной на восьмом этаже, капитан Дзюба позвонил ровно в 10.00. Аркадий Михайлович, полноватый, рыхлый, совсем седой, но с моложавым, почти без морщин, лицом, сразу приступил к делу, не тратя времени на ритуальные проявления вежливости и гостеприимства.

— Слушаю твои соображения, — коротко произнес он, усевшись в кресло.

Роман старался излагать покороче, но невольно уходил в подробности, ловил себя на этом, смущался и сбивался. Наконец ему удалось более или менее внятно изложить то, что пришло ему в голову в ходе чтения материалов.

— Если Песков где-то допустил ошибку, то, скорее всего, не в первом убийстве, а во втором, — огласил он свой вывод. — Именно после второго убийства он заметно увеличил расстояние между городами и удлинил интервал.

— То есть ты считаешь, что в Шолохове что-то пошло не так?

— Мне так кажется. Это может быть связано с самим преступлением, а может быть, и нет. Допустим, что-то не заладилось со съемным жильем, или, например, с людьми, с которыми ему пришлось контактировать. И еще мне кажется, что второе убийство на пляже мог совершить вообще не Песков.

246

— Любопытно... — Аркадий Михайлович потер пальцем переносицу. — То есть ты полагаешь, что во всю песковскую комбинацию совершенно случайно вмешался кто-то «левый», который со своим убийством точно попал в место преступления и в прошлогоднюю дату и таким образом вписался в общую картину? И наш Песков совершил не пять убийств, а только четыре? Ты сам-то веришь в такие совпадения?

— Не особо, — признался Дзюба. — Звучит невероятно.

«Вот сейчас и Аркадий назовет меня фантазером и сказочником», — обреченно подумал он.

Но Роман ошибся. Его собеседник задумчиво постучал пальцами по подлокотнику кресла и произнес:

— На самом деле это очень важный момент, капитан, и с ним обязательно нужно разобраться. Ты должен понять, как этот человек мыслит и как чувствует, а для этого тебе нужно точно понимать, какие именно поступки он совершил. Значит, твоя первоочередная задача — убийство в Шолохове. Бери Анютку и поезжай туда, я сейчас позвоню, куда нужно, и все организую: транспорт, жилье.

Поймав удивленный взгляд Дзюбы, усмехнулся и добавил:

— Ну а как ты думал? Шолохов — та еще дыра, и чтобы из Сереброва переться туда с любимой девушкой, вместо того чтобы валяться с ней в койке, нужны очень веские причины. Например, возможность пошиковать и порасслабляться в гостевом домике на берегу водохранилища. А мажорный пацан из столицы, имеющий возможность снять этот домик, ну уж никак не поедет туда на электричке. Машину найду тебе подходящую, достойную сынка министерского чиновника. Доверенных людей, работающих на программу, у меня в Шолохове нет, но начальник там — хороший мужик, с ним можно договориться, чтобы дал парочку толковых ребят. Сроку тебе на все про все — не больше двух дней. Большаков торопит, так что ты уж постарайся.

— Я понял. Аркадий Михайлович, а как быть с Анной?

— С Анной? — недоуменно переспросил хозяин квартиры. — А что с ней не так?

— Все так. Я имею в виду: можно ли рассказать ей, зачем я приехал и что здесь делаю?

Аркадий Михайлович нахмурился.

— Для чего? Аня знает ровно столько, сколько ей положено, чтобы эффективно работать на программу и выполнять мои поручения.

— Вы не знаете ее! — горячо заговорил Дзюба. — Аня — не тупой исполнитель, она творческая личность, креативная, и чем больше она знает, чем лучше понимает ситуацию, тем выше будет результат ее работы. Я знаком с ней совсем мало, меньше суток, но даже за это время успел увидеть, что таких, как она, нельзя держать в неведении. Это их оскорбляет, отравляет им жизнь и мешает нормально работать. Вот вы поручаете ей составлять тексты о том, как в нашей стране гражданам заблокировали доступ к правосудию, а она даже словосочетания этого не понимает. Вы ей не объяснили, что и для чего она делает, и никто не объяснил. То есть ей сказали: вот тебе перечень фактов, напиши о том, как полиция и прокуратура уклоняются от возбуждения уголовных дел. И она пишет. А сути явления, внутренних механизмов Аня не понимает. Ей было бы намного легче, если бы она понимала.

— И ты собрался прочесть Анютке курс лекций на тему «Правоохранительная деятельность»? — скептически осведомился Аркадий Михайлович.

— А почему нет? Мне кажется, это было бы только на пользу делу.

— Ну, валяй, дерзай, если времени и сил не жалко.

— И еще... — Роман помялся, осознавая, что сейчас попытается перейти грань допустимого и, вполне возможно, получит за это по шапке. — Мне кажется, нужно рассказать Анне про Пескова. Пусть не все, не в подробностях, но от ее помощи будет больше толку, если эта помощь будет осознанная, а не механическая.

Аркадий Михайлович несколько секунд молча смотрел на него, потом губы его разомкнулись.

— Ты хоть понимаешь, капитан, какой это огромный риск? Ты готов взять на себя ответственность за последствия, если окажется, что ты ошибся?

— Я понимаю только одно: в вашем городе я чужой, я ничего и никого здесь не знаю, кроме вас и Ани, и помогать мне может только она. У меня такая легенда, что я и обратиться-то за помощью не могу ни к кому. У меня руки связаны. Поэтому я должен сделать все, что в моих силах, чтобы мой единственный доступный помощник работал эффективно, — твердо ответил Дзюба. — А для этого мой помощник должен располагать информацией.

Полковник в отставке расхохотался. Громко, смачно, от души, от чего его моложавое лицо как-то смялось и стало похожим на плохо пропеченный белый хлеб.

— Ну, ты даешь, капитан! — проговорил он, утирая выступившие от смеха слезы. — Ну, ты молодец! Это кто ж тебя научил так мыслить?

— Учителя были хорошие, — сдержанно ответил Роман.

— Например, кто?

— Полковник Бычков с кафедры ОРД.

— Назар Захарович? — оживился Аркадий Михайлович. — Легендарный мужик, знаю его, приходилось сталкиваться. Большаков тоже у него учился. Неужели до сих пор преподает?

— В мое время еще преподавал, а как сейчас — не знаю.

— Понятно. Ну, а еще кого назовешь, кроме Бычкова?

— Антон Сташис, мы с ним в одном отделе работаем.

— Сташис... Сташис... — задумчиво повторил Аркадий Михайлович. — Не знаю такого, не знаком. А вот фамилию где-то слышал... Погоди, убийство тренера по фигурному катанию, правильно?

— Так точно, — радостно подтвердил Дзюба.

— Толковый опер, толковый, — согласно покивал полковник. — Ладно, будем считать, что коль он толковый, то учил тебя правильно. Анюте расскажи, что сочтешь нужным, но не увлекайся, хорошо?

— Чем не увлекаться? — не понял Роман.

— Доверием. Доверие, знаешь ли, штука коварная. Им увлекаться нельзя. Информацию дозируй, острые углы обходи. И сегодня же будьте готовы выехать в Шолохов. Тянуть нельзя, времени в обрез.

Этих последних слов Роман сперва не понял. Почему времени в обрез, если последнее убийство Песков совершил 1 ноября, интервал между деяниями у него должен быть, по идее, больше месяца, а ведь сегодня только 12 ноября. Но потом он вспомнил вопрос, который задал ему в Тавридине полковник Конев: почему Большаков так явно торопится? Видимо, происходит что-то такое, о чем ему, капитану Дзюбе, знать не полагается.

* * *

Роман открыл дверь выданным Анной запасным ключом. В квартире на пятом этаже было тихо. Видно, Анна дослушала свою «Метель» и теперь работает на компьютере. Так и оказалось: девушка что-то печатала, ее пальцы метались по клавиатуре с немыслимой скоростью. Услышав шаги, она повернулась к Дзюбе и вопросительно посмотрела на него.

— Все в порядке? Отчитался?

— Мышонок, ты, конечно, можешь послать меня подальше, но нам с тобой придется сегодня уехать.

— Уехать? Куда?

Восторга в ее голосе Роман не услышал. Впрочем, это вполне ожидаемо...

— В Шолохов.

— За каким...? В смысле: зачем?

— Я все тебе объясню. И не волнуйся, это не надолго, максимум на два дня.

— Приехали, — сердито сказала Анна. — Началось. Хозяйка, дай водички попить, а то так есть хочется, что аж переночевать негде.

— Мышонок... Анечка, я все понимаю, я свалился тебе на голову, причиняю тебе неудобства, но поверь: мне никто не поможет, кроме тебя. Я все тебе расскажу, и ты поймешь, насколько важно, чтобы ты мне сейчас помогла.

Она вскочила со стула и сделала несколько нервных шагов от рабочего стола до двери и обратно.

— А про этого козла ты подумал? — гневно заговорила она. — Он мне оплачивает трехразовое питание и уборку два раза в неделю. Что я ему скажу? Чтобы подыхал от голода и утонул в грязи?

— Ты ему скажешь, что уезжаешь со своим парнем на пару дней на водохранилище. Дело житейское, он поймет.

— На какое водохранилище?! — закричала Анна. — Середина ноября! Ты совсем обалдел, Гудвин?

— Там есть гостевой домик, нечто вроде дорогих апартаментов. И обслуживающий персонал: горничные, повара, все дела. Типа поездки на уик-энд в хороший отель, так во всем мире делают. Еду твоему квартиранту можно приготовить на три дня, разогреть он и сам сумеет. Если заартачится и начнет гнать, что платит тебе за горячее, с пылу с жару, свежеприготовленное, скажи, что за питание в эти дни он может заплатить меньше. Мышонок, это вполне решаемая проблема, не вижу здесь ничего сложного. Если нужно купить побольше продуктов — пойдем вместе, купим, я помогу.

— Ага, а готовить на три дня ты мне тоже поможешь? — ехидно спросила Анна, но уже гораздо спокойнее.

— Нет, вот тут я тебе не помощник, кулинарным мастерством не владею, если только что-то совсем простое. Но на подсобных работах можешь меня использовать: помыть, убрать, порезать, подать, принести.

Анна подумала, что-то прикинула, вышла на кухню. Роман слышал, как хлопала дверца холодильника, стучали дверцы навесных шкафов... «Оценивает продуктовые запасы», — догадался он.

— Сейчас спущусь к нему, — сказала она, вернувшись в комнату, — предупрежу, что уезжаю, и спрошу, что ему приготовить. Он тот еще придурок, разогреть может только суп на плите или блюдо в микроволновке, а если нужно греть в духовке или на сковороде, то он уже не справляется, видите ли. Пойдем со мной, Гудвин, поможешь кастрюли и сковородки принести, на такой запас еды у меня своей посуды не хватит. Заодно и подстрахуешь, если Никита задумает скандалить. Телом попугаешь, — добавила она, усмехнувшись.

— Скандалить? А он что, склонен к этому?

Анна пожала плечами.

— Да пока не замечала. Но и поводов не было. А теперь вроде как повод появился. Невыполнение договорных обязательств. Чуть что — сразу этими словами мне тычет.

— Он юрист, что ли?

— Да фиг его знает, кто он такой, — равнодушно ответила она. — Я не спрашиваю, чтобы не дать ему возможность ответить. А то я спрошу, он ответит, разговор завяжется, а кончится все тем, что он начнет по каждому случаю заявляться ко мне в квартиру, просить налить чайку и сидеть тут часами. Оно мне надо? Я свои границы охраняю не хуже цербера, терпеть не могу, когда их нарушают. И стараюсь никому такой возможности не давать.

Роман послушно направился вслед за Анной на третий этаж, где жил ее квартирант по имени Никита.

«Она очень экономная, — размышлял он, шагая по ступенькам вниз. — Ее собственной посуды не хватит на то, чтобы приготовить трехразовое питание на три дня. Значит, для сдаваемой внаем квартиры она приобрела всего в достаточном количестве, а для себя купила только необходимый минимум. Считает каждую копейку. Наверное, копит на что-то важное и нужное. А тут еще я свалился... Надо самому покупать продукты, а то она разорится, с моим-то аппетитом. В Шолохове нужно быть повнимательнее, чтобы она там ни за что не платила. Кстати, а почему Аня собирается готовить еду квартиранту на три дня? Я ведь говорил, что мы едем на два дня. Хотя, конечно, два дня работы плюс день приезда-день отъезда, как в служебных командировках, считается еще одним днем. Она не только экономная, но и предусмотрительная. Интересно, какой он, этот Никита, которого Аня именует не иначе как «козлом» и который не может разогреть готовую еду в духовке или на сковороде?»

Через полчаса Роман Дзюба снова сидел перед своим ноутбуком, стараясь вчитаться в материалы по убийству в Шолохове. Визит к квартиранту оказался занятным и познавательным, но все выводы капитан успел сделать за те несколько минут, которые потребовались, чтобы подняться с третьего этажа на пятый и сгрузить на кухонный стол три кастрюли, три сковороды разных размеров и высокую стопку пластиковых контейнеров с крышками.

Первый вывод состоял в том, что на сдаваемую внаем квартиру Анна Зеленцова денег не пожалела. Жилище на третьем этаже было отремонтировано, оборудовано и обставлено намного лучше и дороже, чем скромная «двушка» двумя этажами выше, с мебелью доисторических времен. Из чего Роман сделал предположение, что Аня копит деньги на хороший ремонт и новую мебель.

Второй вывод касался квартиранта Никиты: типичный компьютерный мальчик, совершенно не приспособленный к жизни с ее бытовыми проблемами, не умеющий общаться с людьми и строить с ними отношения, потому что вся его жизнь — в «железе», программинге и прочих компьютерных премудростях. Он дышит этим, питается этим, интересуется этим, и больше ему ничего не нужно.

А вот третий вывод самого Романа даже позабавил. От его внимательного от природы и натренированного под руководством Антона Сташиса взгляда не укрылось выражение лица, появившееся у квартиранта, когда Анна впустила в комнату и представила ему «своего парня». Это было выражение сначала растерянности, потом недоверия, потом ярости и гнева. И уже через две минуты, когда Анна предложила Никите сесть за стол и составить вместе с ней меню на три дня, выражение его лица стало совсем другим. Особенным. И чем ближе склонялись друг к другу над листком бумаги их головы, тем заметнее становилось это особенное выражение, которое читалось не только на его лице, но и во всей его позе, и даже, как показалось Ромке, слышалось в его дыхании.

Против ожиданий Анны, квартирант Никита никак не отреагировал на сообщение о том, что она уезжает с Романом на два-три дня. Вернее, реакция-то была, и еще какая — те самые ярость и гнев, замеченные Дзюбой, но упущенные Анной, которая в тот момент даже и не смотрела на молодого человека, а изучала содержимое его кухонных шкафов. Но никаких разговоров о «нарушении договорных обязательств», никаких упреков, вроде «я вам плачу за горячую свежеприготовленную еду, а не за то, чтобы самому греть вчерашнее», не последовало. Никита коротко сказал: «Ладно», и больше никак не комментировал заявление своей квартирной хозяйки.

И вообще, ничего «козлиного» Дзюба в этом парне не приметил. Высокий, длинноногий, стройный, тонкое лицо в очках, волосы забраны в хвост. Вполне себе симпатичный юноша. Да, плохо приспособленный к самостоятельному существованию, но он не один такой. Неприспособленных сотни тысяч, миллионы, что мужчин, что женщин. И это никак не делает их «козлами» и «козами».

«Цирк с конями! — усмехнулся про себя капитан, включая ноутбук. — Аня слепая, что ли? Или все видит, все понимает и поэтому так злится на него? А чего ей злиться-то? Радоваться надо. Или все-таки слепая?»

* * *

Дорога от Сереброва до Шолохова оказалась не лучше большинства российских дорог: местами ровная и даже достаточно широкая, местами узкая и испещренная колдобинами и ямами и плотно забитая еле-еле гуськом ползущим транспортом. На то, чтобы преодолеть 60 километров, потребовалось почти два часа даже на хорошей машине, которую предоставил в распоряжение Дзюбы и Анны Аркадий Михайлович.

Первые минут 30—40 ехали молча. Роман вновь и вновь перебирал в голове все известные ему факты и обстоятельства, но в какой-то момент осознал, что зашел в тупик. Мысли шли по одному и тому же кругу, все время возвращаясь в исходную точку: что же не так с июньским убийством в Шолохове? Почему после него Игорь Песков так удлинил интервалы между преступлениями? И если то убийство на водохранилище совершил действительно не Песков, то кто? И каким образом этот неизвестный деятель сумел так точно попасть в песковскую схему? Ответ напрашивался только один: этот человек знал о замысле Игоря. Только этим можно объяснить столь идеальное совпадение. Так кто это? Подельник? Помощник? Если да, то куда он делся? А если он никуда не делся, то почему все последующие интервалы примерно одинаковые? Вывод: нужно искать либо второго убийцу, либо ошибку, совершенную Песковым в Шолохове.

В этой точке мысль Дзюбы начинала тормозить и снова бежала по привычной колее, отказываясь искать новые пути. Нужно отвлечься, переключиться.

— Поговори со мной, — попросил он Анну.

— О чем? — послушно, но немного удивленно отозвалась девушка.

— О чем угодно, только не о деле. Можно кино какое-нибудь обсудить или книгу.

— А о деле со мной, значит, нельзя? — В ее голосе послышалась плохо скрываемая обида.

— Можно, Мышонок. Можно и нужно. О деле мы с тобой поговорим после того, как я перезагружу и перенастрою мозги, а то у меня компьютер в голове завис. Ну спроси меня о чем-нибудь, я тебе отвечу.

— Ладно, — ему показалось, что Анна тихонько улыбнулась. — Расскажи мне про твою девушку. У тебя же наверняка есть подруга. Как ее зовут? Сколько ей лет? Чем она занимается, чем на жизнь зарабатывает?

Снова болезненный укол, обжигающе горячий, даже дух перехватило на мгновение. Роман сильнее вцепился в руль, машина слегка вильнула. Глубокий вдох. Всё, прошло.

— Отвечаю последовательно. Подруги у меня сейчас нет. Зовут ее Евдокией, Дуней. Ей двадцать шесть лет. Она специалист по драгоценным камням, геммолог. Работает оценщицей в ломбарде.

— Ну ты точно сказочник! — фыркнула Анна. — Сам же сказал, что подруги нет. А имя-то выдумал какое: Евдокия! Ничего попроще придумать не мог?

— Я тебе правду сказал. Ее действительно зовут Евдокией. И она действительно геммолог и работает в ломбарде. Мы были вместе три года. А теперь она меня бросила.

В салоне автомобиля повисло тяжелое молчание.

— Как это? — послышался наконец неуверенный голос Анны. — Она тебя бросила, и ты вот так открыто говоришь об этом?

— А почему нет? Она встретила другого человека, влюбилась до смерти, со мной общаться перестала, так почему я не могу об этом говорить? Что в этой теме запретного или неприличного? Не понимаю.

— Но это же... — Девушка помолчала. — Это стыдно, наверное... Неловко...

— Что — стыдно? Что на свете есть множество людей, с которыми кому-то лучше и легче, чем со мной? Это совершенно естественно, и в этом нет ничего стыдного.

Она еще немного помолчала.

— Ну... Вообще-то да, конечно, ты прав. Я никогда на это с такой точки зрения не смотрела. Просто привыкла, что когда тебя бросают — это плохо, это стыдно и это нужно по возможности скрывать. Если меня бросают, то для меня это означает, что я — плохая, недостойная. Зачем же я буду на всех углах звонить о том, что я плохая и ни на что не годная? Достаточно того, что мне самой этой ужасно болезненно.

— Вот и глупости, — весело ответил Роман. — Если ты десять дней подряд ешь только один шоколад, а на одиннадцатый день хочешь черного хлебушка, это ведь не означает, что шоколад испортился и стал плохим, гнилым и заплесневелым. Это означает только одно: теперь тебе хочется хлеба. Вчера еще хотелось шоколадку, а сегодня уже не хочется. Шоколадка останется такой же, как была: вкусной, сладкой, питательной, желанной для очень многих. А для некоторых — не только желанной, но и недоступной, недосягаемой мечтой. Например, для диабетиков.

Анна рассмеялась.

— Ну, ты сравнил, Гудвин! Люди — не продукты, и любовь — не бутерброд.

— Никакой разницы. Отношение к человеку и отношение к продукту — всегда вопрос желания, интереса и удовольствия. Человек целиком состоит из клеток, а клетка — это биохимия и энергия, то есть очень и очень живая и подвижная конструкция. Думаешь, почему у человека настроение может меняться по десять раз на дню? Потому что биохимия. Постоянный энергетический обмен и вечное движение. А если человек является такой подвижной конструкцией, то вполне естественно, что у него меняются вкусы, желания, потребности и интересы. И то, что доставляет удовольствие, тоже меняется. Сегодня одно, завтра другое.

Анна снова рассмеялась, но на этот раз уже тише, и опять умолкла на несколько секунд.

— Занятный ты тип, Гудвин, — проговорила она негромко. — Ладно, твоя Дуня тебя бросила, и ты по этому поводу не комплексуешь, это я поняла. А чего ты никого другого себе не завел? Не успел?

— Мог бы успеть, времени много уже прошло. Но не хочу. Я Дуню жду.

— Уверен, что она вернется? — недоверчиво спросила Анна.

— Не уверен. Но надеюсь.

— Почему? Откуда ты знаешь, что у нее с тем парнем не любовь до гроба?

— Ничего я не знаю. Просто надеюсь, что это не так.

— Но почему? — настойчиво допытывалась она. — Для надежды ведь должны же быть хоть какие-то основания! Разве можно надеяться на пустом месте?

— Можно, — улыбнулся Роман. — И верить можно на пустом месте, и надеяться тоже. Но если совсем честно, то мне никто пока не нужен, кроме Дуняши. Поэтому мне легко ее ждать. Соблазнов нет.

— А если бы появился соблазн? Ты бы устоял?

— Не знаю, — признался Дзюба. — Прецедентов пока не было. На роль моей подруги очередь не стоит.

— А как же ты... — Анна смутилась и замолчала. Потом продолжила: — Ты ведь молодой мужик, сильный, здоровый. Тебе же нужно...

— Когда нужно — тогда и бывает, — спокойно ответил он. — Для таких случаев подружка на день-два всегда находится. А строить отношения мне не хочется ни с кем, кроме Дуни. Поэтому я спокойно живу и жду, когда у нее в голове туман рассеется.

— Ой, так уж и спокойно! — насмешливо отпарировала Анна. — Думаешь, я не заметила, как ты в руль вцепился, когда я спросила про подругу?

— Ну ладно, не спокойно.

— Переживаешь?

— Конечно.

— А что ты делаешь, чтобы не переживать?

— Ничего не делаю. А зачем что-то делать?

— Так больно же! А когда больно — нужно что-то делать, как-то бороться, чтобы стало легче. Разве нет?

— Не знаю. По-моему, когда больно — нужно просто ждать, когда заживет.

Они ехали по узкой дороге, впереди неспешно двигался здоровенный цементовоз, обогнать который не было ни малейшей возможности. Пришлось сбросить скорость и послушно плестись в хвосте, ожидая более широкого участка.

— Просто ждать... — странным голосом повторила Анна и вдруг взорвалась: — Не понимаю я этого! Ненавижу тупо сидеть и ждать, пока что-то само сделается! Надо что-то предпринимать, как-то исправлять ситуацию, бороться! А ты лапки сложил и ждешь неизвестно чего. Ненавижу эти грузовики и фуры, которые невозможно объехать! Ненавижу наши дороги! И стройку эту идиотскую, на которую цементовоз едет, ненавижу! Надо было сначала дороги в порядок привести, чтобы машины, которые идут на стройку, нормальным людям не мешали, а потом уже строительство затевать. Страна придурков!

Дзюба повернулся к ней, взглянул удивленно.

— Чего ты так завелась, Мышонок? Мы уже почти пятьдесят километров проехали, осталось всего ничего. Даже если этот цементовоз будет маячить перед нами до самого Шолохова, все равно мы с тобой доберемся максимум за полчаса.

— Да не завелась я! Просто терпеть не могу такое вот тупое смирение и ожидание!

— Для тебя так важны эти полчаса?

— Да не во времени дело! — раздраженно откликнулась она. — А в том, что людей считают быдлом, на которое можно не обращать внимания! Ну как можно было пускать по этой трассе фуры, если здесь процентов на восемьдесят две полосы всего? О чем они думали? Только о том, как денег срубить на своей стройке вонючей, а не о том, как люди будут ездить по своим надобностям. И так во всем же, во всем! Интересы богатых — в первую очередь, а на тех, кто сам зарабатывает, всем плевать! Вот тащится этот цементовоз, и ни одна машина теперь не проедет, пока он до своей стройки не дотащится. Ни «Скорая», ни милиция, ни пожарные. Встречный поток не пропустит, никто ж не уступит, а на нашей полосе даже прижаться некуда. Им пофиг, что где-то кто-то ждет помощи, им строить надо, бабки пилить и отмывать. Ненавижу!

«Надо же, — подумал Роман, напряженно сощурившись и вглядываясь в унылый пейзаж впереди в попытках обнаружить ту стройку, к которой свернет надоевший цементовоз, — как мгновенно вспыхнула... В какой момент? Кажется, когда я сказал, что нужно просто ждать. Эти слова для Ани невыносимы. Запустился какой-то механизм и начал перемалывать все, что попадает под руку. Хорошо, что попался этот цементовоз, иначе сейчас я бы слушал гневную тираду о том, какой я идиот, потому что тупо сижу и жду свою Дуняшу, вместо того чтобы мстить ей страшной местью или пуститься в разнузданный сексуальный загул. Спасибо тебе, цементовоз, ты меня спас! Зато теперь я точно знаю, что моя помощница — человек действия, энергичный и активный, стремящийся моментально начинать решать проблемы и не ждущий, когда они рассосутся сами собой или их решит кто-нибудь со стороны. Это замечательное качество непременно нужно использовать. И еще буду помнить, что она терпеть не может ждать, ее это выбивает из равновесия, и нужно постараться не провоцировать ее даже словами о необходимости ожидания. Хотя когда нам с ней ждать-то... Аркадий дал всего два дня, и из Москвы торопят почему-то, тут уж не до ожиданий, ноги в руки — и бегом».

Спираль ярости, охватившей Анну, продолжала раскручиваться. С цементовоза, плохих дорог и неуместных строек девушка перескочила на «людей вообще» с их хамством и полным отсутствием уважения к другим. В голосе вибрировал гнев, щеки раскраснелись. Роман решил, что надо бы как-то отвлечь ее от темы, которая вызывает столько эмоций.

— По большому счету, безответное чувство — не повод для расстройства, — весело заметил он, пытаясь вернуться к обсуждению личной жизни. — Вон твой квартирант, например, вообще не парится. Живет себе и радуется.

Анна на мгновение остановилась, запнулась и даже, кажется, растерялась.

— А при чем тут этот козел?

— Так он же влюблен в тебя по уши! — расхохотался Дзюба. — Сама не заметила?

— Что ты несешь? — возмутилась Анна. — Бред какой-то!

— Да не бред, Мышонок, а истинная правда. Думаешь, я не видел, как он на тебя смотрит? Он же меня чуть не убил от ревности! А когда сидел рядом с тобой за столом — прямо плавился от того, что ты так близко.

— Не выдумывай! — грубо отрезала Анна. — Тоже мне сказочник, Гудвин Великий и Ужасный.

Цементовоз совсем сбросил скорость и затормозил. По встречной полосе шел плотный поток машин, направлявшихся в Серебров. Анна резким, каким-то раздраженным движением отстегнула ремень безопасности и открыла дверь.

— Пойду посмотрю, что там.

— Зачем?

— Узнаю, что случилось и надолго ли встали.

— И что изменится? Ну, узнаем мы, и дальше что? Быстрее все равно не поедем. И объехать негде.

Анна ничего не ответила, выскочила из машины и стала быстро и ловко пробираться по обочине вперед. Вернулась она через пару минут, лицо злое, губы крепко сжаты.

— Овца какая-то шину пропорола, сидит такая вся беспомощная, а мужики ей колесо меняют, — сообщила она сердито. — Ну вот какого дьявола она садится за руль и ездит одна, если не умеет сама колесо поменять? Или она думает, что прям такая раскрасавица, что все попутные водители бросят свои дела и кинутся ей помогать? Ненавижу эту самоуверенность красоток, которые считают, что им все должны!

— Не все же красотки такие самоуверенные, — миролюбиво заметил Роман.

— Все! Все до единой!

— На себя посмотри.

— А что?

Роману показалось, что из Анны мгновенно вылезли в разные стороны длинные острые иголки.

— Я что, самоуверенная? Я ни от кого помощи не требую и не жду, рассчитываю только на свои силы.

— Ты очень красивая, Мышонок. И совсем не самоуверенная. Так что не надо всех под одну гребенку...

— Я уродина, — с вызовом проговорила Анна.

— Неправда. Ты красавица. И твой Никита от тебя без ума.

— Если бы я была красавица, на меня западали бы приличные мужики, а не такие козлы, как этот... Ты меня просто утешаешь.

— Я не утешаю, я констатирую. Ты красивая и умная, поверь мне.

Анна хотела было что-то ответить, но в это время машины медленно двинулись вперед: очевидно, колесо незадачливой автомобилистке успешно поменяли.

Похоже, стройка, на которую ехал цементовоз, находилась достаточно далеко, потому что вплоть до въезда в Шолохов им пришлось двигаться с черепашьей скоростью. Схему проезда к гостевому домику на водохранилище Анна распечатала еще дома и теперь выполняла функции штурмана, глядя то на листок со схемой, то на дисплей смартфона с картой города.

— Думаешь, схема не точная? — спросил Роман. — Проверяешь по карте?

— Смотрю, как проехать, чтобы по дороге был супермаркет. Или ты надеешься, что тебе все готовенькое принесут?

— Аркадий сказал, там повара и все такое...

— Ага, повара, — скептически отозвалась Анна. — Они тебе три раза в день еду принесут, и всё. А погрызть? А попить? А если ночью голод прибьет? А если угостить кого-то?

Об этом Роман и не подумал. Он как-то привык на своей работе довольствоваться тем, что есть. Представилась возможность — перехватил какой-нибудь еды, не представилась — перетерпит. Хочется пить — выпьет то, что есть под рукой, ни на секунду не задумываясь о том, любит он это или нет. Какая разница, что он любит или не любит? Бери, что дают, и беги дальше душегубов ловить. Зашел кто-то в гости, а у него холодильник пустой? Ничего, чайку выпьют, а то и вовсе водички. Но Анна Зеленцова явно не такова. «Авось», «как-нибудь» и «сойдет и так» — не ее политика. Что ж, это тоже нужно иметь в виду.

— Сейчас направо и на втором повороте снова направо, — скомандовала она. — Судя по карте, там торгово-развлекательный центр, значит, и большой супермаркет должен быть.

Они оставили машину на полупустой стоянке, поднялись на третий этаж, где и в самом деле располагался супермаркет, быстро побросали в корзину упаковки с тем, что можно погрызть, бутылки с водой и морсами и на всякий случай прихватили пару коробок шоколадных конфет. Все-таки Аня права, подумал Дзюба, Аркадий ведь пообещал толковых помощников, а где с ними общаться? Не идти же к ним на работу! Значит, нужно приглашать к себе, а законы гостеприимства в такой ситуации никак не позволяют обойтись без чая-кофе.

Анна

— Какие чипсы тебе взять? — спросила она.

— Я сейчас сам выберу.

Роман отошел от стеллажа с конфетами и печеньями и принялся разглядывать упаковки с чипсами.

«Он считает тебя вообще ни на что не годной, — промелькнуло в голове у Анны. — О деле не рассказывает, хотя и обещал, а по сути использует тебя как говорящую карту, навигатор. Даже чипсы выбрать не доверил. Он считает тебя пустым местом».

Она глубоко вздохнула и постаралась вызвать другой голос — голос Надсмотрщиков. Проще говоря, она попыталась найти аргументы, объясняющие поведение Романа в другом ключе, менее унизительном.

«Может быть, у него какие-то особенные предпочтения или даже заболевание какое-нибудь, и ему не каждый вид чипсов можно, а рассказывать о своих болезнях малознакомой женщине ему не хочется. Он совсем не хотел тебя обидеть, он ни в коем случае не хотел сказать, что ты ни на что не годишься».

Тут же, как по команде, подключились Искатели со своими вечными попытками вызвать у Анны доверие и расположение к людям:

«Ну конечно, он ничего плохого в виду не имел! Просто он мужчина, к тому же офицер, ему не пристало жаловаться на здоровье! Смотри: он хочет, чтобы ты чувствовала себя рядом с ним уверенно, защищенно, поэтому он не имеет права показывать свою слабость. Он хочет быть надежным и сильным в твоих глазах. Разве это плохо? Ему можно доверять!»

Анна уныло, не читая надписей на упаковках, складывала в корзину пачки разного печенья и ореховых смесей.

«Доверять? — звучали внутри нее голоса Защитников. — Кому доверять? Этому малахольному, который готов простить девушку, бросившую его? Доверять человеку, который видит то, чего нет, живет фантазиями и пустыми надеждами? Человеку, который пользуется твоей помощью, живет в твоей квартире, ест еду, которую ты готовишь, таскает тебя за собой, как вещь, потому что ему, видите ли, нужно прикрытие, и при этом продолжает относиться к тебе как к малознакомой, как к человеку, перед которым нельзя показать слабость? Ну уж нет! Долой доверие к таким людям! Никаких поблажек! Никакого сближения! А то откроешься перед ним, а он тебе нож в спину воткнет и не поморщится».

У кассы чуть не разгорелся конфликт. Анна попыталась достать кошелек, но Роман решительно пресек ее попытки «оплатить хотя бы половину, я ведь тоже буду это есть и пить».

— Считай, что ты в командировке. И нам выделены командировочные.

— Я так не могу, — упиралась она. — Я привыкла сама платить за себя.

Кассирша смотрела на них неодобрительно, дескать, нечего очередь задерживать, интимные вопросы надо решать заранее и подальше от кассы.

— Доставь мне удовольствие, разреши заплатить за красивую девушку, — твердо ответил Роман и протянул кассирше кредитную карту.

Кассирша неожиданно растаяла и одобрительно улыбнулась Дзюбе.

— Ну вот, хоть один раз за смену услышала нормальные слова нормального мужчины, — проговорила она, пока Роман вводил пин-код и шло соединение. — А вы, девушка, не сопротивляйтесь, дайте мужику побыть мужиком. Заплатить за красотку — это ж им в удовольствие!

Анна сильно покраснела и робко выдавила:

— Спасибо вам...

До самой парковки она шла молча и выглядела как будто даже расстроенной. От супермаркета до места назначения дорога была несложной, главное — не пропустить нужные повороты. Анна была уверена, что выучила схему наизусть и найдет дорогу с закрытыми глазами, но стоило ей оторвать взгляд от листка с распечаткой, как ее охватывал панический страх перепутать что-нибудь, забыть, указать не тот поворот... Они заедут не туда, куда нужно, начнут плутать, потеряют время, и Роман станет сердиться и считать ее полной идиоткой, не годной даже на то, чтобы продиктовать простой маршрут по незамысловатой схеме.

Девушка сидела, сжавшись в комочек и покрывшись испариной от напряжения, вцепившись побелевшими пальцами в листок и постоянно сверяясь к картой. Но она ничего не перепутала, и они благополучно доехали до огороженного высоким забором участка на самом берегу водохранилища.

Место показалось им неухоженным и даже заброшенным. Наверное, на самом деле это было не так, и в летнее время здесь, среди буйной зелени и возле воды, отдыхать более чем приятно. Но сейчас, в ноябре, дождь со снегом и голые ветки деревьев рядом с черной неприветливой водой вызывали тоску и скуку.

— Н-да, — задумчиво протянул Роман. — Местечко, прямо скажем, не ахти.

Он затормозил перед воротами, коротко просигналил. Через минуту ворота открылись, к ним подошел крепкий пожилой мужчина в камуфляже.

— От Аркадия Михайловича? Проезжайте. Машину ставьте вон туда, под навес.

Закрытого гаража не было, но зато навес оказался большим, на пять автомобилей. Видимо, сюда приезжали порезвиться большими компаниями.

Мужчина в камуфляже представился Анатолием Никитичем, охранником, сторожем, смотрителем и главным инженером в одном лице.

— Я тут за все про все, — пояснил он. — А называть меня можно просто Никитичем, так короче, да и привычнее. Если какие-то просьбы, вопросы, неполадки — сразу ко мне, я здесь живу постоянно. С задней стороны дома отдельный вход, там как раз мои хоромы.

«Господи, Никитич! Прямо преследует меня это имя — Никита, век бы его не слышала!» — с неожиданным отчаянием подумала Анна.

— К нам должны люди подъехать... — начал было Роман, но Никитич с усмешкой перебил его:

— Так уже приехали. Я их погулять отправил.

— Куда?

— А вон в лесополосу. Им там в самый раз будет.

— В такую погоду? — вырвалось у Анны, которая даже представить себе не могла, как можно гулять на таком ветру и под дождем. И вообще, как это так: люди приехали по делу, сделали тебе одолжение, согласились помочь, а их отправляют куда-то...

Она собралась было громко возмутиться и объяснить этому закамуфлированному Никитичу, что воспитанные люди так не поступают, но внезапно почему-то вспомнила Пьера Безухова, который, плохо разбираясь в светских приличиях и правилах поведения в обществе, утешал себя, когда чего-то не понимал, простыми словами: «Наверное, так оно и должно быть». Анну и эта его манера отстраняться от оценок, и сам Пьер ужасно раздражали. Конечно, когда она впервые читала «Войну и мир» еще школьницей, она ничего этого не видела и не понимала, обращая внимание в основном на любовные аспекты, а вот в институте, да и потом, когда нужно было писать работы по Толстому, возвращалась к роману не один раз и всегда негодовала на Пьера, полагая его бесхребетным и безответственным.

Анна не успела додумать мысль до конца, когда услышала ответ Никитича:

— Им погода не страшна, они на машине. Да там с одного взгляда все понятно: они сейчас в таком периоде, что мать родную продадут, только бы наедине побыть. Видели бы вы, как они обрадовались, когда я сказал, что вы еще не приехали! Ну я и подумал: пусть дети порезвятся, там место тихое.

Анна не выдержала и прыснула.

«Хорошо, что я вякнуть не успела, — подумала она. — А то выглядела бы как дура со своими нравоучениями».

Она бросила взгляд на Романа и удивилась: лицо капитана вовсе не было веселым, как она ожидала. Наоборот, Дзюба как будто даже помрачнел.

Они внесли вещи и покупки в дом, и Никитич повел их на, как он сам выразился, обзорную экскурсию. На первом этаже располагалась гостиная, переходяща в столовую с небольшой барной стойкой, на втором — три маленькие спальни, в каждой имелся отдельный санузел, в подвале — сауна и бильярдная. За барной стойкой виднелась дверь, ведущая, как пояснил Никитич, в служебные помещения и кухню. Одни гости предпочитали привозить продукты и готовить сами, для других приглашали поваров.

— Это откуда же такое роскошество взялось? — спросил с любопытством Роман. — Кто хозяин дома и для кого он его строил?

Никитич поведал, что дом когда-то давно, лет двадцать назад, еще до дефолта 1998 года, построил для себя быстро разбогатевший на транспортном бизнесе житель Сереброва, возмечтавший заиметь красивую удобную дачу у воды. После дефолта с бизнесом стало сложно, дом пришлось сначала продать задешево, потом участок с постройками был передан под видом «подарка» еще кому-то, и, в конце концов, после нескольких перепродаж оказался в собственности у сына нынешнего главы администрации Шолоховского района. То есть по документам владельцем числится сынок, а по факту — домом распоряжается папаша, предоставляя его тем, кому хочет оказать возмездную или безвозмездную услугу. Конечно, содержание и самого дома, и обслуживающего персонала стоит денег, но...

— Им и без того есть, где украсть, — философски заметил Никитич. — Они, видно, посчитали и вычислили, что дешевле оплачивать дом и обслугу и пускать сюда нужных людей по мере надобности, чем тратиться на взятки этим же людям или на подарки. Так для вас повара вызывать? А то, я гляжу, вы своих продуктов навезли...

Анна снова открыла было рот, чтобы отказаться от повара, потому что она сама прекрасно умеет готовить, но вовремя остановилась.

— Вызывайте, — кивнул Роман. — Не для того я свою красавицу сюда вез за тридевять земель, чтобы она у плиты стояла. Мы более приятными вещами займемся.

— Ну да, ну да, — с понимающим видом усмехнулся Никитич.

«Все-таки я безнадежная дура, — с отчаянием подумала Анна. — Чуть все дело не испортила».

Инженер-охранник ушел, еще раз напомнив, что обращаться к нему можно с любыми просьбами и проблемами, Дзюба понес сумки с вещами наверх, оставив внизу только два ноутбука — свой и Анны, сама же Анна прошла за барную стойку и начала раскладывать покупки по шкафчикам. Осмотрела кофемашину, прикинула, что, пожалуй, справится с ней без проблем, хотя с такой моделью никогда дела прежде не имела. Интернет — полезная штука, там всегда можно найти инструкцию по эксплуатации любой техники.

Когда раздались шаги спускающегося по деревянной лестнице Романа, она задала вопрос, который мучил ее на протяжении последних пятнадцати минут:

— Гудвин, а почему тебе не понравилось, что Никитич отпустил ребят погулять? У тебя такое сердитое лицо сделалось, когда он рассказал про них...

Анна уже мысленно приготовилась к тому, что Дзюба опять будет отнекиваться, говорить, что ей показалось, или врать, что он в ту минуту просто подумал о чем-то совсем другом... В общем, не хочет он с ней откровенничать, не собирается ничего ей рассказывать и объяснять, будет использовать ее как половую тряпку.

— То, что отпустил погулять — нормально, чего им тут сидеть, нас дожидаться. А вот то, что они — влюбленная парочка, меня огорчило.

— Почему?

— Потому что они будут не о деле думать, а о том, как вырваться на свободу и уединиться где-нибудь. Толку от них — ноль. Недосмотрел Аркадий... Он же обещал толковых ребят, видно, положился на чей-то выбор, а тот, кто для Аркадия людей выбирал, пошел у них на поводу. Наверное, выбрал одного толкового, а тот попросил в напарники свою пассию. Короче, вырвались ребятки на вольные просторы.

Он досадливо поморщился и с чувством стукнул кулаком по барной стойке.

— Вот не зря меня мама учила: не ври — беду накликаешь.

— А при чем это? — не поняла Анна.

— А при том. Моя мама — врач, и она с самого детства мне внушала: «Никогда не прикрывайся болезнью. Сегодня люди поверят, что болезнь у тебя есть, а завтра в это поверит сама болезнь и придет к тебе». Как я оказался в Сереброве? По легенде, якобы у меня в Сереброве девушка, то есть ты, и я хочу по-быстрому все дела в Тавридине провернуть и потихоньку свалить к тебе на несколько дней. Такому количеству людей это вранье в уши вливали — вот оно и вернулось ко мне бумерангом, получил вместо толковых помощников ретивых любовников. Черт! Времени у нас в обрез, а вместо двух человек реально работать будет только один, да и тот в основном про койку будет мечтать.

Он хотел прибавить что-то еще, но осекся, услышав звук двигателя: в ворота въезжала машина.

— Вот и они, легки на помине, — проворчал Роман. — Пойду встречать.

Он двинулся к двери. В эту минуту он казался обиженным и разочарованным ребенком, которому вместо обещанного мороженого дали сухой кисловатый невкусный творог. Анна смотрела на его широкую, обтянутую тонким джемпером спину, и внезапно поняла, что сочувствует ему и очень хочет помочь. От всей души хочет!

Дзюба

— Здрасте, я Дима, а это Люша, — бодро произнес щуплый невысокий молодой человек с некрасивым лицом и реденькими волосиками на черепе, одетый просто и небоско.

— Вообще-то я Валентина, — ослепительно улыбнулась его спутница, — Люша — это сокращенное от Валюши, меня все так называют, я привыкла.

Дзюба недоверчиво разглядывал странную парочку. Девушка была по-настоящему красивой и примерно на полголовы выше Димы, да и одета нарядно и ярко, даже, пожалуй, чересчур ярко. Малиново-розовая куртка плохо сочеталась с узкими брюками расцветки «под леопарда», а бирюзовый шарф смотрелся совершенно чужеродным. И макияжа, пожалуй, многовато, по крайней мере, на вкус Романа. Ни малейших признаков влюбленности ни у одного, ни у другого он не заметил. Напутал чего-то Никитич, ох, напутал!

— Я — эксперт-криминалист, — продолжал между тем Дима, — а Люша из дурдома, ну то есть из отдела по борьбе с незаконным оборотом наркотиков, — добавил он, заметив неприкрытый ужас, исказивший лицо Анны.

— Очень приятно, — Роман пожал протянутую руку. — Знакомьтесь: Аня, а я Роман. Мы как будто любовники, липовые, конечно. А вы?

— А мы настоящие, — засмеялась красавица Люша. — У нас свадьба через три недели.

Нет, не напутал инженер-смотритель... Вот же чудеса!

— Нас предупредили, что у вас очень сжатые сроки, — деловито сказал Дима, — поэтому давайте сразу к делу.

— Может, чаю? Или кофе? — робко предложила Анна.

Люша лучезарно улыбнулась, быстро скинула куртку и шарф и сделала шаг по направлению к ней.

— С удовольствием! Давай я помогу. Мужчины без нас разберутся пока.

Дзюба усадил Диму рядом с собой, включил компьютер и, стараясь быть кратким, обрисовал задачу: нужно собрать как можно больше информации по двум убийствам на водохранилище, совершенным 10 июня прошлого и текущего годов.

— Ни фига себе, — протянул изумленно Дима. — А никто ведь и не заметил, что в прошлом году убой на пляже был тоже 10 июня. Прошлогоднее дело я хорошо помню, я как раз дежурил, сам на место выезжал, осматривал. А в этом году другой эксперт был. А в чем фишка?

— В том, что кто-то начал убивать людей точно в те даты, когда были совершены аналогичные преступления в прошлом году. Схема в принципе мне понятна, но смущает одно обстоятельство: убийство в Шолохове — второе в серии, оно совершено через три недели после первого, в Сереброве. Все остальные убийства, а их всего пять, совершались с более длинным интервалом и на существенно большем расстоянии. У меня только одна гипотеза: человек совершает первое убийство, через три недели — второе, причем всего в шестидесяти километрах от места предыдущего убийства, и вот на этом втором убийстве он вдруг понимает, что ему нужен более длительный перерыв между преступлениями и расстояние побольше. Почему он сделал такой вывод? Что не так с этим убийством? Я всю голову сломал и придумал совершенно невероятное объяснение: убийство в Шолохове в этом году вообще не из той серии. Тогда либо это чистая, но совершенно невероятная случайность, либо в серию умышленно вмешался кто-то еще. Я путано объясняю? — виновато спросил Роман, заметив озадаченное выражение лиц Димы и подошедшей Люши.

Дима немного подумал, потом кивнул:

— Я повторю, а ты следи. Три варианта. Первый: в убое от десятого июня этого года какой-то косяк. Или в самом деянии, или в раскрытии. Второй: совпадение. Третий: другой фигурант. Пока все правильно?

— Да, все правильно.

Люша и Анна принесли чай, поставили на стол печенье и конфеты. Дима с задумчивым видом слушал пояснения Дзюбы, автоматически таская из вазочки печенье и даже не замечая этого, и Роман подумал, что Анна была все-таки права, когда настояла на походе в магазин. Внезапно лицо Димы исказилось какой-то странной смешной гримасой. Роман запнулся от неожиданности.

— Когда было убийство в Сереброве?

— Семнадцатого мая.

— А может, как раз с ним что-то не так?

Роман непонимающе уставился на эксперта. Фраза звучала загадочно и довольно путано. Он перевел глаза на Анну, мол, ты филолог, мастер слова, может, расшифруешь? Но Анна только бровями повела, дескать, сама в недоумении.

— Я переведу, — Люша снова улыбнулась, и Дзюба подумал, что эта девица, похоже, ничего не умеет, кроме как улыбаться. Правда, получается это у нее красиво, тут не поспоришь. — Дима хочет сказать, что, возможно, что-то пошло не так не с шолоховским трупом, а с предыдущим, серебровским, и это по каким-то причинам заставило вашего убийцу поторопиться и уже положить следующего терпилу где придется, пусть и поближе. Вообще его обычный модус операнди — срок и расстояние побольше, но именно в Сереброве что-то переклинило, поэтому следующий эпизод пришлось совершать вне схемы.

Вероятно, Роман не сумел справиться с лицом, потому что Люша, в очередной раз улыбнувшись, сказала:

— Дима очень умный, он практически гений. Только словами плохо владеет.

— Это точно, — хмыкнул щуплый Дима. — Вербальная сфера — не мое поле, я все больше по естественным наукам и по технике. Меня только Люша умеет понимать и переводить.

— Меня потому и послали к вам вместе с Димой, — подхватила Люша. — Его выбрали, потому что он гений, а меня — чтобы я его переводила, иначе вы кучу времени потеряете, пока поймете, что он хочет сказать.

«Ох, прибедняешься, красавица, — подумал Дзюба. — Если бы ты была не такой же умной, как твой Дима, то фиг бы ты поняла, что он имеет в виду и хочет сказать. И ты, похоже, действительно влюблена в своего гения по уши».

Но мысль, пришедшая в голову эксперту Диме и сформулированная его невестой, показалась Роману любопытной. И в самом деле, может быть, все дело именно в серебровском эпизоде? Все материалы по убийствам в Сереброве у него с собой, их можно еще раз тщательно прошерстить, но уже с другой точки зрения. А ребят попросить собрать максимально доступную информацию по обоим убийствам на водохранилище.

* * *

Дима и Люша уехали, Анна уселась за свой ноутбук работать над пушкинской прозой, а Роман снова уткнулся в материалы по двум убийствам в Сереброве, совершенным в районе железнодорожного вокзала. Ему казалось, что он уже выучил их наизусть, но Антон Сташис еще пару лет назад объяснял ему, что это ощущение очень опасное. Когда кажется, что все уже помнишь так, что от зубов отскакивает, глаза при перечитывании автоматически скользят по тексту, и очень высок риск так и не заметить то, что ускользнуло от внимания в предыдущие разы. Дзюба все время помнил о предупреждении своего наставника, но все равно то и дело ловил себя на том, что пробегает тексты на экране быстро, машинально отмечая: это я помню... это я знаю...

Надо переключиться. Он встал из-за стола, достал из сумки наручный пульсометр, закрепил на кисти, закрыл глаза и начал выполнять дыхательные упражнения «по Свистунову». Свистунов — один из выдающихся тренеров по стрельбе, автор собственных уникальных методик, доктор наук. Удивительно, но в Университете МВД, где учился Роман, эти методики не использовались и о том, что они существуют, даже не говорилось. О Свистунове Ромке поведала Анастасия Павловна Каменская, она и методички ему подарила, и рассказывала, как сама училась и тренировалась у этого самобытного педагога.

Упражнения следовало выполнять под нагрузкой, чередуя отжимания, приседы и прыжки и периодически следя за пульсом. Через некоторое время Дзюба начал пыхтеть, и Анна, сидевшая к нему спиной, обернулась и с удивлением спросила:

— Ты чего?

— Упражнения делаю.

— Для чего?

— Для стрельбы.

— А что, для меткой стрельбы нужно прыгать? — скептически осведомилась девушка.

— Для меткой стрельбы нужно отлично владеть дыханием. А у меня с этим проблема. Вот лоханулся один раз, так стыдно было! Повторения не хочется.

Глаза Анны округлились и стали как будто ярче.

— Лоханулся — в смысле в преступника не попал? Промазал?

— Ага.

— И что? Он сбежал? Ты его не поймал в итоге?

— Поймал. Только не я. Меня человек один выручил. В общем, там такая ситуация была: чтобы поймать того кренделя, мне нужно было с большого расстояния попасть в маленький объект, в кнопку электронного замка. А я перед этим быстро бежал, дыхалка сбилась, рука ходуном ходит, и я понимаю, что не попаду в эту кнопку ни за что. Хорошо, что рядом тетка одна была, опытная, отлично обученная, она у меня пистолет взяла и с одного выстрела попала, куда надо.

— Ничего себе! — с восхищением произнесла она. — А что за тетка? Молодая? Спортсменка, что ли?

— Да нет, какая спортсменка, она пенсионерка вообще, бывший опер, в отставке. Она потом со мной ликбез провела, объяснила, где у меня пробелы, учебные материалы дала. Вот с тех пор и тренируюсь, чтобы в следующий раз не облажаться. А в тот момент мне знаешь как стыдно было? Ужас просто!

Роман улыбнулся весело и светло, словно вспоминая что-то необыкновенно приятное.

— Я, конопляный муравей, молодой мужик в отличной спортивной форме — и не смог, а тетка-пенсионерка смогла. Чуть сквозь землю от стыда не провалился. Но это быстро прошло.

Анна смотрела на него со все большим вниманием и интересом.

— Что прошло? Стыд?

— Ну да.

— А как? Что ты сделал, чтобы не было стыдно?

«Надо же, — подумал Роман, — то она спрашивает, что я делаю, чтобы не переживать, то ее занимает вопрос, что я делал, чтобы не было стыдно... Похоже, Аня ищет какой-то универсальный механизм, который позволит ей мгновенно избавляться от негативных эмоций. И где его взять, этот механизм? Существует ли он вообще? Не знаю. Мне кажется, любую эмоцию, даже самую неприятную, надо просто перетерпеть, пережить. Путь она побудет, сколько ей положено, и сама пройдет. Но, возможно, я и не прав...»

— Ничего особенного не делал. Сказал себе, что не уметь чего-то — не стыдно. И оказаться в чем-то не таким умелым и ловким, как другой человек, тоже не стыдно, тем более если этот человек старше и опытнее. Допустить ошибку — не стыдно. На самом деле, Мышонок, если как следует вдуматься, то в этой жизни крайне мало вещей, про которые с полным основанием можно заявить, что «это стыдно». Крайне мало, — повторил он задумчиво, снова бросая взгляд на пульсометр: показатели его не порадовали. — Люди разбрасываются словом «стыдно», вешают этот ярлык направо и налево, щедро так, от широкой души. Лучше б они благотворительностью занимались с такой же щедростью.

Ему казалось, что он ответил на вопрос, и Роман собрался было продолжить упражняться, но Анна не унималась.

— А приведи, пожалуйста, пример, что, по-твоему, действительно стыдно?

— Пример... — он задумался. — Пообещать человеку помощь, обнадежить, уверить в том, что ты поддержишь, а потом струсить и сбежать без предупреждения. Вот это стыдно. И мерзко.

— Значит, трусость — это стыдно?

— Нет, — Дзюба покачал головой. — Трусость — это просто проявление слабости, страха за себя, за свою жизнь и за жизнь близких. Это естественно для человека и потому не стыдно. А вот пообещать и сбежать без предупреждения — совсем другое дело.

Анна встала, подошла к нему, с любопытством разглядывая, как будто видела в первый раз.

— И откуда ты такой умный взялся? Сам додумался?

— Да прямо-таки! — от души рассмеялся он. — Спасибо добрым людям — подсказали, научили.

В дверь постучали, на пороге возникла крепкая фигура Никитича.

— Там повар приехал, спрашивает, к которому часу ужин готовить и на сколько персон.

К которому часу... Хороший вопрос. Про число персон — вопрос еще лучше. Знать бы, когда вернутся жених с невестой, да и вернутся ли вообще.

— Нас будет четверо, — решительно ответил Роман. — А со временем пусть не заморачивается, мы разогреем. У нас в коллективе две дамы, так что не пропадем.

— Понял, — коротко кивнул Никитич и исчез.

Дзюба доделал цикл упражнений, мысленно упрекнул себя за недостаточно хороший результат — нужная для стрельбы частота дыхания восстанавливалась не так быстро, как хотелось бы — и снова взялся за материалы. Итак, 17 мая 2015 года... железнодорожные пути за вокзалом... Леонид Борискин, 25 лет, менеджер логистической компании... родился в Сереброве, там же закончил школу и учился в институте... девушки... друзья... родственники... биллинг... распечатка сообщений, сохраненных на мобильном телефоне... сообщения в соцсетях... 17 мая 2016 года, Галина Лычкина, 48 лет, безработная, бездомная алкоголичка, живущая вместе с другими бомжами в одном из подвалов складского строения... опрос тех, с кем она проживала и заливалась водкой... конфликты... родственников нет... знакомых нет... биллинга и всего, что связано с Интернетом, само собой, тоже нет...

Ничего нового. А есть ли оно, это новое, ускользнувшее от внимания? Эх, знать бы наверняка!

Из-за двери со стороны барной стойки слышались какие-то звуки — повар начал готовить ужин. Через некоторое время оттуда же стали просачиваться запахи жарящегося мяса и тонкие островатые ароматы салатных соусов. Роман вдруг понял, что голоден, подошел к шкафчику, вытащил пакет чипсов и принялся грызть их, не отрываясь от экрана ноутбука. Поужинать-то неизвестно когда удастся... Права была Аня, ох, права!

* * *

Возвращение жениха с невестой в гостевой домик было обставлено, как говорится, «с шумом и пылью». Сперва из-за ворот раздались нетерпеливые многократные гудки, потом послышались громкие крики:

— Ромка! Анютка! Принимайте гостей! Мы приехали!

Судя по тому, как хорошо слышны были голоса, кричали будущие молодожены, опустив стекла в машине. Дзюба похолодел. Или ребята — полные придурки и ничего не понимают, или... Нет, о втором «или» думать не хотелось, пусть лучше окажется первое.

Дверцы машины захлопали еще до того, как Роман услышал скрип закрывающихся ворот. Он выглянул в окно и увидел, как Дима с Люшей вытаскивают с заднего сиденья какие-то коробки и пакеты, а Никитич, стоя у наполовину открытых въездных ворот, оживленно разговаривает с кем-то. Похоже, «или» все-таки второе... Вот же черт возьми!

Лица у ввалившихся в дом влюбленных были радостными и возбужденными, но едва они перешагнули порог, в обоих словно бы щелкнули выключатели: они стали серьезными, спокойными и собранными.

— За вами могут быть ноги? — деловитым тоном спросила Люша, стаскивая с себя малиново-розовую куртку и бирюзовый шарф.

— Могут, — удрученно кивнул Дзюба. — Хотя я надеялся, что их не будет. Просчитался, значит.

— Мы там одного срисовали, неподалеку от ворот, в кустах. Ну и на всякий случай решили подыграть, как будто мы ваши давние друзья.

— А в коробках что?

— Пиво. В пакетах — закусь к нему.

— Зачем? — строго и с нескрываемым неудовольствием проговорил капитан. — Вы что, собираетесь здесь пиво хлестать?

Дима, которому тяжелые коробки были явно не по силам, с трудом отдышался, поставив их на пол, и промямлил:

— Так еще когда уезжали... И не мы, а она сама. Заодно и проверили.

— Что проверили? — растерянно спросила Анна, переводя взгляд с Люши на Диму с таким ужасом, как будто перед ней крутилась граната с выдернутой чекой.

— Мы заметили его еще тогда, когда уезжали отсюда. Поэтому на всякий случай заехали в магазин и затоварились всем тем, что обычно покупают на встречу старых друзей. В магазине мы его не видели, но на всякий случай... А сейчас, когда подъехали, снова срисовали. Потому и спектакль устроили, — терпеливо перевела Люша. — Кажется, ваш Никитич с ним даже разговаривал. Он как, в курсе?

— Для него мы — парочка, Дима — мой старый дружбан, а ты — его девушка.

— Не мы, а она, — упрямо повторил Дима свою загадочную фразу. — Я только то, что в микроскопе, хорошо вижу, а людей не замечаю.

— Ой, да ладно тебе прибедняться! — Люша весело чмокнула жениха в щеку, для чего ей пришлось слегка пригнуться.

Да уж, обманчива внешность! Разнаряженная, как яркая бабочка, Люша в своих жутких леопардовых штанах и с избыточным макияжем оказалась хорошим оперативником, глазастым и наблюдательным, умеющим быстро ориентироваться в ситуации и реагировать на нее. Только почему она так странно одевается? Обычно опера стараются не выделяться из толпы, сливаться с ней, не бросаться в глаза. Надо будет спросить при случае.

Ноги... Значит, в Тавридине кто-то очень сильно сомневается в легенде капитана Дзюбы и продолжает выяснять, зачем сыскарь с Петровки заявился в их края. В общем-то, понять можно: если, как считает полковник Конев, тавридинской полицией плотно занимается управление собственной безопасности, а может, и ФСБ, стало быть, грехов и косяков у них — видимо-невидимо, и у полиции славного города Тавридина есть все основания бояться, что к ним уже и Москва присматривается. Ну ладно, если так, то терпимо. Хотя, конечно, лучше бы без этого.

Люша

...Уехав днем из гостевого домика на водохранилище, Дима и Люша добрались до работы, после чего разделились. Дима быстро нашел возможность получить нужные сведения и остался у себя в кабинете проводить экспертизы и писать заключения, а Люша отправилась к родственникам потерпевших.

Родители убитого в 2016 году двадцатилетнего Виктора Юрьева ничего нового не рассказали, повторили то, что и так записано в материалах дела: сын любил бывать в одиночестве, ни в ком не нуждался, мог часами просиживать в сквере на лавочке или на берегу водохранилища и о чем-то думать. Ни о каких конфликтах или новых знакомых не рассказывал.

В квартире, где проживал до своей смерти двадцатисемилетний Егор Анисимов, дверь Люше открыла молодая женщина, находящаяся, судя по размерам живота, на седьмом-восьмом месяце беременности, сестра погибшего, Ольга Любавина, в девичестве — Анисимова.

— Я думала, никто уже давно не ищет убийцу Егора, — горестно проговорила Ольга. — К нам только в первые дни все время приходили из полиции, а потом и перестали.

— А зачем вас дергать, если вы все рассказали? На самом деле работа не прекращается, просто родных уже не трогают, — выдала ей Люша утешительную ложь.

— Почему же вы сейчас пришли, если считается, что мы все уже рассказали?

— Потому что есть такая закономерность: пока человек помнит то, что он говорил, он именно это и будет повторять, даже если его просят вспомнить еще какие-нибудь детали. А когда проходит много времени и человек забывает собственные слова, вот тогда есть надежда, что механизм вспоминания включится.

— А-а, — протянула Ольга. — Ну да, понимаю. А что я должна вспомнить?

— Все, что касается вашего брата. Друзья, девушки, разговоры, телефонные звонки... Все, что вспомните, особенно незадолго до гибели. Или после гибели, — добавила Люша.

Зачем она произнесла эти последние слова — девушка не знала. Никогда прежде она этого не говорила. Словно толкнуло что-то изнутри.

— После гибели? — удивленно переспросила Ольга. — Но мы с мамой и об этом рассказывали, нас же несколько раз спрашивали, не приходил ли кто-то к Егору после того, как... Ну, в общем, после того. Не звонил ли кто. Нас спрашивали.

— А когда спрашивали, не вспомните? — зачем-то настаивала Люша.

— Наверное, в первую неделю после того, — беременная женщина старательно избегала слов «смерть», «убийство» или «гибель». — Да, правильно, я вот как-то глазами помню, что мама сидит на табуретке в кухне, я стою возле окна, а полицейские, их двое было, в дверном проеме толкутся и спрашивают... А потом, спустя несколько дней, нас уже в полицию вызывали, потом к следователю, а домой больше не приходили.

— Значит, ничего нового не вспомните? — уточнила Люша.

— Если только письмо, но оно пришло значительно позже, примерно через месяц после... после того... или даже позже... — задумчиво проговорила Ольга. — Наверное, отправитель не знал, что Егора больше нет.

— Какое письмо? — насторожилась Люша. — От кого? Что в нем написано?

Ольга пожала плечами.

— Понятия не имею. У нас в семье не принято вскрывать чужие письма.

Люша ушам своим не поверила.

— Даже если человек уже умер?

— Да, даже если и так, — кивнула сестра Егора. — Я маме сказала, конечно, что пришло такое письмо, но она проявила твердость. Сказала, что всегда учила нас с Егоркой уважать чужую приватность, и сама не имеет права поступить иначе. На самом деле, я думаю, дело в другом.

— В чем же?

— Мама просто боялась узнать из этого письма что-то такое, что изменит нашу память о Егорке, наше мнение о нем. А мы этого не хотели. Сейчас ведь письма в конвертах приходят только официальные, штрафы там, квитанции, счета и все такое. Личные письма люди давно уже не пишут, если только пожилые, которые компьютером не пользуются. Кто Егору мог написать письмо на бумаге? Какой-нибудь пенсионер. А зачем? Что у них могло быть общего? Значит, у Егора была какая-то сторона жизни, о которой мы с мамой не знали, и вполне возможно, что сторона эта не слишком приглядна... Вот как-то так, — печально вздохнула Ольга. — Вы считаете, что мы поступили малодушно? Струсили? Надо было вскрыть и прочитать? В любом случае в этом письме не могло быть ничего полезного для полиции, ведь правда? Оно же совершенно точно написано после того, как Егора не стало.

В такие минуты Люша, она же старший лейтенант Валентина Горлик, начинала сама себя бояться. Ей говорили, что у нее очень сильная интуиция, некоторые даже колдуньей называли. Она не верила, отнекивалась, отшучивалась, но иногда оно и в самом деле случалось... Вот такое, как сейчас. Будто чья-то неведомая рука вела ее и вкладывала в голову мысли, заставляя задавать те или иные вопросы или просто произносить определенные слова. Люша в эзотерику не верила. И потому каждый раз пугалась.

— Письмо сохранили? — спросила она. — Не выбросили?

— Сейчас принесу, оно в коробке с документами лежит.

Ольга вышла в другую комнату и через некоторое время вернулась, держа в руке конверт. Самый обычный почтовый конверт, не новомодный, с прозрачным окошечком, в котором виднеется напечатанный на принтере адрес, а традиционный. С написанным от руки адресом. Люша осторожно взяла конверт, стараясь держать его только ногтями, аккуратно положила в файл, мысленно похвалив себя за то, что всегда в рюкзачке носит несколько таких вот пустых файлов. Мало ли что... А вдруг пригодится. Вот и пригодилось. Конечно, если бы она работала по поручению следователя, то за такую нахальную самодеятельность ей бы голову оторвали: ну как же, изъятие без оформления протокола — непорядочек! Но никакой следователь ее не посылал, а для ориентирующей оперативной информации протоколы не нужны...

Дзюба

— Так что в письме-то? — нетерпеливо спросил Дзюба.

Люша невозмутимо полезла в свой рюкзачок.

— Я не читала. И не вскрывала конверт.

Перехватив взгляд Романа, она улыбнулась и добавила:

— Я службу знаю. Главный — ты. А эксперт — Дима.

Дима только хмыкнул и пошел к входной двери, где стоял его рюкзак. Достав упаковку с тонкими перчатками, натянул их на руки, отчего сразу сделался похож на хирурга, аккуратно извлек конверт из файла и вскрыл специальным тонким лезвием. В конверте оказался всего один листок, сложенный пополам. На нем крупными жирными буквами было от руки написано: «ВОР». И три восклицательных знака.

Листок с посланием перекочевал в отдельный файл, после чего Дима поднес пинцетом конверт поближе к глазам и стал рассматривать смазанные нечеткие штемпели.

— Однако! — присвистнул он. — Письмецо-то долго по нашей почте гуляло, оказывается! Ушло из Сереброва в начале мая, судя по штемпелю. А в Шолохове его проштемпелевали только в середине июля. Да, я знал, что почта хреново работает иногда, но чтобы так... Просто-таки рекорд.

«А не так уж плохо ты говоришь, когда речь заходит о профессиональном, — отметил про себя Роман, слушая эксперта. — Наверное, наработанная привычка произносить вслух то, что наблюдаешь при осмотре. А вот с формулированием более абстрактных умозаключений проблема...»

Он не стал додумывать мысль до конца и метнулся к своему ноутбуку. Быстро пролистал материалы. Было же где-то, он точно помнит, что это было... Этому не было объяснения, и вообще оно казалось никак не связанным с убийством, поэтому осталось просто отмеченным в памяти, но не осмысленным...

Вот оно! Эсэмэс-сообщения из памяти мобильного телефона Леонида Борискина, убитого в Сереброве 17 мая прошлого года. Переписка от 6 мая 2015 года с неким Котом, обозначенным в биллинге как «Кошкин Геннадий Витальевич»:

Борискин: Ну сколько можно? 100 раз говорил, что ничего не было!

Кот: Ты о чем?

Борискин: О твоей рыженькой. Не было!!!!!

Кот: С чего вдруг?

Борискин: Ты ж меня вором назвал.

Кот: Я?!?!? Когда?

Борискин: Не ты?

Кот: Уймись уже. Бегу на совещание.

Кто-то назвал Леонида вором. Выходит, он вполне мог получить такое же письмо, пораскинуть мозгами, вспомнить, у кого из его друзей-приятелей были основания сказать подобное. Вспомнил, вероятно, только Гену Кошкина, у которого была рыженькая подружка, давшая повод для ревности. Кошкин от авторства отказался. И что сделал Борискин? Выбросил письмо и забыл о нем? Или сохранил?

В материалах дела не было протокола обыска по месту жительства Борискина, это Роман помнил точно, но на всякий случай пролистал их еще раз. Нет, жилище убитого не обыскивали. Не посчитали нужным. Если обнаруживается криминальный труп без часов и бумажника, то мотив кажется настолько ясным, что больше ничего и не ищут. Почему-то никого не озадачило, что телефон потерпевшего преступник не взял, мобильник так и лежал в кармане куртки.

Так выбросил Борискин письмо или засунул куда-то? Теперь уже ничего не установить, Леонид жил в съемной квартире, и после его смерти хозяева вернули его личные вещи родителям, что-то, вероятно, выбросили, посчитав мусором и хламом, а квартиру сдали снова. Роман видел среди материалов несколько протоколов допроса родителей, датированных и маем 2015 года, и июнем, и даже июлем. К этому времени вещи сына они уже давно забрали, и если бы среди них обнаружилось такое вот письмецо, они наверняка сказали бы о нем следователю. Или не сказали бы? А вдруг они рассудили так же, так родные Егора Анисимова? Вдруг испугались, что их сын и вправду что-то у кого-то украл, и не захотели выносить сор из избы?

— Командир, слово-то молви, — послышался насмешливый голос Люши.

Дзюба опомнился и сообразил, что так и стоит, уставившись в экран компьютера и ничего не объясняя.

— Когда отправлено письмо? — спросил он.

— Второго мая, — отозвался эксперт Дима.

— А шестого мая Борискин спрашивал своего приятеля, не он ли назвал его вором. Имеем полное право предполагать, что было два письма, оба отправлены второго мая из Сереброва, одно адресовано Борискину, живущему в том же Сереброве, второе предназначалось Егору Анисимову, проживающему в Шолохове. По Сереброву письмо дошло быстро, за три дня, может, и быстрее, а вот отправленное в Шолохов ушло куда-то не туда, потерялось или еще что, но добралось до адреса в результате только через два месяца.

— Однако... — произнес Дима свое, по-видимому, любимое словечко, только на этот раз озадаченно. — Сегодня уже поздно. Завтра сделаю.

Дзюба заметил, как помрачнело лицо Анны. Не нравится ей, когда она чего-то не понимает. Он бросил умоляющий быстрый взгляд на Люшу, которая поняла его без слов и тут же перевела:

— Дима завтра проверит письмо на предмет следов рук. Если что-то найдет — зафиксирует и пробьет по базе данных.

— Поняла, — кивнула Анна. — Вы же голодные, наверное, давайте я начну еду греть, там повар все приготовил.

— Это точно, — радостно вскинулся Дима. — Жрать и правда хочется.

Он достал из кармана и протянул Дзюбе флешку.

— Вот, держи, начальник, все, что удалось найти. Как место обнаружения трупа Анисимова осматривал — помню хорошо, могу рассказать, если надо, а на обыск хаты я не выезжал. То ли другой кто был, то ли обыска и не было. Ты сам посмотри, я не успел.

Роман вставил флешку в ноутбук. Материалы по убийству Егора Анисимова. Материалы по убийству Виктора Юрьева. Придется читать их ночью. А завтра прямо с утра...

— Ребята, завтра нужно постараться найти точку пересечения Борискина и Анисимова, — сказал он. — А лучше начать сегодня. Давайте делить работу.

— А чего ее делить? — хмыкнул Дима. — По трупу на рыло, вот и вся дележка. Одного человека начальник берет, второго — Люша. А мы с Аней спать завалимся. Устанете — разбудите нас, поменяемся. Рационально?

Дзюба отрицательно покачал головой.

— Не пойдет. Аня не при делах, она филолог, а не опер. Не разберется.

— Тогда сам командуй, — махнул рукой Дима и помчался к распахнувшейся двери, ведущей на кухню, чтобы помочь Анне, несущей в руках большой поднос с ужином «на четыре персоны».

* * *

Еды оказалось слишком много. Видно, повар привык, что в гостевой домик наведываются компании с хорошим аппетитом, подогретым прогулками, банькой и спиртным. Анна добросовестно подала на стол все, что было приготовлено, и тихо усмехнулась, заметив изумленные взгляды присутствующих.

— Это ж на целую роту голодных солдат после тяжелого перехода, — заметила Люша. — За кого нас тут принимают?

Красавица положила себе две ложки овощного салата и крошечный кусочек мяса, на остальные блюда даже не взглянула. Ее жених, напротив, собрал на своей тарелке целую огромную кучу из разнообразных закусок и с нескрываемым удовольствием принялся за еду. Едва Дима и Люша взяли в руки приборы, в них обоих снова щелкнул невидимый выключатель, и столько света и любви лилось из их глаз, столько нежности и тепла, и доверия, и уважения, что Роману стало не по себе. Дуняша... Ну что ж так больно-то?! Когда же это закончится? Ждать Дуняшу он готов сколько нужно, хоть год, хоть пять лет, даже десять. Но готов ли он терпеть эту непроходящую боль, настигающую его в самые неподходящие моменты?

«Готов, — ответил сам себе Роман. — Буду терпеть. Должно пройти рано или поздно».

Он вспомнил прочитанное где-то высказывание о том, что никого и ничего нельзя сравнивать между собой; сравнивать можно только себя сегодняшнего с собой вчерашним.

«Каким я был вчера? — спросил он себя. — А позавчера? Вроде бы таким же, как сегодня. А три месяца назад? Три месяца назад было больнее, это я точно помню. Значит, рана понемногу затягивается, процесс идет. И это хорошо».

Но настроение было испорчено. Он молча жевал мягкое сочное мясо, отправлял в рот гарнир и понимал, что глотает с большим трудом. Аня тоже сидела молчаливая и задумчивая, то и дело проверяя сообщения на телефоне и кому-то отвечая. Люша попыталась было завести разговор об убийствах, с которыми предстояло разбираться, но Роман решительно и даже сердито остановил ее:

— Никаких разговоров о деле, пока ужинаем. Нам ночью нужны активные мозги. Пока сидим за столом — думаем и говорим о чем угодно, только не об убийствах Борискина и Анисимова. Пусть мышление уйдет из проложенной колеи.

Дима понимающе хмыкнул и засунул в рот кусок буженины, сопроводив его крупными сочными оливками. Аня закончила писать очередное сообщение, положила телефон на стол и неуверенно произнесла:

— Как-то странно у вас все устроено... Нас, например, всегда учили, что настоящие писатели погружаются в свое произведение, думают о нем день и ночь, даже во сне, живут в нем, ни на что не отвлекаются. Только при этом условии получается истинное произведение литературы. Выходит, это неправильно? Нельзя погружаться? Или как?

Дима быстро дожевал, проглотил и коротко ответил:

— Это другое. Работа с информацией. Другая ментальная гигиена.

Анна поморщилась и рассмеялась:

— Люша, а теперь по-русски.

Дима сделал неопределенный жест рукой с зажатым в пальцах ножом и ответил:

— Я сам. Вспомни бухгалтеров, которые считают длинные колонки цифр на калькуляторе. Сначала сверху вниз, записывают результат, потом снизу вверх и сличают. Думаешь, они дураки были и искали себе лишнюю работу?

— Да на каком калькуляторе? — удивилась Анна. — Где ты видел тех бухгалтеров? Сейчас полно бухгалтерских программ, компьютер сам считает и не ошибается.

— Так это сейчас, — возразил эксперт. — Моя мама была бухгалтером, и я хорошо помню, как она приносила домой документы и часами считала и пересчитывала. Сначала сверху вниз, потом снизу вверх, потом еще как-то по-хитрому. Это давно было, еще в докомпьютерную эру.

Роман недоверчиво посмотрел на него. Какая до-компьютерная эра? О чем речь вообще? Что Дима может помнить, если в те времена он еще под стол пешком ходил?

— А ты, наверное, был вундеркиндом и, обкакав-шись в пеленках, учил таблицу умножения? — язви-тельно спросил Дзюба.

Но Дима, казалось, этого тона не заметил. Во вся-ком случае, никак не прореагировал на него.

— Почему в пеленках? — вполне миролюбиво от-ветил он. — Я уже большой был, школу заканчивал, маме часто помогал: она диктует — я считаю, потом менялись.

Роман недоверчиво прищурился.

— Хочешь сказать, что у вас в Шолохове, или откуда там ты родом, компьютеры появились лет десять на-зад, а до этого все на калькуляторах вручную считали?

Люша залилась хохотом, но Дима, в отличие от нее, сохранял полную серьезность.

— Хорошо сохранился, — буркнул он и нацелился вилкой на котлету на блюде в центре стола.

— Димке на будущий год сорок лет стукнет, — пояснила Люша, не переставая хохотать. — В доком-пьютерную эру он уже был во вполне сознательном возрасте.

— Да ладно! — не поверил Дзюба. — Серьезно, что ли?

— Абсолютно, — подтвердил Дима. — Могу па-спорт показать.

— Я бы тебе больше двадцати семи не дал, — при-знался Роман, чувствуя, что плохое настроение по-немногу улетучивается. — И правда хорошо сохра-нился.

— Маленькая собачка, — все так же коротко отозвался эксперт.

«...до старости щенок», — мысленно продолжил Дзюба, а вслух спросил:

— А чего ж ты до такого солидного возраста дожил и не женился?

— Почему? — Дима пожал плечами. — Было. И дочка есть. Только давно. Бывшая уже от нового двоих родила. Люша тоже.

— Что — тоже? — непонимающе переспросила Анна. — Двоих родила?

Она, казалось, совсем забыла о переписке в телефоне и со сверкающими из-под длинной темно-рыжей челки шоколадными глазами прислушивалась к разговору.

— Я тоже замужем побывала, — пояснила Люша, переставшая наконец хохотать. — И тоже давно, девчонкой еще выскочила. Честно говоря, по залету получилось, я замуж совсем не хотела, но родители настояли. Разрешение в мэрии получали, мы же оба были несовершеннолетними. Полгодика прожили для приличия, чтобы предков успокоить, и разбежались.

— Значит, у тебя ребенок есть? — удивилась Анна.

Роман понимал ее удивление. Как-то не вязался с материнством облик ярко и безвкусно одетой молодой красавицы, которая может без проблем остаться ночевать вне дома. Кроме того, есть такая штука, как телефон, а Антон Сташис специально натаскивал Ромку обращать внимание на то, как люди пользуются этим средством связи, и делать выводы. Невозможно представить себе вменяемую мать маленького ребенка, которая, находясь далеко от него, на работе ли, в гостях или еще где-то, оставляла бы телефон в кармане куртки в прихожей. Любая нормальная мать, оставляя своего ребенка с кем-то, хоть с бабушкой, хоть с няней, хоть с соседкой, будет держать телефон под рукой и постоянно интересоваться, как там дела, как детка покушала, как погуляла, как поспала, не случилось ли чего... Люша свой телефон даже не достала, во всяком случае, Дзюба его не видел. Получается, Антон заблуждался и учил его неправильно? Или Люша — не «нормальная» мать?

Щелк! Внутренний выключатель переменил положение, свет, льющийся из глаз Люши, мгновенно потух.

— Был, — ответила она и больше ничего не объяснила.

Но все и так стало понятно. Ребенка она потеряла. При родах ли, или во младенчестве, или позже... Кто бы мог подумать, что под этой яркой переливающейся оберткой скрыто такое горе...

Анна тоже все поняла и смутилась.

— Извини, — пробормотала она.

И снова выключатель Люши щелкнул, и снова полыхнули исходящие от молодой женщины любовь, нежность и радость жизни.

— А в Димку я влюбилась очень давно, — сообщила она. — В девятнадцать лет меня взяли в контору установщицей, у меня вид был такой легкомысленный, что меня никто всерьез не принимал, и я практически в любое место могла пролезть, хоть в квартиру, хоть в офис. Я в школьном театре много лет занималась, у нас педагог был замечательный, старая актриса из серебровского драмтеатра, она много чему нас научила. Так что и притвориться, и сыграть, и навратьсочинить — все могла, без проблем. Установщики в другом здании сидели, и я бы Димку никогда в жизни не встретила, если бы не случайность...

Люша весело рассказывала, как познакомилась со своим будущим женихом, а Дзюба почти не слушал, думая о том, как сложилась судьба этой девушки. В девятнадцать лет она уже работала в полиции, проводила оперативные установки, значит, ребенка к тому времени не было. Наверное, он умер совсем младенчиком, вскоре после рождения. Когда же Люша оказалась на оперативной работе? Училась ли она где-то или так и работает самоучкой? Интересно, она развелась с первым мужем, потому что влюбилась в Диму, или по совсем другим причинам? Получается, она столько лет влюблена в своего гения-эксперта, а чувство до сих пор не прошло. Наверное, стало даже еще сильнее. А вдруг у Дуняши с тем человеком выйдет так же? Нет, не может быть, не может! «Так» было у нее с Ромкой, а с тем, другим — как-то иначе, и оно обязательно закончится... «Я знаю, я совсем не тот, кто вам для счастья нужен. А он — другой. Но пусть он ждет, пока мы кончим ужин...» — вспомнились почему-то слова старого романса. Кто его пел? Кажется, Вертинский, если Ромка не путает. Сам он не поклонник подобного жанра и подобной манеры исполнения, но его маме Вертинский очень нравился, и когда Роман был совсем маленьким, дома часто звучали записи этого артиста.

«Вот я и жду, когда Дуняша со своим милым закончат ужинать, — с тоской подумал Дзюба. — Но если он и вправду не тот, кто нужен ей для счастья, то у меня есть шанс дождаться. И я дождусь».

— А почему вы только сейчас женитесь, если так давно вместе? — вывел его из раздумий голос Анны.

— Пора, — кратко ответил Дима, положив приборы на пустую тарелку.

И непонятно было, относится это слово к тому, что пришло время оформить давние отношения и создавать семью, или же использовалось как сигнал о том, что ужин закончен и нужно приниматься за работу.

Фалалеев

Мужчина лет сорока пяти, с холеным гладким лицом, подтянутый, спортивный, одетый нарочито недорого и неброско в серую куртку-пуховик и самые обычные, плохо сшитые джинсы, вернулся из Шолохова в Серебров на прокатном автомобиле, стареньком и неприметном, на котором сегодня днем уехал вслед за московским опером и его подружкой. Добравшись до гостиницы, в которой он снимал номер, мужчина поднялся в свою комнату, переоделся и сразу стал выглядеть уверенным в себе обеспеченным начальником. Перекладывая из кармана серой куртки в карман дорогого пальто мобильный телефон, он снова поймал себя на неприятном ощущении, как будто прикоснулся к отвратительной жабе.

В последнее время он стал ненавидеть телефон. Ненавидеть и бояться его. Всего несколько месяцев назад он в разговоре с друзьями радостно заметил, что ему ужасно везет в жизни: живы не только его родители и родители жены, но жива и его бабушка, то есть ему уже прилично за сорок — а он все еще внук. И один из присутствующих посмотрел на него сочувственно и произнес:

— У меня все похороны позади. А у тебя — все впереди.

Слова эти отозвались неясной тревогой, все никак не забывались, заставляли пристально всматриваться в лица отца и матери, бабули, тестя и тещи. И чем больше он всматривался, чем больше вопросов о здоровье и самочувствии задавал своим близким, тем страшнее ему становилось. Бабуле уже девяносто пять, маме — семьдесят четыре, всем остальным — около восьмидесяти. И правда ведь, в любой момент, в любой момент может раздаться телефонный звонок, и ему скажут...

Мужчина по фамилии Фалалеев очень любил своих родителей и бабулю. И родителей жены он тоже любил. Как-то вот так повезло ему в жизни, что и с женой он прожил без малого двадцать лет душа в душу, без единой ссоры, и с ее родителями отношения сложились отличные, добрые и теплые. Может, с чем другим ему не повезло, с карьерой, например, или с дочкой-лахудрой. Карьера так и не сложилась, официально он — помощник руководителя довольно-таки средненького ранга, а неофициально получает деньги за выполнение разных деликатных поручений. Деньги, правда, немалые, и семью Фалалеев обеспечивает в полной мере, но вот протянуть при знакомстве визитку с напечатанным «Директор департамента...» ему не суждено. А так хотелось!

И с дочкой не получилось. Учиться не хочет, работать не хочет тоже, школу заканчивает, еле-еле с двоек на тройки перебиваясь, шатается невесть где с какими-то девахами и парнями, такими же никчемными и ленивыми, ничего не желающими и ни к чему не стремящимися. Жена жалуется, что от дочки уже и спиртным давно попахивает, не говоря уж о сигаретах. Фалалеев слишком хорошо знал, чем все это может кончиться, но сделать ничего не мог. Только понимал, что страшный телефонный звонок может оказаться не только о старших членах семьи, но и о дочери.

Стряхнув с себя тяжелые мысли, он осмотрел в зеркале свою ставшую внушительной и представительной фигуру и вышел из гостиницы. До улицы, где жила Анна Зеленцова, было совсем недалеко, и Фалалеев решил не брать машину и прогуляться пешочком, хотя погода и не располагала к променаду: ветер завывал и хлестал по прохожим на улицах струями ледяного дождя со снегом. Фалалеев раскрыл большой черный зонт и отправился по адресу.

В квартире на третьем этаже дверь ему открыл высокий худощавый парень в очках. Если верить сведениям из риелторской фирмы — некто Никита Никоненко.

— Вы к кому? — спросил Никита, увидев на пороге незнакомца.

Да-с, с воспитанием у юноши не ахти... Ни тебе «Добрый день», ни «Чем могу помочь?».

— Я к вам, господин Никоненко. Вы позволите войти?

— А чего надо-то?

— Я объясню. Или вы хотите поговорить здесь, на лестничной площадке?

— Ну ладно, заходите, — с явной неохотой согласился Никита, впуская Фалалеева. — Ботинки только снимите, а то хозяйка ругается, если грязь по всему полу.

Снимать ботинки Фалалеев и не собирался. Он вообще никогда не снимал уличную обувь в чужом доме. Просто носил в сумке упаковку с бахилами. Оставленная в прихожей обувь сильно затрудняла быстрое исчезновение из помещения, а жертвовать скоростью перемещения в иных ситуациях было весьма рискованно.

Надев ловким и привычным движением бахилы, он, не снимая пальто, прошел вслед за Никитой Никоненко в комнату, быстро огляделся. Чистенько, но не прибрано, на стульях висят футболки и свитера, на рабочем столе включенный компьютер, рядом с ним — обычная помойка, которую умудряются разводить те, кто просиживает перед экраном сутки напролет. Ничего неожиданного.

— Господин Никоненко, как у вас с финансами? — непринужденно спросил Фалалеев, усаживаясь за обеденный стол.

Никита недоуменно воззрился на него и пожал плечами:

— Нормально, а что?

— Хотите заработать?

— Смотря сколько, — осторожно ответил молодой человек.

Но по огню, неконтролируемо зажегшемуся в его глазах, Фалалеев точно и отчетливо понял, что денег он хочет. Очень хочет. Настолько сильно хочет, что готов ради них на любую авантюру.

— В какую сумму вы оценили бы свою работу за три-четыре часа?

— Ну... — Никита задумался.

Фалалеев понимал, что он не подсчитывает свой заработок, который мог бы получить при своей обычной работе тестировщика программного обеспечения, а судорожно прикидывает, какую цифру назвать, чтобы не прогадать.

— Тысяч в тридцать, — наконец выдавил Никоненко.

— Рублей? — уточнил Фалалеев, пряча улыбку.

— Ну да.

— И за тридцать тысяч вы готовы выполнить мою просьбу и съездить туда, куда я вас пошлю?

— А далеко ехать-то?

— Не очень. Шестьдесят километров. На электричке — час езды. Час туда, час обратно, и максимум два часа на месте. Ничего сложного.

— А на месте что делать? Имейте в виду: никакой дури, никакого оружия, ничего такого не повезу. Ни за какие деньги!

«А вот это ты молодец, парень, — мысленно похвалил его Фалалеев. — Правильно мыслишь. Своя рубашка ближе, своя шкура дороже».

— Ничего везти не нужно, — успокоил он Никиту. — Нужно просто доехать до места, где находятся ваша хозяйка и ее кавалер, посмотреть, чем они там занимаются, понюхать, пощупать, и вернуться сюда. И все подробненько мне рассказать.

Глаза Никиты округлились, рот приоткрылся, и в этот момент его лицо, на первый взгляд тонкое и даже интеллигентное, стало вызывающе уродливым.

— Вы за Аней следите, что ли?

От цепкого взгляда Фалалеева не укрылось выражение острого беспокойства. Почти такое же выражение он постоянно видел на лице жены, когда дочка не приходила вовремя домой и не отвечала на телефонные звонки. О человеке, который тебе безразличен, так не беспокоятся... Понятно, юноша. Сделаем выводы.

— За Аню можете не волноваться. Меня интересует ее молодой человек. Роман, кажется?

— Ну... Вроде... — неуверенно протянул Никита.

— Вы знаете, кто он такой, где и кем работает?

— Вроде в полиции. Он не местный, из Москвы, вот вырвался в командировку, заодно и Аню проведал.

— Вот то-то и оно, — назидательно произнес Фалалеев. — Он в командировке, то есть билетики в оба конца куплены на государственные денежки, и суточные ему выплачиваются, а он что? С любовницей в постели валяется? А бандитов в это время в Москве пусть другие ищут? За ним давно подобные штучки замечаются, шустро он наловчился свои личные дела за счет службы проворачивать. И нашему руководству эта песня изрядно надоела. Вот меня и послали разобраться. Так что, господин Никоненко, могу я рассчитывать на вашу помощь?

— А... — Никита опять помялся, похоже, хотел задать какой-то вопрос, но никак не мог решиться. — У него будут неприятности, у Романа этого?

— А как же! — заверил его Фалалеев. — Непременно будут. И еще какие! Уж я постараюсь. А что, вам его жалко?

Последние слова он произнес исключительно для того, чтобы вынудить Никиту Никоненко озвучить ответ, который Фалалееву и без того был известен. Любовь, ревность, месть, бла-бла-бла, детские игрушки... Плавали, знаем. Парень и денег влегкую заработать хочет, и сопернику насолить жаждет, а тут ему все в одном флаконе подносят. Не откажется. Все сделает. Особенно если еще подсластить.

— Не, не жалко, — Никита тряхнул головой. — Он вообще противный какой-то, сразу мне не понравился. Не понимаю, что Аня в нем нашла.

— Я думаю, что после моего доклада руководству он здесь больше не появится, — тонко улыбнулся Фалалеев. — Забудет и Аню, и дорогу в этот город. А если вы сумеете держать язык за зубами, то сумма вашего вознаграждения будет увеличена.

— На сколько увеличена? — быстро спросил Никоненко.

Жадный блеск глаз был так ярок и выразителен, что Фалалеев даже подумал, что денег этому типу хочется, пожалуй, намного сильнее, чем саму Анну Зеленцову.

— Еще на двадцать тысяч. Тридцать — за работу, двадцать — за молчание. Итого пятьдесят. Если возьмете деньги и проболтаетесь, мало вам не покажется. Это понятно?

— Чего ж тут непонятного, — без раздумий ответил Никита.

Еще десять минут ушло на инструктаж: куда ехать, где искать, как себя вести, на что обратить внимание. После чего Фалалеев покинул квартиру на третьем этаже.

Во время разговора с квартирантом Зеленцовой он несколько раз ощущал вибрацию телефона в кармане: на время визита Фалалеев включил виброзвонок. Кто-то настойчиво дозванивался до него, и с каждым новым звонком тревога все туже сжимала его сердце. Под конец разговора с Никитой Фалалеев уже с трудом держал себя в руках. Он не позволял себе доставать телефон и смотреть, кто абонент, во время деловых мероприятий, таково было его собственное непреложное правило. Никаких телефонов во время контактов с другими людьми, все внимание сосредоточено только на собеседнике, который должен ощутить себя самым главным, самым важным, практически центром вселенной и пупом земли. В этом случае он сделает все, что тебе нужно.

Едва за ним захлопнулась дверь квартиры, Фалалеев вытащил телефон и посмотрел список непринятых вызовов. От жены и других членов семьи — ни одного. Слава богу!

Пятый монолог

Возможно, природа и обделила меня талантами, но упорства и настойчивости мне было не занимать. Думаю, что Прекрасное Око именно это во мне и оценило, когда сделало меня Избранным. Я чувствовал, что история с дедком произошла не напрасно: Прекрасное Око для чего-то послало мне это испытание. Знак. Знак того, что нужно что-то изменить.

Я продал квартиру и стал снимать жилье в другом районе. И сразу понял: решение было правильным. Именно здесь мне суждено создать свое великое творение, именно сюда вело меня Прекрасное Око, чтобы я мог оправдать свое Избрание.

Я много трудился над своей музыкой, посвящая ей каждую свободную минуту. Прошло немало времени, года полтора-два, прежде чем я продвинулся вперед настолько, что смог понять наконец, почему дедок-музыкант назвал мое творчество примитивным.

И вот настал день, который должен был принести мне долгожданный триумф, но обернулся катастрофой.

В тот день я приступил к своим музыкальным занятиям в каком-то особом настроении, в совершенно новом для меня состоянии души, твердившей мне: «Еще чуть-чуть — и ты поймаешь то неповторимое, уникальное сочетание звуков, которое даст нужный эффект. Сосредоточься, погрузись в звуки полностью, прислушивайся к своим чувствам и эмоциям, ты прошел длинный и трудный путь, и вот она, цель. Она близка. Стоит только протянуть руку...» Мне казалось, что тело мое становится невесомым, наполняется восторгом и какой-то неведомой прежде силой, и я вот-вот оторвусь от пола, взлечу и поймаю парящую над головой музыку...

И вдруг — звонок в дверь. Я даже не сразу услышал его, а когда позвонили во второй раз — услышал, но не понял, что это такое и что теперь следует делать. После третьего настойчивого звонка я пришел в себя и отправился открывать. На пороге стояли два парня, примерно моих лет или чуть моложе. Один — усатый толстяк с самодовольной рожей, второй — повыше ростом, стройный, в очках. У обоих в руках какие-то бумаги и планшеты.

— Здравствуйте, — бодро заговорил очкарик. — Мы проводим социологический опрос...

— Я занят, — быстро проговорил я. — У меня нет времени. Извините.

— Но это займет всего несколько минут, — вступил усатый толстяк. — Мы попросим вас ответить на вопросы анкеты...

— Я занят, — отрезал я уже громче и решительнее. — Что вам непонятно?

— Простите, — вновь подал голос очкарик, — ваше мнение очень важно для нас. Обязательно хотелось бы вас опросить. Если вы сейчас заняты, то, может быть, вы позволите зайти к вам попозже? Скажите, когда вам удобно, и мы придем.

Мне хотелось заявить: «Никогда!» — и захлопнуть дверь, но отчего-то я побоялся проявить грубость. Просто стоял и молчал, не зная, как себя вести, чтобы от меня отстали. Почему-то Прекрасное Око в этот момент не пришло мне на помощь и ничего не подсказало.

— Давайте договоримся так, — продолжал тот, что повыше и в очках. — Мы оставим вам наши визитки, там есть телефоны. Как только вы сегодня или завтра выкроите буквально десять минут, позвоните, пожалуйста, и мы придем. Мы проводим социологический опрос на территории вашего микрорайона, так что в любой момент будем неподалеку.

Не говоря ни слова, я взял две протянутые визитные карточки и закрыл дверь. Разумеется, никому звонить я не собирался.

Вернулся в комнату, сел за пианино и внезапно понял, что настроение ушло. Состояние изменилось. Я не мог даже приблизительно вспомнить, какое сочетание звуков еще несколько минут назад виделось мне идеальным, совершенным и гармоничным. Я упустил свою музыку.

Но в тот момент я этого еще не понимал. Я ждал и надеялся, ежедневно, ежечасно и ежесекундно прислушиваясь к себе, пытаясь поймать тот миг, когда Прекрасное Око снова приведет меня к заветной цели. Этими пустыми, как выяснилось, надеждами я жил еще довольно долго, около года. Даже музыкой стал меньше заниматься, все больше прислушиваясь к себе самому. Но нет... Ничего не происходило.

И я с ужасом понял, что Прекрасное Око оставило меня. Еще утром того волшебного дня оно было со мной и помогало, а в тот момент, когда пришли эти двое — перестало помогать. В чем я провинился перед ним? Что я сделал не так? Где ошибся?

Мне нельзя было отвлекаться. Я не должен был открывать дверь. Но ведь они позвонили... Целых три раза... Я не мог на это повлиять, никак не мог. Я отвлекся, потому что они три раза звонили.

Значит, виноват не я, а они, эти парни со своим дурацким опросом и своими дурацкими анкетами. Они лишили меня покровительства Прекрасного Ока. Они лишили меня возможности сочинить великую музыку, которая изменит весь мир.

Они украли у меня мое предназначение.

Они — воры.

Теперь я знал, как мне вернуть расположение и поддержку Прекрасного Ока. Я должен воздать ворам по справедливости.

Конец первого тома

Том 2

(отрывок)

Дзюба

Ночью дом стал уютным и каким-то добрым и теплым. Обычно в отдельно стоящем доме Роман по ночам особенно остро ощущал и глубокую темноту за стеклами окон, и глухую загородную тишину, разрываемую только периодическим лаем собак. И от этого лая, и от темноты ему становилось не по себе, даже если дом был полон спящих людей. А сейчас все иначе. Поначалу все казалось таким мрачным и одиноким, заброшенным и неприкаянным среди голых деревьев и кустарников и рядом с холодной неприветливой водой. Теперь же, окутанный темнотой и тишиной, деревянный дом воспринимался надежным прибежищем, где царит добро и доверие и где не может случиться ничего плохого.

Люше достались материалы об убийстве Леонида Борискина в Сереброве: Дзюба рассудил, что лучше посмотреть информацию свежим глазом. Сам же Роман изучал материалы по убийству Егора Анисимова. Дима и Анна были отправлены наверх спать, при этом Дима строго-настрого запретил жалеть его и обязательно разбудить, если он понадобится. Анна разрешила Люше воспользоваться своим ноутбуком и тоже велела не стесняться и будить, если с техникой что-то не заладится.

Но будить никого не пришлось. Очень скоро, буквально в первые же полчаса работы, обнаружилось, что житель Шолохова Егор Анисимов учился в политехническом институте Сереброва с 2007 по 2012 год. А с 2008 по 2013-й в том же институте учился и Леонид Борискин, только на другом факультете. Поскольку специальности по дипломам у молодых людей были разными, равно как и разными были избранные впоследствии профессии, учеба в одном и том же вузе с первого взгляда в глаза никому не бросилась. Борискин — менеджер-логистик, Анисимов — инженер-гидротехник, работавший на плотине, построенной на Шолоховском водохранилище.

Роман и Люша отметили это совпадение и продолжили искать дальше. Но все было бесполезным: студенческими годами потерпевших никому и в голову не пришло поинтересоваться, ведь годы эти миновали задолго до убийства.

— Завтра прямо с утра я снова поеду к сестре Анисимова, — сказала Люша. — Поспрашиваю ее. Конечно, Егор учился в Сереброве, дома не жил, но, может, что-то рассказывал, чем-то делился. И друзей-приятелей Анисимова нужно будет прочесать: вдруг кто-то из них учился вместе с ним? Серебров — областной центр, институтов приличных в других городах области нет, только училища и колледжи, так что вполне можно поискать среди друзей Анисимова тех, кто учился в том же вузе или в другом, но в те же годы.

Она что-то записала на лежащем рядом листке и вдруг подняла голову:

— Да, и общагу надо не забыть. Общага — это первое место, где могут столкнуться студенты с разных факультетов. Всякие общеинститутские заморочки —

это уже потом, от них можно и откосить, а от общаги никуда не денешься.

Она протянула листок Дзюбе.

— Что это?

— Меморандум для командира, — усмехнулась Люша. — Чтобы он ничего не забыл. Здесь перечень информации, которую надо собрать в Сереброве. Точно такую же информацию мы будем собирать в Шолохове. Когда вопросы одни и те же, ответы потом легче сличать.

Роман взял листок, быстро пробежал глазами. Четкий крупный почерк, каждый пункт пронумерован. Вот что значит женский подход! Все по порядку, все по списку, все тщательно и без спешки. Сам он ни за что не стал бы ничего записывать, привычно положился бы на свою память... И обязательно что-нибудь забыл бы или упустил. Обычно именно так все и случалось.

Наверху скрипнула дверь, послышались неторопливые тихие шаги, слегка неуверенные: так ходит человек, не до конца проснувшийся.

— Острый приступ, — вялым голосом объявил Дима, спустившись вниз.

Дзюба не на шутку перепугался.

— «Скорую» вызвать?

Люша рассмеялась.

— Острый приступ голода, — объяснила она. — Вечный Димкин прикол. С трех до четырех часов ночи — вынь и положь ему еду, а то не заснет до утра.

Она почти бегом направилась к шкафчику, где лежало «то, что погрызть», и поставила на барную стойку открытую коробку конфет и круглую жестяную синюю коробку с датским печеньем.

— Чайку сделать тебе? — заботливо спросила Люша.

— Угу, — сонно кивнул эксперт.

— А тебе? — обратилась она к Роману.

— Мне тоже, спасибо.

После второй шоколадной конфеты с ореховой начинкой Дима вдруг резко проснулся, взгляд его сделался осмысленным, а выражение лица — живым и заинтересованным.

— Как у вас дела? Есть успехи? Нашли что-нибудь?

— Кое-что нашли, — отозвался Роман. — Надо будет еще информацию пособирать.

— Устали?

— Ну... Есть немного, — признался Дзюба. — Но это ничего, дело привычное.

Люша заварила чай, поставила на барную стойку три чашки, сахарницу и молочник, куда перелила сливки из обнаруженного в холодильнике пакета.

— Командир, а личный вопрос можно? — спросила она.

— Валяй.

— Аня — она тебе кто-то? Или чисто прикрытие?

— Прикрытие.

— А по жизни она кто? Ты вроде говорил, она филолог?

— Ну да. Филфак серебровского университета закончила.

— И кем она работает с таким образованием? У меня старшая сестрица — филолог, институт культуры закончила, так ни она, ни ее подружки, с которыми она вместе училась, не могут найти работу по специальности. Учителей из педагогического набирают, а преподавательских мест на филфаке на всех не напасешься. В журналистике все тоже битком, а литкритику сегодня никто не читает, кроме специалистов, на этом не заработаешь. Как же твоя Аня выживает?

— Пишет рефераты, контрольные, курсовые и дипломы за деньги.

— Да? — удивилась Люша. — И что, за это много платят?

— Платят мало. Но если много работать, то на жизнь хватает.

— Ну вот я и знаю, что платят-то копейки и при этом хотят оригинальный авторский текст, «Антиплагиатом» все работы проверяют, так что и не схалтуришь особо, чужим не воспользуешься и цитатами объем не наберешь. Сестрица моя пыталась так подрабатывать, но быстро сломалась. Не потянула. Как же Аня справляется?

— Не знаю, — Роман пожал плечами. — Как-то справляется.

Он подумал, что вполне может сейчас задать наконец тот вопрос, который не давал ему покоя. Если Люша решилась спросить о личном, то и он вправе ответить тем же.

— У меня к тебе тоже личный вопрос. Не возражаешь?

— Ты — командир, имеешь право.

— Да при чем тут... Я хотел спросить: почему ты так ярко одеваешься? Нас учили, что опер должен быть незаметным, сливаться с толпой или по меньшей мере со средой тех, кого он разрабатывает. А тебя за километр видно, внимание привлекаешь. В чем фишка?

Дима фыркнул, не успев проглотить чай. Капли брызнули в разные стороны, попав и на Дзюбу, и на Люшу, и на поверхность барной стойки. Люша мгновенно схватила бумажную салфетку из стоящего здесь же держателя и, не говоря ни слова, ловко вытерла воду. Выражение лица ее при этом ни на секунду не изменилось, а руки действовали, казалось, совершенно автоматически и отдельно от самой девушки.

— Праздник, — по обыкновению лаконично разъяснил Дима. — И природная красота. Страшная сила. Лучше так.

Слов было произнесено вроде бы и немало, но Роман все равно ничего не понял. Люша смущенно улыбнулась и слегка покраснела.

— Дима хотел сказать, что если, по легенде, к нам приехали друзья и мы собрались пару дней протусоваться с ночевкой, то это типа праздник, вот я и оделась как бы понаряднее. Наверное, у вас в Москве на вечеринку с друзьями одеваются как-то иначе, у вас же мода столичная, гламур и все такое, а у нас тут провинция, свои вкусы и своя мода. Понаряднее — значит, поярче.

— Эту часть я понял, — кивнул Дзюба. — А с природной красотой что не так?

Люша смутилась еще больше, и Роман с удивлением понял, что она, так ловко переводившая речь своего жениха и так четко формулировавшая собственные соображения, почему-то на такой простой вопрос не может подобрать ответ.

— Не приставай к ребенку, — сурово произнес Дима. — Стесняется. Сам объясню. В натуральном виде Люша — смерть мужикам. Голову теряют, глаза выпучивают, не знают, как подойти и что сказать. Короче — полный абзац. Она маскируется. Такая дурочка-бабочка. Чтоб никто не боялся. Несерьезная такая. Не опасная.

— Вот теперь понял, — улыбнулся Роман. — А что, действительно опасная?

— Полный абзац, — снова повторил эксперт, подтверждая свои слова. — Черный пояс. Нормальный мужик ее, вот такую, как сейчас, даже не заметит. Только придурки на таких клюют.

— А если нужно, чтобы серьезный человек клюнул? По работе нужно, например, — допытывался Дзюба. — Бизнесмен какой-нибудь, профессор или еще кто.

— Тогда натуральная. Но лучше этого не видеть. Спокойнее доживешь.

Люша окончательно смутилась, слезла с высокого барного стула, обошла стойку и принялась доставать из коробок банки с пивом, вскрывать их и выливать содержимое в раковину, расположенную рядом с дверью в служебные помещения и кухню. Все правильно, одобрительно подумал Роман, молодец, завтра утром нужно предъявить кучу пустых банок в подтверждение того, что встреча старых друзей прошла правильно.

— Ты иди поспи, — сказал Дима, ласково глядя на свою невесту. — А я останусь. Мне одна мысль в голову пришла. Хочу проверить.

— Какая мысль? — встрепенулся Роман.

— Я пока на работе был, одним глазом материалы посмотрел. Зацепило, — невнятно ответил эксперт. — Ты тоже иди. Один справлюсь.

— Ну уж нет, — возмутился капитан. — Я с тобой останусь.

Дима сел к компьютеру и углубился в изучение материалов. По тому, как он пролистывал, не читая, огромные фрагменты, было понятно, что он ищет что-то конкретное. Роман сидел на диване и клевал носом, то и дело проваливался в глубокий, но короткий сон, вставал попить водички, снова садился и снова проваливался...

— Понял.

Роман вздрогнул, открыл глаза, почувствовал, что затекла нога, которую он, усаживаясь, подвернул под себя.

— Что?

— Ты исходил из того, что три: один, один и два. На самом деле два: три и один.

Кошмар... И Люша спит... Не будить же ее! А без нее ничего не понять. Или понять все-таки можно, просто он, Ромчик Дзюба, слишком глубоко заснул и никак не проснется?

Он попытался осознать сказанное, призвав на помощь арифметику. Один, один и два — получается в сумме четыре, а никак не три. А три и один — тоже выходит четыре, хотя эксперт Дима, этот странный гений, утверждает, что вообще должно получиться два.

— Ни фига не понял, — честно признался Роман. — Можно как-то попроще? Ну, как для тупых. На пальцах.

Дима вздохнул.

— Серебров. Экспертизы. Черепно-мозговые травмы.

Он сделал паузу и выжидающе посмотрел на Дзюбу, будто спрашивая: «Это понятно? За мыслью следишь?»

— Ага, — кивнул тот.

— Предполагаемый рост преступника, нанесшего удар по голове.

Снова пауза. И снова кивок в ответ.

— В пятнадцатом году — сто шестьдесят пять — сто семьдесят.

Пауза. Взгляд. Кивок.

— В шестнадцатом году — сто восемьдесят — сто восемьдесят пять.

— Угу.

— Орудия разные.

— М-гм.

— Шолохов, пляж. Ножевые. В пятнадцатом году потерпевший стоял. Предполагаемый рост преступника — сто шестьдесят пять — сто семьдесят.

— Ого!

— В шестнадцатом году потерпевший сидел, картина ножевых другая. Но.

— И?

— Орудие, похоже, идентичное. Фотографии повреждений есть. И описание. Раны — один в один, до миллиметра, до угла. Не веришь — посмотри сам.

Дзюба лихорадочно обдумывал услышанное. Рост Игоря Пескова никто не измерял, но по оценкам адвоката Орлова и полковника Большакова — действительно, чуть больше ста восьмидесяти сантиметров. «Один, один и два» — в переводе означало, что один человек убил Леонида Борискина, другой человек — Егора Анисимова, а третий, Игорь Песков, копируя эти два убийства, лишил жизни алкоголичку Галину Лычкину и задумчивого тихого паренька Витю Юрьева. Именно так и думал до недавнего времени Роман Дзюба. Потом у капитана появилось подозрение, что несчастного Юрьева убил вовсе не Песков, а кто-то совсем неизвестный.

Потом появилось предположение, что Борискина и Анисимова убил один и тот же человек, отправивший обоим письма с обвинением в воровстве. А Игорь Песков по чистому совпадению выбрал именно эти два убийства для копирования.

И вот теперь гениальный Дима утверждает, что убийства Борискина, Анисимова и Юрьева совершены одним и тем же преступником. То есть «три и один» означает, что на совести этого душегуба три трупа, в то время как роль Пескова в комбинации ограничивается всего одним эпизодом — убийством Галины Лычкиной в мае 2016 года. Борискина и Анисимова объединяет загадочный «Вор!!!», тогда как Анисимова и Юрьева — орудие убийства.

Перед глазами Дзюбы расплывались в бесформенные пятна золотые розы, коими щедро украшены были тяжелые шторы на окнах. Он никак не мог сфокусировать взгляд и злился на себя за то, что плохо видит, с трудом думает, и вдруг сообразил, что делать ему в Шолохове больше нечего и нужно завтра возвращаться в Серебров и начинать собирать информацию, тщательно перечисленную на листочке, полученном от Люши. Иными словами — придется садиться за руль. За какой руль он сможет сесть в таком состоянии?! Доедет максимум до ближайшего столба, в него и упрется. Надо поспать хоть сколько-нибудь...

— Ты мысль-то уловил? — послышался голос Димы.

— Уловил. Проверять надо.

— Ну так и проверяй, на то ты и командир.

— Надо с утра ехать к родителям Юрьева, про письмо спросить. Вдруг он тоже получал?

— Люша сделает, — заверил его эксперт. — Еще какие просьбы-поручения?

— Не знаю пока. Не придумал. А судмедэксперт по трупам Анисимова и Юрьева один и тот же?

— Разные. И Бюро разные. Что, на халтуру понадеялся?

— Угу, — кивнул Дзюба, и только потом, через несколько секунд осознал произошедшее: Дима абсолютно точно угадал ход его мыслей. Если описание ран на двух разных трупах сходится до миллиметра и до самого маленького угла, то есть вероятность, пусть и слабая, что судебный медик просто ошибся, вставив в экспертное заключение кусок из прошлогоднего файла. Такое иногда приключается с теми, кто готовит материалы на компьютере — электроника живет своей, какой-то особой и не всегда понятной жизнью, и выкидывает самые непредсказуемые фортели.

Похоже, Дима и в самом деле гений!

— А почему Бюро разные? — удивился Роман. — Город же маленький, вам только одно Бюро положено.

— В прошлом году в начале июня крупное ДТП, автобус и фура. Очень много пострадавших, городское Бюро не справлялось, половину отправили на экспертизу в Серебров. Труп Анисимова тоже туда поехал. А в этом году все штатно, Юрьева здесь вскрывали.

Дзюба помолчал, собираясь с мыслями.

— Дима, а вас с Люшей кто отправил мне в помощь?

— Начальник УВД.

— И что сказал?

— По стране идет серия. Человек из Москвы едет разбираться. Надо избежать шумихи. Предотвратить панику.

— Значит, если нужно будет — он вас прикроет?

— Должен.

Дима помолчал и добавил немного неуверенно:

— По идее.

Фалалеев

Ранним утром следующего дня Фалалеев подъехал на автомобиле к дому, где проживала Анна Зеленцова и снимал квартиру Никита Никоненко, припарковался у самого подъезда, порадовался, что нашлось такое удачное местечко — видно, кто-то из жильцов дома только-только убыл на работу — и приступил к ожиданию. Ждать пришлось не особенно долго; уже без четверти девять из дома вышел Никита и бодро направился в ту сторону, где была остановка и можно сесть на автобус, идущий до вокзала.

Фалалеев вышел из машины и догнал его.

— С добрым утром, господин Никоненко. Как спали-почивали?

Никита вздрогнул от неожиданности, потом лицо приняло выражение настороженное и даже испуганное.

— А что? Вы передумали? Ехать не надо?

«Выразительная у тебя рожа, — с усмешкой подумал Фалалеев. — Боишься, что диспозиция изменилась и денег тебе не заработать. Ох, и любишь же ты денежки, мальчик Никита!»

— Надо, господин Никоненко, надо, — улыбнулся Фалалеев. — Будьте любезны мне ключики от квартирки.

И протянул руку.

— Зачем?

— Вы же собираетесь сказать своей хозяйке, что по рассеянности захлопнули дверь, оставив ключи внутри, и будете просить ее дать вам ее собственный второй комплект ключей, который, как вы сами мне вчера сказали, находится на общей связке с ключами от ее квартиры. Ведь так? Вы именно это мне сказали?

— Ну, — подтвердил Никита. — Так и есть, она всегда сама открывает, в дверь не звонит.

— А вот представьте ситуацию: вы приезжаете в Шолохов, начинаете с расстроенным видом хлопать себя ушами по щекам, сетовать на собственную рассеянность, извиняться, просить ключи... И в этот момент ключики-то и выпадают из вашего кармана. Как это будет выглядеть?

— Ну чего... — пробормотал молодой человек. — Чего им выпадать? Или я их в сумку могу переложить...

Взгляд Фалалеева стал строгим и холодным.

— Вы забываете, уважаемый господин Никоненко, с кем вам придется иметь дело. Анна Зеленцова, конечно, простушка и домохозяйка, а вот ее любовник человек весьма профессиональный. Вы и глазом моргнуть не успеете, как он, со свойственной ему подозрительностью и недоверчивостью, обшмонает и ваши карманы, и вашу сумку. Стоит вам только отойти на две минуты пописать или попить водички — и ап! — дело сделано. А я, мой дорогой друг, тоже человек профессиональный и поэтому тоже недоверчив и подозрителен. Вы ведь получили от меня вчера предоплату, не так ли?

— Ну, так, — угрюмо подтвердил Никита.

— И что же может вам помешать притвориться, что вы уехали выполнять мою просьбу, а на самом деле добраться до торгово-развлекательного центра, поглазеть на витрины, съесть пиццу в кафе, посмотреть кино, потом вернуться и затаиться, не открывать мне дверь и делать вид, что вы меня не знаете? Ничто не может, — ответил Фалалеев на собственный вопрос. — У вас есть выбор: сделать работу и молчать за пятьдесят тысяч, или ничего не делать за двадцать пять. Я не настолько хорошо вас знаю, чтобы быть уверенным в вашем выборе. Так что давайте-ка ключики, получите их назад, когда вернетесь. Заодно и расскажете мне подробненько о своей поездке, и оставшиеся денежки получите. Так будет спокойнее и вам, и мне.

Никита с недовольным видом вытащил из кармана ключи и сунул в протянутую руку Фалалеева.

— И где я потом буду вас искать? — проворчал он.

— Меня не нужно искать, — голос Фалалеева звучал ласково и утешительно. — Я буду здесь. Не волнуйтесь, я вас увижу.

Он и в самом деле не был уверен в этом парне. Жадный, мечтающий о деньгах — да, несомненно. Но вот насколько он умен и хитер? В какой мере доверчив и простодушен?

Дождавшись, когда долговязая фигура Никоненко скрылась за углом, Фалалеев не спеша вернулся к машине, завел двигатель и поехал на вокзал. Занял удобную позицию, позволяющую, оставаясь незамеченным, обозревать платформу, от которой будет отходить ближайшая электричка до Шолохова, убедился, что Никита сел во второй вагон от хвоста поезда, дождался отправления и вернулся к дому Зеленцовой. Расписание электричек он предварительно изучил: даже если Никита решит схитрить, выйти на первой же остановке, дождаться встречного поезда и на нем вернуться в город, это ничего не изменит. Все равно возле своего дома он покажется не раньше, чем через три, а то и четыре часа, ведь ключей-то у него нет, зато риск, что Фалалеев засечет его возвращение намного раньше намеченного срока — есть, и немалый.

Но так много времени Фалалееву и не нужно, он управится куда быстрее. Сигнализации в квартире нет, это он еще вчера приметил. Войдя, аккуратно притворил дверь, на всякий случай вставил ключ изнутри и провернул в замке, натянул бахилы, осмотрелся. По сравнению со вчерашним вечером изменений немного: еще одна немытая чашка возле компьютера, давешняя синяя футболка, в которой был Никита, валяется на стуле, а вот черного свитера нет, видно, парень его надел в поездку. Проверил полки в шкафах и ящики, так, для проформы: у нынешнего поколения вся жизнь — в компьютерах и прочих девайсах, бумажными документами они не обрастают и напечатанные фотографии не хранят. Как и ожидалось, ничего не нашел.

Теперь компьютер. Как говорится, сладкое — на третье. Пароль, само собой, куда ж без этого. Никаких проблем, есть техника, есть программы, есть собственные навыки. Да и не таким уж сложным этот пароль оказался, похоже, мальчику не от кого прятаться и нечего скрывать. Запароливал, видать, больше для блезиру, для понтов дешевых, дескать, я крутой компьютерщик.

Так, что у нас тут... Ого!

Вот это уже любопытно. Крайне любопытно.

Анна

Анна проснулась ни свет ни заря, спустилась вниз и обнаружила множество следов ночного бдения и поспешного завтрака. Немытые чашки, тарелки с хлебными крошками, остатки печенья в открытой жестяной коробке, наполовину опустошенная коробка конфет, стаканы с засохшими на дне следами томатного сока. Все работали, что-то обсуждали, а ее отправили спать, как будто она прислуга какая-то и годится только на то, чтобы подогреть приготовленную поваром еду и подать на стол. Как будто она сама хуже приготовила бы! Низвели ее до уровня подавальщицы в заводской столовке.

Никого не было. Курток Димы и Люши и их рюкзаков не было тоже. А вот куртка Гудвина на месте. Где же он сам-то?

Рядом со своим ноутбуком Анна обнаружила записку: «Мышонок, я вырубаюсь, пойду посплю. Если что — буди. Г.» Внизу приписка: «Ничего не убирай!!!»

Да, как же, не убирай! Анна терпеть не может беспорядка и грязи, и пить кофе и завтракать в таком бардаке ей противно. Очень хотелось собрать и вымыть посуду, сложить в мешок и вынести пустые пивные банки, от которых исходила отвратительная вонь, оттереть специальным средством пятна на столе и барной стойке, убрать все лишнее в шкафчики, сделать на кухне вкусный завтрак, красиво накрыть... Но Гудвин не разрешает. Почему-то он считает, что у мажора, каким он себя позиционирует в глазах Никитича или еще каких-то посторонних, не может быть чистоплотной, аккуратной и домовитой подружки. Ну, кто его знает, может быть, он и прав... Анна мало видела мальчиков-мажоров и ни с кем из них не общалась настолько близко, чтобы понимать, какие у них могут быть подружки, а какие не могут.

Тяжело вздохнув, она включила кофемашину, сделала себе кофе, достала из холодильника остатки вчерашнего ужина, оценила выбор. Судя по числу котлет, именно их клали на ночные и предрассветные бутерброды: после ужина оставалось пять штук, теперь же в пластиковом контейнере гордо скучала всего одна. Нарезанную толстыми ломтями сочную буженину, которую накануне с таким удовольствием уплетал эксперт Дима, приговорили всю, без остатка. Зато красную рыбу холодного копчения почти не ели — суховата и солоновата оказалась. Под пиво улетела бы —

только в путь! Но пиво-то не пили. Раковина источала такое амбре, что сомневаться не приходилось: пиво сюда вылили, а пролить водой трубу и смыть поверхность никто не догадался. Анна брезгливо сморщила нос, открыла на полную мощность холодную воду, попыталась найти губку и чистящее средство, но ничего не нашла и удовольствовалась тем, что оставила воду литься в течение нескольких минут.

Чашка кофе, горсть печенья — и за работу. У Гудвина свои заботы, а ей нужно текст написать, срок в агентстве ей дали маленький, впрочем, как и всегда: почему-то студенты, заранее зная тему, никогда вовремя не заказывают письменную работу, тянут до последнего. Неужели они надеются, что соберутся с силами написать самостоятельно? Анна хорошо помнила, что тему, к примеру, курсовой они выбирали в самом начале второго семестра, когда до подачи было еще целых четыре месяца. Тему диплома вообще определяли чуть ли не за полгода. Ну почему, почему нужно ждать, когда останется всего какая-то жалкая неделя?!

О чем пушкинская «Метель»? О невероятном стечении обстоятельств? О необыкновенном совпадении? О любви? Или о цене ошибки, когда за неосторожность и глупость приходится расплачиваться не только тебе самому, но и другим, порой совершенно посторонним людям? И цена эта столь высока, что, если бы не чистая случайность, люди до конца жизни оставались бы глубоко несчастными и страдали.

«Приуготовляться к свадьбе...» Какое прелестное выражение! Интересно, самой Анне суждено когда-нибудь «приуготовляться» к этому событию?

Мысль съехала на мать и на ее свадьбу с Никитой, которого Анна активно не любила. На свадьбу, состоявшуюся в том городе, куда мать уехала с новым избранником, Анна съездила для приличия, хотя и очень не хотелось. Поприсутствовала на регистрации, посидела в ресторане буквально час-полтора и сбежала в аэропорт, сославшись на вечерний рейс в Серебров: якобы на завтрашний рейс не смогла достать билет, а послезавтра ей обязательно нужно быть в институте, у нее коллоквиум. Это было ложью, никакого коллоквиума не намечалось, и на свадьбу матери Анну в деканате отпустили на целых три дня, и билеты свободно продавались на все рейсы. Но видеть сияющую довольную мать рядом с мужчиной, который оказался дороже и нужнее дочери, Анне было невыносимо. Билет на завтрашний рейс она легко обменяла в аэропорту и улетела домой тем же вечером. «Он хороший, а я плохая, — металась и била в виски горькая мысль. — Он достойный, а я нет. Она хочет быть рядом с ним, а рядом со мной — не хочет».

Мать была активным пользователем соцсетей, имела свои странички и постоянно выкладывала в них фотографии, на которых они с Никитой красовались то на пикниках, то в гостях, то в театральном фойе, то на фоне египетских пирамид и всяких прочих достопримечательностей, которые посещали во время отпусков. Здесь, в Сереброве, она не заводила домашних животных, говорила, что не любит их, и категорически отказывала Ане, когда та слезно умоляла купить собачку или кошечку. А там, в новой жизни с ненавистным Никитой, у матери были две собаки, фотографии которых тоже с раздражающей регулярностью появлялись и обновлялись во всех посещаемых сетях. Анна настороженно и с какой-то болезненной ревностью регулярно мониторила странички матери и могла, казалось, с точностью до часа сказать, когда и где она бывала.

Ладно, продолжим «приуготовляться»... Нет, еще пять минуточек, она только быстренько проверит, не появилось ли чего нового в постах матери или в альбомах с фотографиями. Собственные тексты мать писала не часто, примерно пару раз в месяц, но ленту просматривала регулярно, порой даже по нескольку раз в день и делала репосты того, что привлекло ее внимание. По содержанию репостов на стене Анна почти всегда могла сделать вывод о том, в каком настроении мать, что ее тревожит или интересует в данный момент.

Анна стыдилась себя в такие минуты. Нежелание общаться с матерью и обида на нее казались девушке несовместимыми с тем жгучим интересом, который она испытывала к жизни матери. Если несовместимо, значит, неправильно. А если неправильно, значит, плохо. И снова получается, что она, Анна, плохая, неправильная, ни на что не годная и вообще полный лузер.

Почувствовав, что еще чуть-чуть — и начнет раскручиваться гнев пополам с тоской, она с усилием вышла из сети и снова вернулась к Пушкину. Ей удалось заставить себя настроиться на работу, и дело пошло даже легче, чем она надеялась. Анна так увлеклась, что не сразу осознала источник звука, который вдруг начал ей мешать.

Оказалось, стучали в дверь.

— Входите! — громко крикнула она, не желая отрываться от текста, который совершенно неожиданно так легко возникал на экране.

Скрипнула дверь, раздался голос Никитича:

— Утро доброе, гости дорогие. Там вас спрашивают.

Анна сняла руки с клавиатуры и непонимающе уставилась на смотрителя. Он был все в том же камуфляже, лицо чисто выбрито, плечи расправлены.

— Кто? Ребята? Пусть заходят, что вы их на улице держите! — сердито ответила Анна.

— Нет, молодой человек. Представился как Никоненко.

Этого еще не хватало! Какого лешего он приперся? И вообще, как он их нашел? Или это не квартирант, а какой-то совсем другой Никоненко? Мало ли однофамильцев, даже актер такой есть, Сергей Никоненко...

— Высокий, худой, в очках? — на всякий случай уточнила она.

— Совершенно верно, именно такой. Так пустить его? Или гнать в три шеи?

— Впускайте, — безнадежно разрешила Анна. — Я его знаю.

— А с завтраком как распорядитесь? — спросил Никитич, не трогаясь с места. — Повара вызывать? Или прикажете в магазин сгонять за продуктами? Я все ждал-ждал с раннего утра, что вы насчет завтрака указания дадите, а вы не идете и не идете... Я уж подумал, что до самого утра гуляли с друзьями, а теперь отсыпаетесь.

— Ромка отсыпается, — улыбнулась Анна, стараясь скрыть неловкость, охватившую ее от всех этих «распорядитесь» и «дадите указания». Никогда она не чувствовала себя барыней и становиться ею не имела ни малейшего желания. «Хотя прикольно!» — подумалось ей. — А я вот проснулась рано и с подружками в сети болтаю, про нашу вечеринку рассказываю.

— Так насчет завтрака-то, — напомнил Никитич. — С продуктами как?

— Мне ничего не нужно, а Ромка, наверное, до самого обеда спать будет.

Смотритель-охранник окинул внимательным взглядом просторное помещение, задержал глаза на куче банок из-под пива, на грязных чашках, стаканах и тарелках.

— Уборку бы надо произвести, — сказал он. — Когда можно горничную прислать? Она тут недалеко живет, в поселке, минут за двадцать доберется.

— Мне все равно, хоть сейчас пусть приходит, только чтобы не шумела, а то Ромку разбудит. Гостя-то зовите в дом, а то он там замерзнет.

Никитич вышел, а через несколько секунд на пороге возник квартирант. Вид у него был виноватый и немного затравленный.

— И что? — сурово спросила Анна с места в карьер, не намереваясь вести долгие вежливые разговоры с «этим козлом». — Дом сгорел? Как ты вообще меня нашел?

— Ты сама сказала, что будешь в гостевом домике на водохранилище. Я в интернете посмотрел — он тут всего один такой.

— Ну ладно. Так что случилось?

— Ань, я... это... В общем, я лопух, дверь захлопнул, а ключи в квартире остались. У тебя же есть вторые ключи.

— Есть, — кивнула она. — И их ты тоже оставишь в квартире. Что будем делать тогда? Дверь ломать? Третьего комплекта нет, имей в виду.

— Ань, я все понимаю, я... Я буду внимательным, честное слово! А ты что, одна тут? Где твой ухажер?

— Наверху, спит. Тебе не все равно?

— Не, ну... это... Интересно, как богатые живут, я в таких местах не бывал. Дом покажешь?

— Перебьешься.

— Да ладно тебе, Ань, ну чего ты? — заныл квартирант. — Дай хоть одним глазком глянуть, чего тут и как. А баня есть? А бассейн?

— Ага, есть, баня и бассейн с девочками. Подожди, я за ключами схожу, они в сумке наверху.

— Ты не торопись, — с глупым смешком бросил ей вслед квартирант, — я пока хоть осмотрюсь, удовлетворю любопытство.

Анна поднялась в комнату — одну из трех спален, достала связку ключей, отделила от нее два ключа от квартиры на третьем этаже. Она очень старалась не производить никакого шума, но когда уже выходила из комнаты, невесть откуда взявшийся сильный сквозняк буквально вырвал дверную ручку из ее пальцев и с силой толкнул дверь, которая захлопнулась с громким стуком. Она была еще только на середине лестницы, ведущей на первый этаж, когда услышала, как из своей комнаты вышел Гудвин.

— Что тут у вас?

Он стоял на площадке босой, в спортивных штанах, с обнаженным мускулистым торсом, сонным мятым лицом и взъерошенными волосами. Анна растерялась, остановилась на ступеньке, не зная, как правильно себя повести, чтобы и Гудвина не подставить, и «этого козла» осадить.

— Что случилось, Мышонок? — повторил Гудвин.

— Никита приехал за ключами, — выговорила она наконец, взяв себя в руки. — Он дверь захлопнул, теперь войти не может.

— Никита? А где он?

Только тут Анна сообразила, что не видит своего квартиранта. Он куда-то исчез из ее поля зрения. Бегом спустившись вниз, она огляделась: сумка Никиты стоит посреди комнаты, а самого его нет. Почти сразу же послышался звук воды в сливном бачке унитаза, потом и Никита появился.

— Здорово! — радостно крикнул он стоящему на верхней площадке Роману. — Извини, что потревожил, у вас тут романтическое всякое такое, а я влез...

— Как влез — так и вылезешь, — пробурчала Анна себе под нос.

И уже в полный голос добавила:

— Ничего страшного, никакого беспокойства. До вокзала сам доберешься? Или попросить Никитича вызвать тебе такси?

Ей казалось, что она вполне ясно дала понять своему квартиранту: дверь открыта, выход — там. Но квартирант не желал проявлять понятливость.

— Такси я и сам могу вызвать, — весело ответил он. — А чайку здесь не наливают?

Анна собралась было ответить резкостью, но в этот момент Гудвин уже оказался рядом с ней. И как он успел так быстро и неслышно спуститься? Анна моргнуть не успела, как почувствовала, что ее спина прижата к его голой груди, а руки Романа плотно обхватили ее под грудью. Тело его было сильным, большим, теплым, пахло гелем для душа, сном и совсем чуть-чуть — здоровым потом.

— Ты извини, дружище, — прогудел прямо над ее ухом голос Гудвина, — у нас времени не так много, и не для того я этот дом снимал, чтобы чай с тобой распивать. Не обижайся, но гостеприимство — не сегодня. Лады?

Квартирант, казалось, нисколько не был ни обескуражен, ни обижен.

— Да не вопрос, все понял, не маленький. Счастливо оставаться!

Он сунул ключи в карман, потыкал пальцами в телефон, вызывая такси, помахал рукой и исчез. Пока за ним не закрылась дверь, Гудвин продолжал обнимать Анну. Или делал вид, что обнимает. И только услышав скрип калитки, отпустил ее и отступил на шаг назад.

— Бедолага, — с искренним сочувствием произнес он.

— Почему?

— Потому что влюбился в тебя. А тут я. Думаешь, ему приятно смотреть, как мы обнимаемся?

— Тогда зачем же ты...

— Для картинки. Роль нужно не только играть, но и доигрывать до конца, меня так учили.

— Ладно, поняла. Ты уже встал или пойдешь досыпать?

— Выспался уже, мне достаточно.

Он огляделся по сторонам.

— Ну и свинство мы тут ночью развели...

— Никитич обещал горничную прислать. Слушай, Гудвин, все-таки мне кажется, что ты ошибаешься насчет этого козла.

— Ошибаюсь? В чем?

— Ну, что он мной интересуется. Я ничего такого не заметила. Вот ты меня обнимал, а ему как будто даже неприятно не было. Я специально смотрела, — задумчиво сказала Анна. — Мне даже показалось, что он радуется.

— Радовался он тому, что нашел тебя и раздобыл ключи. И по сравнению с этой победой все прочее казалось ему мелким и несущественным. Тем более я сказал, что времени у нас мало. Это же означает, что я скоро свалю в свою златоглавую столицу и ты снова будешь безраздельно принадлежать ему.

— Думаешь? — с сомнением спросила она.

— Уверен. Скажу тебе больше: твой Никита ужасно нервничал. Он был так напряжен, что у него синева вокруг рта проступила. А с чего бы ему нервничать, если он к тебе равнодушен?

— Гудвин! Он не «мой», он козел!

— Не цепляйся к словам. Ты завтракала?

— Кофе выпила с печеньем, все равно ничего больше нет, вы весь хлеб съели за ночь, даже котлету положить не на что.

Она вовсе не собиралась его упрекать, но все равно слова эти прозвучали как-то недовольно. Анна услышала собственный голос будто со стороны и снова расстроилась: «Вечно из меня эмоции лезут, когда надо и когда не надо. И как это люди умудряются владеть собой при любых обстоятельствах?» И дело ведь не в том, что ребята съели весь хлеб! Съели — и на здоровье, они всю ночь работали. Дело в этом ужасном, отвратительном сочетании слов «твой Никита». Мало того что она не выносит этого имени — имени человека, который для матери оказался важнее и дороже Анны, так еще и местоимение! Вот она и разозлилась, и сорвалась. Но Гудвин ничего про мать с Никитой не знает, да и про саму Анну не знает тоже, поэтому для него злость в ее голосе прозвучала совсем иначе и относилась к тому злосчастному хлебу, которого ей не досталось на завтрак. «И почему я такая нескладная!» — сердито подумала она и снова уселась к своему ноутбуку.

Орлов

— Грэнни привезет нас...

Малыш запнулся, вспоминая слово, и закончил по-английски:

— Soon.

— Скоро, — шепотом подсказала братику девочка-афроамериканка.

— Да, скоро, — радостно повторил сероглазый мальчик с кудрявыми светло-каштановыми волосиками.

— Значит, скоро увидимся! — радостно откликнулся Борис Александрович. — Учи русский язык как следует, здесь он тебе пригодится.

Из четверых приемных детей троих взяли в семью в младенчестве, и двуязычие было для них абсолютной нормой: ребятишки одинаково свободно говорили и по-английски, и по-русски. А маленького Фрэнка усыновили в возрасте трех с половиной лет, и вторым языком он пока владел не очень хорошо.

Скоро в Москву прилетит жена Орлова Татьяна с двумя внуками: пятилетним Фрэнком и семилетней Дженнифер — самой первой оказавшейся в семье дочери Орлова Алисы и ее мужа. Девочку удочерили сразу после свадьбы: молодожены с самого начала знали, что своих детей им иметь нельзя, и заранее решили, что будут брать приемных. Борис Александрович Орлов был человеком, что называется, семейным: в одиночестве, конечно, не тосковал и не пропадал, но все-таки чувствовал себя намного лучше, когда любимая жена Танюшка была рядом. А уж если двоих внуков привезет, то жизнь настанет просто-таки райская! Осталось потерпеть всего две недельки — и дом наполнится радостью, теплом и голосами, запахами компота и выпечки, повсюду разбросанными детскими вещами. Как Орлов скучал по всему этому!

Он с сожалением выключил компьютер. Надо заняться делами. И первое и главное из этих дел — поручение Большакова. Все, что можно было извлечь из материалов, собранных покойным отцом, Александром Ивановичем, Борис доложил Большакову, но этого оказалось недостаточно. Требовалось снова встретиться с людьми, знавшими Игоря Пескова, и поговорить с ними. Оперативник, который уже проделывал эту работу, сам признался, что из-за нехватки времени сделал что-то не так. Что именно было «не так» — парень ответить не смог, а вот ощущение допущенной ошибки, или, как нынче модно говорить, косяка, у него осталось. Нужно попробовать исправить ошибку, если она вообще была, и делать это нужно быстро. Большаков очень просил поторопиться.

Борис Александрович Орлов умел извлекать уроки из всего, что встречалось на его жизненном пути, и на одни и те же грабли старался по возможности не наступать. Прошедшая перед его глазами жизнь отца, Александра Ивановича, научила Бориса внимательно относиться к прошлому, причем не только к своему собственному, но и к прошлому своих родных. Поэтому, когда отец перед смертью попросил его «не бросать Игоря», Борис Александрович отнесся к этим словам со всей серьезностью и присущей ему ответственностью.

Впервые Игоря Пескова Борис Александрович увидел в конце 1988 года в доме у родителей. Александр Иванович вел в суде защиту Вадима Пескова, обвиняемого в убийстве жены. Двенадцатилетнего Игорька в тот момент уже опекала тетка, сестра подсудимого, но паренек был таким жалким, тихим, отчаявшимся, что сердце разрывалось при виде его налитых слезами глаз. Стараясь собрать как можно больше сведений о семейной жизни супругов Песковых, Александр Иванович проводил много времени в разговорах с их сыном, и как-то так сложилось с самого начала, что разговоры эти велись всегда дома у адвоката Орлова. Мальчика кормили, угощали чаем и сладостями, иногда оставляли ночевать, особенно часто — перед началом судебного заседания: постоянно плачущая и истерящая тетка была бы Игорю плохой компанией.

После суда, закончившегося вынесением сурового приговора, Игорь вплоть до получения решения по кассационной жалобе адвоката жил у Орловых.

— А вдруг что-то хорошее решат про папу? — твердил он. — Вы узнаете — и я тоже сразу узнаю.

В удовлетворении кассационной жалобы было отказано, и Вадим Песков отправился в колонию усиленного режима отбывать срок, а его сын вернулся к тетке, у которой и прожил до самого ухода на армейскую службу.

После возвращения отца из колонии Игорь снова объявился у Александра Ивановича.

— Теперь законы новые. Можно что-то сделать, чтобы отца реабилитировать? — спросил он старого адвоката.

— Можно, если твой отец приведет какие-то новые доказательства в пользу своей невиновности. Но это чисто теоретически, — честно ответил Александр Иванович. — На практике такого не бывает, насколько мне известно. Единственный возможный вариант — это найти того, кто признает свою вину в убийстве твоей мамы, более того, не просто признает, а сможет ее доказать. Убедительно доказать. Ты должен понимать, Игорек, что мы имеем дело с государственной машиной, которая очень не любит признавать свои ошибки и платить за них. Признать приговор неправосудным — задача трудная. Твой отец готов бороться? У него есть что сказать нового?

— В том-то и дело, что нет, — удрученно ответил Игорь. — Папа и раньше был тихим, а теперь вообще стал блаженным каким-то. В Бога верит, в церковь ходит, устроился на работу сторожем, целыми днями какую-то религиозную литературу читает, ничего ему не нужно, всем доволен. Он не будет добиваться справедливости. А без него никак нельзя?

— Никак, — развел руками адвокат. — Если только попытаться воздействовать на прокуратуру через прессу. Написать хороший яркий материал, поднять шум, взбудоражить общественность, тогда есть надежда, что прокуратура пошевелится и кому-нибудь дадут поручение изучить материалы дела. Других путей нет. Но и этот путь ни к чему не приведет, скорее всего.

— Почему?

— Потому что дело совершенно чистое, в нем нет ни одного процессуального нарушения, там придраться не к чему. Я же изучал его, поэтому могу судить. Была бы там хоть одна запятая не на месте — я бы использовал это на суде, можешь мне поверить.

— Но папа не может быть виноват! — в отчаянии воскликнул молодой человек. — Я не верю!

— Дружочек, — мягко проговорил Александр Иванович, — проверка материалов дела прокуратурой означает именно и только проверку самих материалов на предмет допущенных нарушений, а не новое рас-

АЛЕКСАНДРА МАРИНИНА

следование. Таков закон. Никаких нарушений в деле нет. Если ты добиваешься нового расследования, то нужны новые факты, новые обстоятельства, которые ранее не были установлены и проверены. До тех пор пока Вадим Семенович такие факты не предоставит, ничего не получится.

— Все равно я попробую, — упрямо заявил Игорь. — Буду писать во все инстанции. Вы мне поможете? Подскажете, куда и на чье имя писать и как правильно сформулировать?

Орлов-старший помогал и подсказывал, но результаты были предсказуемыми и одинаковыми: для пересмотра дела оснований не усматривается.

— Игорь, а может быть, ты все-таки уговоришь отца? — как-то спросил Александр Иванович. — Если ему есть что сказать.

— Не хочет он ничего говорить. И вообще ничего не хочет. И не разговаривает со мной об этом, — ответил Игорь сердито.

— А с кем он разговаривает? Может быть, обратиться к тем, с кем он общается, и попросить воздействовать на него? — предложил адвокат.

На самом деле Орлов-старший ни минуты не сомневался в виновности Вадима Пескова, хотя сам Песков вины своей не признавал ни на следствии, ни на суде. Он просто ничего не помнил. Был мертвецки пьян. И о том, как и почему совершил убийство, рассказать не мог.

Но если мальчик хочет чего-то добиваться, то нельзя же не помочь! И потом: а вдруг и в самом деле есть какие-то обстоятельства, о которых Вадим мог бы рассказать и которые дадут основания для пересмотра? Чего в жизни не бывает?

— Да ни с кем он не общается, — с досадой бросил Игорь. — Бирюк бирюком живет. Какие-то мужики то и дело появляются, он с ними поговорит полчаса, и они уходят.

— Какие мужики?

— Ну, я так понял, сидели вместе.

— Отец с ними выпивает?

— Нет, он как вернулся — ни грамма не выпил, совсем завязал. Я ж говорю: в церковь ходит, над кроватью икону повесил, молится. Каждый раз, когда я пытаюсь поговорить с ним об... ну, в общем, о том, что случилось, он отвечает: «Я виноват. Не надо было водку пить. Грех это. Согрешил — отвечай. Я и ответил. Никакой другой справедливости нет и быть не может». Вот и весь разговор.

Встречи с Игорем становились со временем все реже и реже. Но Александр Иванович искренне сочувствовал парню, так трагически потерявшему мать и не желавшему верить в то, что его любимый отец — преступник, убийца. Старый адвокат не забыл Игоря Пескова и просил своего сына, тоже адвоката, помочь Игорю, если возникнет необходимость. Все-таки пока Вадим жив — остается надежда, что он решится заговорить. Конечно, если ему есть что сказать.

Александр Иванович Орлов умер, спустя несколько лет скончался и Вадим Семенович Песков, а потом на пороге квартиры Бориса Александровича внезапно появился Игорь.

— Я хочу добиваться посмертной реабилитации отца, — заявил он, окрепший и возмужавший за эти годы. — Помогите мне получить его уголовное дело.

— Дело тебе никто не даст, — рассмеялся Борис Александрович. — Оно в архиве Мосгорсуда. Получить его могут только прокурорские или судебные работники.

— Но обвиняемый же имеет право знакомиться с делом! Я читал закон, я знаю!

— Не обвиняемый, а подсудимый, — поправил его Орлов. — Это разные вещи. И потом, ты не подсудимый, ты — родственник осужденного, отбывшего наказание, на тебя это право не распространяется.

Игорь помолчал, потом глаза его сверкнули решимостью.

— Александр Иванович мне говорил, что очень тщательно изучил материалы дела. Он готовился к суду, делал много записей, я сам видел. Эти записи сохранились?

Орлов пожал плечами:

— Наверное. После смерти отца я собрал весь его домашний архив и перевез к себе, надо посмотреть, есть ли там что-нибудь. Ты все-таки учти, что прошло очень много лет, суд был в восемьдесят девятом, а до две тысячи третьего года отец еще активно работал, записи копились, папки громоздились, а квартира-то не безразмерная. Он вполне мог что-то выбрасывать.

— Но вы все-таки посмотрите, — попросил Игорь.

Борис Александрович пообещал поискать и обещание свое выполнил, хотя и не сразу: на то, чтобы разобрать отцовский архив, требовался не один день, а тут Алиса собралась замуж за своего американца, начались хлопоты с визами и подготовкой к свадьбе, а также бурное обсуждение кандидатуры ребенка, которого жених и невеста уже присмотрели для усыновления. Вопрос, собственно, состоял не в самом ребенке — пятимесячной афроамериканке Дженнифер, а в том, нужно ли так торопиться. Борис искренне не понимал, какая необходимость брать в семью ребенка сразу после свадьбы, но Татьяна полностью поддерживала молодых и считала, что чем моложе родители — тем лучше: больше сил, больше здоровья.

— Не забывай: Лисик и ее жених очень больны, — говорила Татьяна. — Да, лечение их поддерживает, и они проживут, если бог даст, очень долго, но мало ли что... Пока у них все нормально и есть силы — пусть растят деток, пусть создают полноценную семью.

Эти разговоры и все прочие заботы отвлекали, и окончательно разобраться с многочисленными толстыми папками Орлова-старшего удалось далеко не сразу.

Записи по делу Пескова нашлись, и было их действительно много. Похоже, Александр Иванович ухитрился переписать от руки каждый документ почти целиком. Орлов позвонил Игорю и сказал, что тот может забрать материалы. Но с непременным условием: впоследствии вернуть их Борису Александровичу.

Игорь изучал записи долго и вдумчиво, при этом почти каждый день звонил Орлову и возбужденным голосом спрашивал, не может ли вот этот факт, или вот это обстоятельство, или вот так сформулированное заключение, или зачеркнутое и исправленное слово стать основанием для пересмотра дела. Орлов удрученно вздыхал и терпеливо разъяснял: нет, не может.

Справедливости ради надо отметить, что две-три шероховатости Песков все-таки отыскал, но то были именно всего лишь мелкие недочеты, никак не влияющие на законность и обоснованность процессуальных решений. И тем не менее, услышав от Орлова заветные слова: «Да, здесь допущена неточность», Игорь воодушевлялся и принимался составлять жалобы, прошения, обращения в СМИ, в Генпрокуратуру, в Комиссию по правам человека, в Верховный суд... Орлов знал, что все это бесполезно и ни к чему не приведет, но вразумить сына, пытающегося восстановить справедливость и доброе имя отца, было невозможно. Да, наверное, и неправильно даже пытаться. Не сможет человек жить спокойно, зная, что не сделал всего, что было в его силах. Уж это-то Борис Орлов знал очень хорошо. Этому его научили и жизнь отца, и его собственная борьба за здоровье дочери Алисы, когда единственным спасением для ребенка было невероятно дорогостоящее лекарство и надо было любыми способами заработать деньги на лечение.

Когда Орлову предложили принять участие в программе Ионова, он без колебаний согласился: к органам внутренних дел у него скопилось множество претензий, и он, бывший следователь, не ужившийся в свое время с силовым предпринимательством, лучше многих других знал и понимал хитрости, при помощи которых гражданам перекрывали доступ к правосудию. Узнав же, что программе требуются не только специалисты-юристы, но и просто энтузиасты, готовые работать бесплатно, ради идеи, вспомнил об Игоре Пескове. Вот уж кто ненавидит правоохранительную систему! Вот кто живота не пощадит в праведной борьбе!

Игорю объяснили задачу: он будет получать списки тех людей, которые обратились в полицию с заявлением о преступлении и не дождались никакой реакции. Или дождались (спустя весьма длительное время, что тоже, как и отсутствие реакции, является нарушением закона) отказа в возбуждении уголовного дела. Ему нужно будет знакомиться с этими людьми и ненавязчиво советовать им обратиться за помощью к юристу, который знает, как составить жалобу на бездействие полиции или на незаконный отказ и куда направить. Если человек соглашался — в дело вступали сотрудничающие с программой адвокаты, в том числе и Борис Орлов.

Какое-то время все шло относительно гладко, а потом Игорь начал бунтовать. Он считал, что программа двигается черепашьим шагом и что такими методами они ничего никогда не добьются. «Нужно поднимать народ на бунт! — говорил он, сверкая глазами. — Нужно разрушить эту гнилую систему насильственно и быстро и на ее месте сразу же построить новую!» Ему объясняли, что так нельзя, приводили исторические примеры, убеждали, уговаривали...

И вот он все-таки сорвался. Исчез. Но это никого особенно не насторожило, пока не всплыли эти «парные» убийства. На сегодняшний день распространение информации удалось затормозить, но если она все-таки просочится вовне, то может породить панику в населении, а вслед за ней — тот самый неуправляемый бунт, который столь опасен и который необходимо предотвратить.

Игорь уехал из Москвы в апреле. Почему? Началось развитие психоза? Или что-то случилось? Почему именно тогда он принял решение начать свой крестовый поход за перестройку правоохранительной системы?

Как бы там ни было, а нужно повторить весь путь, проделанный оперативником Дзюбой, и задать людям множество вопросов, чтобы получить возможность составить хотя бы приблизительный портрет Игоря Пескова. Сам Орлов мог бы рассказать о нем очень немного: упрямый, целеустремленный, не пьет, не курит. Вот, пожалуй, и все.

Продолжение следует

Оглавление

Литературно-художественное издание

А. МАРИНИНА. БОЛЬШЕ ЧЕМ ДЕТЕКТИВ

МАРИНИНА АЛЕКСАНДРА

ЦЕНА ВОПРОСА

Том 1

Ответственный редактор *Е. Соловьев*
Художественный редактор *А. Сауков*
Технический редактор *Г. Этманова*
Компьютерная верстка *В. Андриановой*
Корректор *Г. Москаленко*

ООО «Издательство «Э»
123308, Москва, ул. Зорге, д. 1. Тел. 8 (495) 411-68-86.

Өндіруші: «Э» АҚБ Баспасы, 123308, Мәскеу, Ресей, Зорге көшесі, 1 үй.
Тел. 8 (495) 411-68-86.
Тауар белгісі: «Э»
Қазақстан Республикасында дистрибьютор және өнім бойынша арыз-талаптарды қабылдаушының
өкілі «РДЦ-Алматы» ЖШС, Алматы қ., Домбровский көш., 3«а», литер Б, офис 1.
Тел.: 8 (727) 251-59-89/90/91/92, факс: 8 (727) 251 58 12 вн. 107.
Өнімнің жарамдылық мерзімі шектелмеген.
Сертификация туралы ақпарат сайтта Өндіруші «Э»

Сведения о подтверждении соответствия издания согласно законодательству РФ
о техническом регулировании можно получить на сайте Издательства «Э»

Өндірген мемлекет: Ресей
Сертификация қарастырылмаған

Подписано в печать 25.07.2017. Формат 84х108^1/$_{32}$.
Гарнитура «GaramondLightITC». Печать офсетная. Усл. печ. л. 18,48.
Тираж 90 000 экз. Заказ 6846.

Отпечатано с готовых файлов заказчика
в АО «Первая Образцовая типография»,
филиал «УЛЬЯНОВСКИЙ ДОМ ПЕЧАТИ»
432980, г. Ульяновск, ул. Гончарова, 14

Оптовая торговля книгами Издательства «Э»:
142700, Московская обл., Ленинский р-н, г. Видное,
Белокаменное ш., д. 1, многоканальный тел.: 411-50-74.

**По вопросам приобретения книг Издательства «Э» зарубежными оптовыми
покупателями обращаться в отдел зарубежных продаж**
*International Sales: International wholesale customers should contact
Foreign Sales Department for their orders.*

**По вопросам заказа книг корпоративным клиентам,
в том числе в специальном оформлении,** *обращаться по тел.:*
+7 (495) 411-68-59, доб. 2261.

**Оптовая торговля бумажно-беловыми
и канцелярскими товарами для школы и офиса**:
142702, Московская обл., Ленинский р-н, г. Видное,
Белокаменное ш., д. 1, а/я 5. Тел./факс: +7 (495) 745-28-87 (многоканальный).

Полный ассортимент книг издательства для оптовых покупателей:
Москва. Адрес: 142701, Московская область, Ленинский р-н,
г. Видное, Белокаменное шоссе, д. 1. Телефон: +7 (495) 411-50-74.
Нижний Новгород. Филиал в Нижнем Новгороде. Адрес: 603094,
г. Нижний Новгород, улица Карпинского, дом 29, бизнес-парк «Грин Плаза».
Телефон: +7 (831) 216-15-91 (92, 93, 94).
Санкт-Петербург. ООО «СЗКО». Адрес: 192029, г. Санкт-Петербург, пр. Обуховской Обороны,
д. 84, лит. «Е». Телефон: +7 (812) 365-46-03 / 04. **E-mail:** server@szko.ru
Екатеринбург. Филиал в г. Екатеринбурге. Адрес: 620024,
г. Екатеринбург, ул. Новинская, д. 2щ. Телефон: +7 (343) 272-72-01 (02/03/04/05/06/08).
Самара. Филиал в г. Самаре. Адрес: 443052, г. Самара, пр-т Кирова, д. 75/1, лит. «Е».
Телефон: +7 (846) 269-66-70 (71...73). **E-mail:** RDC-samara@mail.ru
Ростов-на-Дону. Филиал в г. Ростове-на-Дону. Адрес: 344023,
г. Ростов-на-Дону, ул. Страны Советов, 44 А. Телефон: +7(863) 303-62-10.
Центр оптово-розничных продаж Cash&Carry в г. Ростове-на-Дону. Адрес: 344023,
г. Ростов-на-Дону, ул. Страны Советов, д.44 В. Телефон: (863) 303-62-10. Режим работы: с 9-00 до 19-00.
Новосибирск. Филиал в г. Новосибирске. Адрес: 630015,
г. Новосибирск, Комбинатский пер., д. 3. Телефон: +7(383) 289-91-42.
Хабаровск. Филиал РДЦ Новосибирск в Хабаровске. Адрес: 680000, г. Хабаровск,
пер.Дзержинского, д.24, литера Б, офис 1. Телефон: +7(4212) 910-120.
Тюмень. Филиал в г. Тюмени. Центр оптово-розничных продаж Cash&Carry в г. Тюмени.
Адрес: 625022, г. Тюмень, ул. Алебашевская, 9А (ТЦ Перестройка+).
Телефон: +7 (3452) 21-53-96/ 97/ 98.
Краснодар. Обособленное подразделение в г. Краснодаре
Центр оптово-розничных продаж Cash&Carry в г. Краснодаре
Адрес: 350018, г. Краснодар, ул. Сормовская, д. 7, лит. «Г». Телефон: (861) 234-43-01(02).
Республика Беларусь. Центр оптово-розничных продаж Cash&Carry в г.Минске. Адрес: 220014,
Республика Беларусь, г. Минск, проспект Жукова, 44, пом. 1-17, ТЦ «Outleto».
Телефон: +375 17 251-40-23; +375 44 581-81-92. Режим работы: с 10-00 до 22-00.
Казахстан. РДЦ Алматы. Адрес: 050039, г. Алматы, ул.Домбровского, 3 «А».
Телефон: +7 (727) 251-58-12, 251-59-90 (91,92,99).
Украина. ООО «Форс Украина». Адрес: 04073, г.Киев, Московский пр-т, д.9.
Телефон: +38 (044) 290-99-44. **E-mail:** sales@forsukraine.com

**Полный ассортимент продукции Издательства «Э»
можно приобрести в магазинах «Новый книжный» и «Читай-город».**
Телефон единой справочной: 8 (800) 444-8-444. Звонок по России бесплатный.
В Санкт-Петербурге: в магазине «Парк Культуры и Чтения БУКВОЕД», Невский пр-т, д.46.
Тел.: +7(812)601-0-601, www.bookvoed.ru

Розничная продажа книг с доставкой по всему миру. Тел.: +7 (495) 745-89-14.

BOOK24.RU
ИНТЕРНЕТ-МАГАЗИН

ISBN 978-5-04-004674-4

BOOK24.RU

9 785040 046744 >

16+